L'Inavouable

Line Véronic Boucher

L'Inavouable

Données de catalogage avant publication (Canada)

Boucher, Line Véronic, 1956-

L'inavouable

(Super Sellers)
ISBN 2-89077-168-7

I. Titre.
PS8553.O793l52 1997   C843'.54   C97-940771-0
PS9553.O793l52 1997
PQ3919.2.B68l52 1997

ISBN 2-89077-168-7

Dépôt légal : 3e trimestre 1997

Révision : Paulette Villeneuve

Illustration de couverture : Mike Italiaander, Allied Artists Limited
Conception graphique : Création Melançon

Imprimé au Canada

À Jonathan, mon fils ;
À Mathieu, mon neveu ;
À Anne-Julie, ma filleule.

Prologue

Des mésanges volettent au-dessus des gens rassemblés autour des cercueils de Philippe et de Corinne Beaulieu.

L'air du printemps est doux. Tiède. Tiède comme la plupart des sentiments qu'éprouvent ceux qui sont venus rendre un dernier hommage au couple décédé tragiquement.

— C'est incroyable, murmure Marie-Ange Gagnon-Hudon à sa sœur Marie. Corinne n'avait que 54 ans. Ah ! mon Dieu ! Quelle tragédie !

— Ce qui m'inquiète le plus, c'est l'attitude d'Anne-Julie, souligne Marie. C'est à peine si on a vu cette enfant pleurer depuis le décès de ses parents. Elle semble ailleurs.

Marie-Ange, la grand-mère d'Anne-Julie, essuie une larme sur sa joue parcheminée. Elle a du chagrin, elle aussi, mais elle s'efforce de le contenir devant sa petite-fille.

— Il faut comprendre, son univers vient de basculer.

— Oui, mais à force de retenir sa peine, elle finira par craquer, c'est sûr ! réplique Marie.

Marie-Ange soupire et baisse les yeux. L'enfer n'est

sûrement rien en comparaison de ce que vit Anne-Julie depuis quelques jours.

— Si seulement je pouvais adoucir l'intensité de sa tristesse, souffle-t-elle, dans un sursaut d'émotion.

À quelques pas de là, Anne-Julie lutte contre les violentes rafales qui s'agitent en elle. Elle vit un vrai cauchemar dominé par l'angoisse. Sans cesse, depuis trois jours, elle revit l'horrible scénario.

Son esprit la transporte au cégep de Rivière-du-Loup. Jérôme l'embrasse avec fougue et Anne-Julie se laisse bercer par cette douce euphorie des sens. Elle est heureuse et en confiance. La veille, pour la première fois, ils ont fait l'amour. Anne-Julie était encore vierge.

Tandis que Jérôme lui bécote la nuque, Anne-Julie voit s'approcher deux policiers et le directeur du cégep. Honteuse, elle repousse son ami, qui n'y comprend rien.

— Que se passe-t-il, Anne?

— Derrière toi... se contente-t-elle de répondre.

Jérôme s'apprête à bafouiller quelques vagues explications pour excuser leur conduite lorsqu'un des policiers l'interrompt et s'adresse directement à Anne-Julie.

— Êtes-vous Anne-Julie Beaulieu?

— Oui, répond la jeune fille en sourcillant.

— Suivez-nous, mademoiselle! Nous devons vous parler.

— Mais... pourquoi? s'objecte Jérôme.

— Nous devons lui parler de ses parents, explique le directeur du cégep.

Anne-Julie pressent la catastrophe. Elle s'écrie:

— Mes parents? Pourquoi voulez-vous me parler de mes parents? Ils sont en Floride en ce moment. Ils doivent rentrer demain matin.

— Justement...

Les trois hommes affichent un air contrit. Chacun appré-

8

hende la réaction de la jeune fille. M. Caron, le directeur du cégep, regarde par terre, profondément nerveux. Au bout d'interminables minutes, il prend Anne-Julie par les épaules :

— Suivez-nous dans mon bureau, mademoiselle Beaulieu. Nous vous expliquerons tout cela.

Mais Anne-Julie se débat. Une douleur inexprimable s'empare d'elle.

— Qu'est-il arrivé à mes parents ?

— Venez avec nous, mademoiselle. Nous ne pouvons pas vous parler ici, lui dit gentiment un des policiers en regardant la foule des étudiants curieux qui commence à s'assembler autour d'eux.

Jérôme saisit Anne-Julie par la taille et l'oblige à avancer. Elle tremble et claque des dents durant tout le trajet qui les conduit au bureau du directeur.

— Asseyez-vous, mademoiselle ! lui dit fermement un des policiers.

Elle s'exécute, car elle sent ses jambes se dérober sous elle.

— Nous avons une mauvaise nouvelle à vous communiquer, entend-elle. Vos parents sont décédés. L'avion qui les ramenait de Floride s'est écrasé près de New York.

Puis, c'est l'obscurité totale. Anne-Julie reprend conscience à l'hôpital. Sa grand-mère Marie-Ange est auprès d'elle, bouleversée, et lui raconte la tragédie. L'avion qui transportait ses parents bien-aimés a explosé en plein vol – le moteur, paraît-il – quelque part au-dessus de l'Atlantique, faisant 257 morts.

Et voici qu'aujourd'hui on fait disparaître ce qui reste des corps disloqués de ses parents dans le ventre de cette terre froide et humide. Anne-Julie a du mal à le croire.

Quand on est tout petit, on se dit que dans un avenir très éloigné nos parents vont mourir. Cela arrivera un de ces jours, plus tard... Personne ne pense que ce sera demain, après-demain, ni même aujourd'hui. Personne n'est prêt à cela. Anne-Julie songe qu'elle l'est encore moins que les autres. Elle refuse que ses parents la quittent ainsi, aussi tragiquement, aussi brutalement.

Son cœur s'agite. Elle croit manquer d'air. Elle cligne des paupières car ses yeux sont maintenant noyés de larmes. Les corps de ses parents descendent, côte à côte, dans l'obscurité de la terre où ils seront ensevelis. Les insectes grignoteront leurs corps. Anne-Julie se sent suffoquer. Elle entend les paroles du prêtre :

« Prions pour que l'âme de Philippe et de Corinne Beaulieu repose en paix. »

Mais que dit ce prêtre ? Que font tous ces gens ici ? Où est mon père ?

« Mais voyons, Anne-Julie ; c'est ton père qu'on enterre ! »

Un cri puissant sort de la gorge de la jeune fille, glaçant d'effroi l'assistance.

— **NON** !

Anne-Julie se met à courir. Elle court à perdre haleine. C'est impossible, Corinne et Philippe ne peuvent pas mourir... Ils ne peuvent disparaître ainsi. C'est complètement insensé, irréel. Ils ne peuvent quitter un monde où les oiseaux chantent dans le ciel. Un monde où l'on commence à nettoyer les terrains pour accueillir les fleurs et les plantes de l'été qui approche et où les vieillards écoutent de la musique en se berçant sur leur balcon tandis que les enfants jouent au ballon... Et les bourgeons qui annoncent la vie dans les arbres. Non ! C'est sûrement un cauchemar ! Une telle souffrance ne peut exister. C'est impossible. Elle va se réveiller.

Dans sa course folle, Anne-Julie, complètement déroutée, arrive à un carrefour. Derrière elle, des pas se rapprochent. On la rattrape, on la secoue, puis on lui parle. Mais qui est cet homme ?

— Je suis Bruno Beaulieu, le frère de ton père.

Bruno Beaulieu. Elle connaît ce nom, c'est celui d'un célèbre animateur d'émissions d'information. Anne-Julie le reconnaît. Mais que lui raconte-t-il ? Il prétend être le frère de son père. Ridicule ! Philippe ne lui a jamais parlé de lui.

— Calme-toi, Anne-Julie, ordonne-t-il. Je suis si heureux de te rencontrer ! Enfin...

Anne-Julie refait peu à peu surface. Elle s'efforce de se concentrer sur ce que lui raconte cet homme.

— Il y a si longtemps que j'attends cet instant, lui dit-il d'une voix très douce.

— Pourquoi ? demande-t-elle à bout de souffle, tremblante, les yeux remplis de larmes.

— Parce que... hésite Bruno Beaulieu. Parce que, vois-tu, Anne-Julie, je suis beaucoup plus que ton oncle ! Je suis ton père.

Les mots, ces traîtres, ont atteint la conscience de la jeune fille. Une voiture se gare près du couple. Marie-Ange, son frère Gaston et sa sœur Marie, en sortent précipitamment. Affolée, Marie-Ange hurle, sur un ton autoritaire :

— Tais-toi, Bruno Beaulieu !

Nerveux, Bruno se met à rire, puis devient hargneux.

— Me taire ! C'est trop tard ! Elle sait tout à présent.

Première partie

Août 1985

1

Des paysages familiers défilent rapidement derrière les vitres teintées de l'autobus qui ramène Anne-Julie à Sainte-Foy.

Un panneau, lu en toute hâte, lui indique que les voyageurs approchent de La Pocatière. Cette constatation lui arrache un soupir de lassitude. Cette autoroute, qui permet de suivre le fleuve Saint-Laurent avec rapidité, est pratique mais très ennuyeuse. On n'y traverse aucun des villages qui, pourtant, donnent âme et vie à cette belle région du Bas-Saint-Laurent.

Le cœur ravagé, Anne-Julie ferme doucement les yeux. Elle sait qu'il reste encore deux heures de route avant d'arriver à destination. Deux longues heures pendant lesquelles les souvenirs referont surface, comme chaque fois qu'elle se retrouve seule.

Elle désespère de ne pouvoir parvenir à maîtriser cette insidieuse dépression qui l'envahit et semble la condamner à mourir de chagrin.

« Il faut que tu trouves un sens à ta vie, Anne-Julie ! » lui ressasse Marie-Ange, seule parente à se soucier encore de son sort depuis la mort tragique de ses parents.

Le drame est survenu quatre ans plus tôt, mais Anne-Julie ne comprend pas et n'accepte toujours pas cette tragédie inhumaine qui a creusé un si grand vide dans son existence. Entourée d'amour par un père qui l'idolâtrait presque, elle était une enfant si vive. Maintenant, elle se soumet au destin, se laissant ballotter par les événements, sans désir profond de lutter pour extorquer à la vie sa part de soleil. Elle se résigne à vivre une vie sans couleurs et sans saveurs.

« Tu as été élevée sur un nuage d'ouate, Anne-Julie ! prétend Marie-Ange. Regarde en avant et redresse les épaules ! La vie t'offrira ce que tu penses mériter ! On devient ce que l'on pense être... »

La jeune fille est bien obligée d'admettre que c'est vrai : enfant, elle a été très gâtée. Trop, probablement. Toute jeune, on lui a accordé trop d'importance.

Ce mois d'avril 1981 reste profondément gravé dans sa mémoire. Elle a l'impression que l'écorce terrestre s'est fracturée sous ses pieds, l'entraînant dans un glissement sans fin vers la mélancolie.

Son père, héros incontesté à ses yeux, a eu l'audace de quitter le monde avec cette partie d'elle-même qui respirait la joie de vivre.

« Laisse faire le temps, ma chérie ! Quelles que soient les circonstances, il arrange toujours les choses pour le mieux », prétend Marie-Ange.

« Laisse faire le temps ! Laisse faire le temps ! » maugrée Anne-Julie en répétant cette phrase vide de sens. Le temps n'a eu aucune emprise, aucune influence sur sa douleur. Bien au contraire... Seule l'écriture arrive à susciter des instants magiques de bonheur, lui laissant espérer que, peut-être, elle réussira à devenir écrivain. Dans quelques jours, elle commencera sa troisième année universitaire et pourra enfin s'adonner à son unique passion.

Le décès prématuré de ses parents fut certes un événement désastreux mais Anne-Julie aurait pu, après quelques années de deuil, refaire dignement surface. Hélas ! sa rencontre avec... (elle avale péniblement sa salive au souvenir de cet odieux personnage) Bruno Beaulieu l'a plongée dans l'humiliation et l'accablement.

Le voyage se poursuit sans qu'Anne-Julie tente de sortir de cette humeur morose. Elle arrive enfin à Québec. Sitôt rendue à l'appartement qu'elle partage avec sa seule véritable amie, Manon Gauthier, elle s'empresse de déposer ses valises et se dirige vers la cuisine.

— Manon, je suis de retour ! annonce-t-elle.

Pas de réponse. Anne-Julie est déçue. Elle trouve un mot écrit de la main de sa fidèle compagne, déposé en évidence sur la table de la cuisine.

Je suis désolée que tu trouves l'appartement vide à ton arrivée, Anne. Mais, vois-tu, j'ai rencontré quelqu'un qui m'a aimablement proposé de passer l'après-midi avec lui, tu vois ce que je veux dire... Si tu savais comme il est beau ! ! ! Seras-tu à l'appartement vers les quatre heures ? Ainsi, je pourrai te le présenter. À tout à l'heure.

Je t'embrasse, Manon XXXXX

P.-S. : J'oubliais... ton cher patron a appelé ce matin. Je crois que tu devras te résigner à reprendre le boulot dès ce soir.

À la fois déçue et amusée, Anne-Julie hausse les épaules et chiffonne la missive de Manon qu'elle lance dans la corbeille à papier. À son avis, sa copine est vraiment irresponsable et puérile. Quand se décidera-t-elle à s'assagir un peu ? Depuis maintenant presque deux ans qu'elles cohabitent, Anne-Julie ne peut faire le compte exact de tous les hommes qui ont défilé dans leur appartement. Manon va de relation en relation, se lançant dans une nouvelle intrigue amoureuse avant même d'avoir mis un terme à la précédente, rêvant à l'homme parfait et se trompant inévitablement chaque fois. Pis que cela, loin de tirer leçon de ses expériences Manon refait sans cesse les mêmes bêtises, poussée par on ne sait trop quel démon. C'est à croire qu'elle a le diable au corps.

Les deux jeunes femmes se sont rencontrées l'année qui a suivi le décès des parents d'Anne-Julie. Manon a su, par son caractère enjoué, retenir l'attention d'Anne-Julie et créer entre elles une belle et solide amitié.

Au cours de leur dernière année de cégep, elles sont sorties ensemble pour s'étourdir. Rivière-du-Loup est une ville si belle, si chaleureuse, si accueillante ! On ne s'y ennuie jamais. Dans la même rue, on trouve tous les divertissements possibles : bars, discothèques, salles de cinéma et restaurants. C'est une ville tout en côtes et la vie étudiante y est très animée !

Anne-Julie, de nature plutôt sage, a alors tenté de se divertir pour oublier sa peine, sans toutefois nouer d'attaches sentimentales. Manon, quant à elle, pourrait écrire une thèse sur le genre masculin.

Depuis son entrée à l'université, Anne-Julie mise davantage sur ses études. Elle est devenue très sérieuse, ce qui lui a valu le surnom de sainte Anne-Julie, tandis que Manon, loin de l'autorité parentale, s'en donne plutôt à cœur joie.

Sans y penser davantage, Anne-Julie se dirige vers le téléphone et compose le numéro de sa grand-mère.

— Bonjour, grand-maman. Comment vas-tu ? amorce-t-elle, une pointe d'inquiétude nuançant sa voix.

— Je vais très bien, Anne-Julie. Comment s'est déroulé ton voyage ?

— Bien... enfin, assez bien. Ta sœur Marie est-elle toujours à tes côtés ?

— Bien sûr. Ne t'ai-je pas promis de ne plus demeurer seule à la maison ?

Anne-Julie se sent soulagée. Les deux dernières semaines ont été plus qu'éprouvantes pour elle. Dès son arrivée à Notre-Dame-du-Portage, Anne-Julie s'est inquiétée de ne pas voir sa grand-mère sortir sur l'immense galerie de sa demeure pour l'accueillir comme d'habitude. Inquiète, la jeune femme s'est empressée d'entrer dans la maison pour constater que Marie-Ange gisait, inconsciente, sur le plancher de la cuisine. En proie à l'angoisse, Anne-Julie a aussitôt appelé une ambulance. Marie-Ange a dû se soumettre à une série d'examens qui ont confirmé une insuffisance cardiaque, probablement due à son âge avancé. Elle a, en effet, presque quatre-vingts ans.

— Tu sais, grand-maman, je suis angoissée à l'idée que tu puisses disparaître de ma vie. Que deviendrais-je sans toi ?

— Anne-Julie, nous avons eu cette discussion des centaines de fois. Personne d'entre nous n'est immortel. Tu le sais mieux que quiconque. Un jour ou l'autre, je devrai quitter ta vie, tandis que toi, tu devras apprendre à vivre pour toi-même. Déniche-toi un gentil garçon qui comblera tes attentes et vis pleinement ta vie. Tu sais, nous devons tous faire un certain nombre d'apprentissages. Les miens sont faits, Anne. Il faudra te rendre à l'évidence.

— Ce n'est pas vrai, grand-maman ! Tu as encore beaucoup à apprendre.

Marie-Ange se met à rire.

— Avec mes deux maris, tu sais, j'ai amplement accompli ma mission.

Anne-Julie adore sa grand-mère. Peu de femmes peuvent

analyser leur vie avec autant d'humour et de réalisme. Marie-Ange est sage. Elle a une façon bien à elle de dédramatiser les situations. Pourtant, cette femme a eu son lot de souffrances !

En premières noces, elle a épousé un homme dur et moralisateur à l'excès qui lui a permis de comprendre de belles leçons de vie, assure-t-elle. En secondes noces cependant, la vie l'a gâtée en lui offrant des années de grand bonheur auprès d'un homme remarquable : le beau docteur David Hudon. Cet homme agréable, affectueux, juste et respectueux a quitté l'affable Marie-Ange, emporté en douceur dans son sommeil, une année avant la mort des parents d'Anne-Julie. Toute autre femme se serait révoltée devant la disparition d'un homme aussi charmant, mais pas Marie-Ange. Elle a exprimé ses émotions en disant :

« Par sa présence aimante, David a donné un nouveau souffle à ma vie. Je ne peux que le remercier en continuant à vivre avec dignité. Me laisser aller à la dépression et au mélodrame serait un outrage à ce que nous avons vécu ensemble, David et moi. Je m'y refuse. »

Évidemment, elle l'a pleuré quelques semaines ; mais, comme elle le dit si bien, leur vie commune a été marquée par tant de beaux souvenirs qu'elle ne peut laisser perdurer sa tristesse.

« Les jours qu'il me reste à vivre seront dédiés à sa douce mémoire. Ainsi, lorsque mon tour sera venu de quitter ce monde, David viendra à ma rencontre, et à nouveau, nous formerons un couple uni. Mais, cette fois, ce sera pour l'éternité ! N'est-ce pas romantique ? »

Ça l'est, en effet. Et Anne-Julie ne peut que s'en attendrir. Dieu lui a ravi cruellement ses parents, mais Il lui a offert en échange un modèle en la personne de Marie-Ange Gagnon-Hudon.

— Bon ! Je dois te laisser à présent, grand-maman. D'après

ce que j'ai compris du message de Manon, je dois travailler ce soir.

— Tiens, justement, s'informe Marie-Ange, comment va cette grande écervelée de Manon ?

Anne-Julie pouffe de rire :

— Si j'en juge par sa brève missive de bienvenue, elle est encore amoureuse.

— Elle ne changera donc jamais ! Embrasse-la pour moi, veux-tu ?

— Oui, grand-maman, je le ferai. En attendant, prends soin de toi. Je te serre très fort contre mon cœur.

— Moi aussi. Au revoir ! Et cesse de t'inquiéter pour moi. Concentre-toi plutôt sur cette dernière année d'université. Ta réussite est ce qu'il y a de plus important à mes yeux.

— Je vais essayer.

Après avoir raccroché, Anne-Julie reste quelques minutes dans un silence qui l'apaise, puis téléphone à son patron, Gérard Beaupré, propriétaire du restaurant *Fleur bleue*. De sa voix mielleuse, comme chaque fois qu'il lui adresse la parole, M. Beaupré lui dit qu'il l'attend au restaurant à dix-huit heures pour compléter l'horaire de la soirée. La jeune fille ne dispose donc que de trois heures avant de retourner au travail.

Anne-Julie transporte ses valises jusqu'à sa chambre et s'empresse de ranger ses vêtements. Elle se félicite d'avoir eu la brillante idée de nettoyer et de repasser son uniforme de serveuse avant son départ pour Notre-Dame-du-Portage. Elle évite ainsi le stress de se sentir coincée par le temps.

En fouillant dans une poche de sa robe de chambre, elle découvre une liasse de billets de banque.

— Marie-Ange ! s'écrie-t-elle, comprenant qu'une fois de plus sa grand-mère lui a joué un tour.

En effet, des discussions sans fin opposent les deux

femmes chaque fois que Marie-Ange désire accorder une aide financière à sa petite-fille.

« Je ne veux pas de cet argent, grand-maman ! Combien de fois vais-je devoir te dire que je considère cet argent comme un cadeau empoisonné provenant de ce... Bruno Beaulieu. Il n'arrivera jamais à acheter mon amour, même s'il est mort et enterré !

Ce à quoi Marie-Ange, scandalisée par la mauvaise foi de sa petite-fille, réagit toujours avec emportement.

— Cet argent m'appartient ! Tu me l'as légué de ton plein gré le fameux jour où nous nous sommes rendues chez le notaire Riopel. Cet homme que tu détestes tant a tout de même eu la délicatesse de se soucier de ton avenir ! Bien des filles de ton âge pâliraient d'envie devant cette chance inespérée.

Fulminant de rage dès qu'il est question de la générosité de « son père », Anne-Julie réplique toujours :

— Malgré ce que tu appelles de la générosité de la part de ce... triste individu, sache, grand-maman, que je ne veux rien qui puisse me rappeler son existence. Souviens-toi qu'il a gâché ma vie et que je suis assez grande pour me débrouiller seule ! »

Après de telles altercations, Marie-Ange pousse parfois l'offense jusqu'à bouder Anne-Julie pendant plusieurs heures. Tactique déloyale mais efficace puisqu'elle réussit toujours à vaincre les résistances de la jeune fille. Repentante, Anne-Julie finit par lui demander pardon en prenant les quelques billets de cent dollars que lui tend la vieille dame, et en l'embrassant sur la joue pour clore toute dispute.

Mais Marie-Ange n'est pas consciente du trouble que suscite chez sa petite-fille l'héritage de 200 000 $ légué par Bruno Beaulieu. Ce dernier s'est d'ailleurs suicidé quelques jours après le refus d'Anne-Julie de le laisser entrer dans sa vie. Aussi, comprenant que sa petite-fille refuserait l'argent, Marie-

Ange a-t-elle accepté cette somme alléchante, malgré l'air ahuri d'Anne-Julie, sous le prétexte que sa demeure ancestrale avait besoin d'être rafraîchie pour accueillir ses futurs arrière-petits-enfants.

Le plus choquant de toute l'affaire, c'est que la vieille dame prétend avoir investi la majeure partie de ce legs dans les rénovations de sa maison après avoir fait de généreux dons à des œuvres de charité. Difficile à croire, puisque à tout moment elle offre des billets de cent dollars à Anne-Julie.

« Cet argent provient de ma rente de veuve, plaide toujours Marie-Ange avec, dans le regard, une pointe d'impatience. Et je n'ai que toi à gâter ! »

Anne-Julie est d'autant plus exaspérée que sa grand-mère la place toujours devant le fait accompli. L'année dernière, par exemple, lorsque la jeune fille s'est présentée au secrétariat de l'université Laval, une gentille secrétaire s'est écriée :

« Mais... votre année universitaire est entièrement payée, mademoiselle Beaulieu ! »

Anne-Julie s'était alors promis de bouder Marie-Ange pour une période d'au moins un mois, histoire de lui donner une bonne leçon. Mais sa grand-mère l'a amadouée en lui annonçant que cette somme rondelette provenait de l'héritage de Gustave Gagnon, le frère de son grand-père Joseph Gagnon, décédé l'année précédente. N'ayant, comme par hasard, aucun parent plus proche que Marie-Ange, cet homme généreux lui a légué la coquette somme de 20 000 $.

« Que puis-je faire de tout cet argent, dis-moi, Anne-Julie ?

— Tu pourrais voyager, grand-maman !

— Voyager ! Quelle idée ! J'ai déjà visité les vieux pays avec mon défunt David. Et, à mon âge, tu me vois, avec ma canne, me promener sous le soleil ? Non, non et non ! Avec mes ennuis de santé, je n'ai guère envie de sortir de cette maison. Allons, Anne-Julie, ne te fais pas prier. Si tu savais comme cela me fait plaisir de pouvoir t'aider. »

La sonnerie stridente de son réveil, annonçant à Anne-Julie qu'il est seize heures, l'arrache à sa méditation. Manon va bientôt rentrer à l'appartement pour lui présenter son beau prince charmant. D'ailleurs elle entend la porte qui s'ouvre et les fous rires des nouveaux arrivants.

— Allô, Anne ! C'est moi. Viens que je t'embrasse.

Anne-Julie sourit. Tranquillement, elle longe le corridor et arrive devant Manon qui l'accueille avec effusion.

— Oh ! que je suis heureuse de te revoir ! lance Manon d'un ton affectueux. La vie était insupportable sans toi.

Anne-Julie éclate de rire et, adressant un clin d'œil complice au compagnon de Manon, elle badine :

— Si tu crois que je vais te croire...

— Oh ! pardon ! Je te présente Lévis Caron, mon nouveau patron et ami de cœur.

— Ton patron ?

Manon s'amuse de l'air étonné d'Anne-Julie.

— Non, tu ne rêves pas ! Lévis m'a offert un emploi de barmaid au club *L'Ingénue.* Tu connais ?

— Non, mais tu sais qu'en dehors de mon travail au *Fleur bleue* et de mes études à l'université, je sors très peu.

Manon se met à rire et se tourne vers Lévis pour lui expliquer :

— C'est un fait ! Sache, Lévis, qu'Anne-Julie ne sort que pour se rendre au supermarché ou au cinéma. C'est une jeune fille très très sage...

— Cesse de te moquer, veux-tu, Manon ? Qu'est-ce que ton ami va penser de moi ?

En souriant, Lévis saisit la main d'Anne-Julie et la porte à ses lèvres pour la baiser d'une façon chevaleresque.

— Je suis ravi de faire votre connaissance, Anne-Julie.

Manon m'a tout révélé de votre conduite de jeune fille trop sage, mais je peux vous assurer que j'aime les femmes sérieuses. Elles demeurent un vrai mystère pour moi et forcent mon admiration.

Mal à l'aise devant ce discours qui sonne faux à ses oreilles, Anne-Julie s'éloigne de son interlocuteur et articule un faible :

— Je suis heureuse de vous connaître, Lévis.

Manon perçoit aussitôt le malaise de son amie.
Aussi, s'empresse-t-elle d'ajouter :

— Bon ! maintenant que vous vous connaissez, que diriez-vous si nous sortions tous les trois pour souper ?

Revenue de sa torpeur, Anne-Julie s'oppose immédiatement à cette idée en prétextant :

— Je ne peux pas vous accompagner, Manon... Je travaille ce soir. Ce sera peut-être pour une prochaine fois... Nous nous verrons demain.

— O.K. Tu me raconteras tes vacances ?

— C'est promis.

Moins de quinze minutes plus tard, les deux tourtereaux quittent l'appartement, laissant Anne-Julie seule avec ses pensées. Sans bien savoir pourquoi, la jeune fille n'éprouve aucune sympathie pour Lévis Caron. Leur rencontre la laisse même perplexe...

2

Octobre s'installe déjà avec ses coloris flamboyants, du jaune ocre au rouge écarlate. L'air est vivifiant. Le temps, agréablement doux pour cette période de l'année, incite Anne-Julie à ralentir le pas, ce qui retarde son retour à l'appartement.

La veille, la jeune femme a reçu des nouvelles rassurantes de sa grand-mère. Le médecin de la vieille dame lui a confirmé que son état s'améliore grandement. Il a même plaisanté en prédisant que Marie-Ange allait probablement tous les enterrer.

Arrivée près de son immeuble, Anne-Julie ne se résigne pas à s'y enfermer pour étudier. Elle décide de s'octroyer un peu de temps libre et se rend à l'appartement pour y déposer son sac dans l'entrée et ressortir aussitôt.

Pourquoi ne pas profiter de ce temps magnifique puisqu'elle ne travaille pas au restaurant ce soir ? Et puis, n'a-t-elle pas pris une confortable avance dans tous ses travaux universitaires ?

Tout en marchant, elle songe à Manon. Son amie a changé

depuis qu'elle travaille à *L'Ingénue*. Anne-Julie constate qu'elle rentre de plus en plus tard la nuit, et très souvent dans un état d'ébriété avancé. Cette situation ne cesse de préoccuper la jeune étudiante.

Un certain soir, alors qu'elles fréquentaient le cégep de Rivière-du-Loup et qu'elles se sentaient particulièrement découragées, elles ont fait un serment. Elles ont scellé leur amitié dans un rituel improvisé, se promettant de toujours s'épauler dans les coups durs de la vie. Puisque Manon devient de plus en plus dissipée et téméraire, Anne-Julie va lui venir en aide, au nom de cette promesse échangée.

Pourquoi Manon se lance-t-elle toujours de façon irréfléchie dans des aventures imprudentes qui risquent de briser son équilibre ? Comment Anne-Julie peut-elle dessiller les yeux de son amie avant qu'il ne soit trop tard et que cette dernière ne sombre dans l'alcoolisme ? Doit-elle lui parler et exiger des explications sur sa conduite ? Manon donne l'impression de vouloir constamment fuir la réalité en s'étourdissant avec ce qu'Anne-Julie appelle « les pièges illusoires ».

Son père, que Manon considère comme un homme très exigeant, autoritaire, mais juste, lui a coupé les vivres l'an dernier, lorsque sa fille chérie s'est envolée pour deux semaines en Floride avec une nouvelle conquête au lieu d'aller passer la période des fêtes avec ses parents. Il faut dire qu'étant enfant unique, Manon a été très gâtée par ses parents. Mais elle se rebelle contre toute autorité, jugeant sévèrement ceux qui se mêlent de sa vie privée et menacent sa précieuse liberté.

Anne-Julie est convaincue qu'il est temps pour elle d'intervenir avant que la situation ne se détériore davantage.

Anne-Julie en est là de ses réflexions lorsqu'elle voit apparaître, à une centaine de mètres devant elle, un jeune homme à l'apparence très séduisante. Physique imposant, épaules droites, chevelure sombre, il arrive à sa hauteur. L'inconnu la détaille alors de façon suggestive.

Anne-Julie rougit jusqu'à la racine des cheveux lorsqu'il la salue d'un sourire communicatif qui laisse entrevoir des dents parfaites derrière des lèvres minces et sensuelles.

L'inconnu est probablement déjà loin derrière elle quand la jeune femme s'oblige à fermer les yeux quelques secondes pour se remémorer les traits de son visage, ainsi que ses yeux d'un brun soutenu, frangés de longs cils. Peu habituée à s'attarder aux gens qu'elle rencontre, Anne-Julie sourit en songeant que celui-ci correspond en tous points à sa définition. Haussant les épaules, elle adopte une démarche rapide, espérant mettre une grande distance entre cet étranger et elle.

En moins d'une demi-heure, Anne-Julie entre chez elle où elle retrouve Manon assise à la table de la cuisine, en larmes, la tête enfouie dans le creux de ses mains.

— Qu'est-ce qui se passe, Manon ?

— Je crois que je vais abandonner mes études, annonce la jeune femme en reniflant bruyamment.

— Non ! Ne me dis pas que tu voudrais tout abandonner, si près du but.

Manon s'anime et lui adresse une grimace aigre-douce.

— Tu ne peux pas comprendre... Tu réussis, toi ! Alors que moi, je ne suis pas douée. Savais-tu que j'ai eu un *D* en littérature française du Moyen Âge et un autre *D* en littérature française du XVIe siècle.

— Et alors ? s'objecte Anne-Julie. C'est tout à fait normal ! Tu n'étudies jamais. Comment comptes-tu obtenir de bons résultats si tu ne travailles pas ?

Manon pâlit d'un coup. Elle baisse les yeux et fixe obstinément ses mains.

— Justement... je n'ai plus le temps d'étudier. Et puis, je te l'ai dit, je n'ai pas de talent.

Interdite, Anne-Julie recule d'un pas. Elle serre les poings et crispe la mâchoire :

— C'est faux ! Et tu le sais aussi bien que moi. Pour ce qui est du temps, alors là, ma chère, j'abonde dans ton sens ! Tu n'étudies pas parce que tu passes tout ton temps libre en compagnie de ce Laval.

— Lévis ! réplique Manon avec colère. Alors, je ne me trompais pas ! J'ai bien perçu ton antipathie envers Lévis. Tu ne l'aimes pas.

— Si tu veux le savoir, non ! Je ne l'aime pas ton Lévis ! D'abord, il doit bien avoir vingt ans de plus que toi. Ensuite, je déteste ses manières. Il est... d'une autre génération et il te mène par le bout du nez. Alors que toi...

— Alors que moi ? la provoque Manon, pressée d'en savoir davantage.

— Eh bien... on dirait que tu t'es transformée en bon tou-tou, prête à lui donner la patte lorsqu'il l'exige. Je trouve cela tellement... tellement dégradant !

Manon, indignée, ravale sa salive. Le jugement de son amie la frappe durement.

— Explique-moi ce que tu entends par là, sainte Anne-Julie !

— Je ne crois pas nécessaire de poursuivre cette discussion qui te blesse, je le vois bien.

— Continue, je veux que tu vides ton sac une bonne fois pour toutes. Cela fait des semaines que je sens ta réprobation.

La tentation est très forte pour Anne-Julie. Mais il lui faut agir avec souplesse et infiniment de tact.

— Non. Ça suffit. Tu es suffisamment intelligente pour comprendre ce que je ressens à te voir gaspiller ta vie et tes talents avec ce... cet opportuniste. Tu joues avec le feu, Manon, et tu le sais très bien !

— Lévis, un opportuniste ! Merde, Anne-Julie ! On dirait

que tu juges médiocres tous ceux qui ne pensent pas comme toi.

— Non, c'est faux ! Je me préoccupe seulement de toi.

— Arrête, s'il te plaît ! On croirait entendre mon père.

— Je ne suis pas ton père, Manon ! Mais je t'estime et je cherche à t'ouvrir les yeux. On dirait que tu es aveugle. Te souviens-tu du pacte que nous avons conclu au cégep ? « Je te promets fidélité dans l'amitié et soutien dans les difficultés. »

Manon baisse les yeux et soupire bruyamment.

— Ça ne voulait rien dire pour toi ? demande Anne-Julie sur un ton agressif.

Manon a l'impression qu'une fois de plus, elle n'aura pas le dessus. Anne-Julie a toujours raison et ça l'exaspère plus que tout.

— Si, mais je suis fatiguée de vivre avec toi en acceptant ta vision aseptisée du monde. Ça fait combien de temps que tu t'enfermes ici pour étudier ? Depuis quand n'es-tu pas sortie avec un garçon ? Tu ne t'achètes même plus de vêtements neufs. Tu ne t'amuses jamais. Si c'est cela devenir responsable, très peu pour moi, merci !

Anne-Julie fulmine.

— Tu me juges sévèrement, Manon. J'essaie simplement de te réveiller avant qu'il ne soit trop tard. Tu es en train de foutre en l'air toutes tes chances de prouver que tu es quelqu'un de bien. Et puis, si tu crois que c'est ça vivre, coucher avec un homme de quarante ans...

— Trente-sept ! rectifie Manon. Moi, au moins, je n'ai pas affaire à un adolescent gâté et changeant comme tous ces universitaires. Je sors avec un homme mûr qui sait ce qu'il veut. Et crois-moi, j'apprécie beaucoup. À mon avis, c'est un signe de maturité, ça. Ne crois-tu pas ?

— Je ne le crois pas, non. Cet homme est tout de même ton aîné d'au moins quinze ans et il pourrait être ton père.

— Tu exagères tout le temps, Anne-Julie !

— D'accord, laissons tomber l'âge. Il n'en demeure pas moins que, depuis que tu le fréquentes, tu rentres toujours aux petites heures du matin complètement ivre. Où crois-tu que cela va te mener ? Au train où vont les choses, je suis convaincue que tu n'achèveras pas ce trimestre. D'ailleurs, tu y songes déjà. Et moi, ton amie, je dois tout faire pour t'empêcher de commettre des bêtises irréparables.

Abasourdie, Manon demeure figée par le sérieux des propos de son amie. Elle sait qu'elle s'est montrée imprudente et aveugle en tombant amoureuse de Lévis. Mais, même si elle doit payer cette bêtise très cher, c'est à elle d'y faire face, certainement pas à Anne-Julie.

— Crois ce que tu veux, Anne-Julie. Je ne peux rien contre mon destin. J'aime cet homme...

— Tu l'aimes ! Dis plutôt qu'il t'a subjuguée, oui ! Ce type te fait faire n'importe quoi, comme t'inciter à moins manger alors que tu es mince comme un fil.

— C'est vrai, avoue Manon, en baissant les bras soudainement. Je suis une si petite chose. Mon père me l'a souvent répété ! Je ne suis qu'une tête de linotte sans cervelle.

— Ah non ! Pas de ça avec moi ! Je te défends de jouer la pauvre victime qui a subi l'incompréhension paternelle. Tu n'as pas à te ridiculiser devant moi. Cela marche peut-être avec ton père, mais pas avec moi.

— Je vais te dire une chose, se révolte Manon en grinçant des dents, je t'ordonne de cesser de te mêler de mes affaires et je te fais grâce de cette louable intention qui t'honore de vouloir à tout prix me protéger. Sache que je suis assez grande pour prendre soin de moi toute seule !

Anne-Julie se radoucit à l'instant. Elle sait qu'elle est allée trop loin. Obliger Manon à se braquer est la pire chose à faire.

— Je suis peut-être légère, mais je ne suis pas idiote,

poursuit Manon sur un ton mordant. J'admets que ma relation amoureuse avec Lévis comporte certains risques. Mais, vois-tu, je l'ai dans la peau, moi, ce mec.

Profondément choquée, Anne-Julie comprime ses lèvres l'une contre l'autre en prenant une bonne inspiration par le nez. Cette remarque ne fait qu'exciter sa colère. Avec véhémence, elle réplique :

— Tu l'as dans la peau, dis-tu ! Mais, ma pauvre Manon, tu as tous les hommes dans la peau ! Depuis que je te connais, je ne compte plus le nombre de tes soupirants. Tu as cent fois raison lorsque tu dis que je ne comprends pas du tout ton engouement pour tout ce qui porte des pantalons ! Qu'est-ce que vous avez toutes à baver devant les hommes ? Il y a quelque chose qui m'échappe là-dedans... Tu as raison, je ne comprends pas cette folie qu'éprouvent les filles à vouloir à tout prix se diminuer pour plaire aux hommes. Suis-je anormale, ou quoi ?

Cette remarque fait éclater Manon de rire.

— Des jeans ! s'esclaffe-t-elle.

— Quoi ?

— J'ai dit des jeans, reprend Manon. Tu ne comprends pas mon engouement pour tout ce qui porte des jeans !

Anne-Julie hausse les épaules et affiche une pauvre grimace.

— Tu es incorrigible, Manon ! Mais je ne te laisserai pas faire, m'as-tu bien comprise ? S'il le faut, je serai capable de mettre ton don Juan de Lévis à la porte. Je te préviens !

— Non, ne fais pas ça, Anne. Je te promets que je vais mettre de l'ordre dans mes activités et que je terminerai ce trimestre ainsi que l'autre en beauté. Tu as raison, j'ai déjà trop de chemin pour m'arrêter à présent. Cette attitude n'est pas digne de moi.

Et puis, elle sourit. De ce sourire attendrissant qui a le don de déstabiliser tout le monde.

— Je t'en fais la promesse solennelle, ajoute-t-elle doucement.

— Puis-je te faire confiance ? murmure Anne-Julie en souriant à son tour.

— Oui.

— Bon ! Mais j'aimerais également que tu cesses de t'enivrer.

Après quelques secondes d'hésitation, Manon assure :

— Je te le promets !

Les deux jeunes femmes s'étreignent alors comme elles le font toujours lorsqu'elles réussissent à régler leurs différends. Puis, tout de go, Manon poursuit :

— Comment fais-tu, toi ?

— Comment je fais quoi ? interroge Anne-Julie.

— Je me demande comment tu fais pour vivre une vie aussi chaste ?

Regard désapprobateur d'Anne-Julie.

— C'est vrai, quoi ! Depuis que je te connais, je ne t'ai jamais vue avec un homme. On dirait que tu les fuis. Tu es pourtant très belle. Lévis ne cesse de me le dire. Tu as tout pour attirer les gars, mais tu passes ton temps à les repousser.

Après un soupir, Anne-Julie consent à répondre :

— Je pense que je n'arrive pas à me guérir de la disparition de mon père. Il a été si présent dans ma vie. Si tu savais ! Longtemps, il a été le seul homme important dans mon entourage.

— Mais ce n'est pas normal, ça ! s'objecte Manon. Aurais-tu vécu une relation... incestueuse avec ton père ?

Outrée, Anne-Julie fait volte-face :

— Non ! Que vas-tu chercher là ?

— C'est que ton attitude distante envers les hommes est

un mystère total pour moi. Mes relations avec mon père sont si tendues que je ne comprends pas que tu aies pu éprouver des sentiments aussi forts pour le tien.

— Mon père était un homme remarquable, répond Anne-Julie en tremblant d'émotion.

Elle a toujours refusé d'avoir cette conversation avec Manon. Mais aujourd'hui...

— Il m'a donné tant d'amour, que je ne suis pas prête à me lancer dans toutes sortes de relations qui, je le sais d'instinct, ne m'apporteront pas le calme ni la sérénité, ni l'amour tendre que mon père avait pour moi...

— Tu veux dire que tu n'as jamais fait l'amour ?

— Eh bien, si, une fois. Mais le souvenir que j'en garde n'est pas très agréable.

— C'est normal, intervient Manon ; la première fois, ce n'est jamais l'apothéose.

— Je sais ça. Mais ce n'est pas ce que je voulais dire. En première année de cégep, j'ai fait la connaissance d'un gentil garçon... Il s'appelait Jérôme.

Anne-Julie se perd dans ses souvenirs. Elle se sent émue en les évoquant.

— J'ai du mal à parler de ce garçon, car il fait partie des moments les plus pénibles de ma vie. Lorsque mes parents sont partis pour la Floride, j'ai invité Jérôme à coucher à la maison. Nous avons eu notre première nuit d'amour... C'était assez bien quand j'y pense. Jérôme était très amoureux de moi. Mais, vois-tu, c'est le lendemain que j'ai appris la triste nouvelle de la mort de mes parents. J'ai rompu avec Jérôme. J'ai compris que je ne l'aimais pas et que j'avais simplement répondu à ses attentes. Le cœur n'y était pas, tu comprends ?

— Je comprends. Et je suis désolée, l'assure Manon. Mais cette période est révolue. Quand te décideras-tu à vivre pleinement ? Stéphane Bourque court après toi depuis des lustres.

Et, attends que je me souvienne, il y a aussi Benoît Lamoureux et Pierre Rheault. Et j'en passe...

Anne-Julie se met à rire doucement.

— Je n'ai pas besoin actuellement d'une relation amoureuse. Tout ce qui compte pour moi, ce sont mes études. Après, je verrai. Mais ça va prendre un fameux homme pour ravir mon cœur ! J'ai bien peur d'être trop difficile.

En prononçant ces mots, Anne-Julie revoit l'image du bel inconnu qu'elle a croisé lors de sa promenade plus tôt dans la journée. Elle chasse promptement cette image qui vient la troubler légèrement.

3

Au bar *L'Ingénue,* une jeune femme frêle et timide s'avance sur la piste de danse. Son cœur bat la chamade. Elle scrute les visages des clients comme si elle y cherchait un indice, un signe d'encouragement. Les premières notes de musique se font entendre et elle s'élance, malhabile, dans des gestes osés, sensuels et voluptueux, ondulant des hanches, cherchant à provoquer les spectateurs en se déshabillant très lentement.

Autrefois, cette jeune femme était une fonceuse, une gagnante. Aujourd'hui, elle comprend à quel point sa vie est devenue stérile et insipide. Comment a-t-elle pu se croire aussi courageuse, aussi puissante ? Comment a-t-elle pu se croire suffisamment forte pour se moquer de tous ces hommes qui la dévisagent, tout en gardant la tête haute et le cœur froid, indifférente à ce que l'on pense d'elle ?

D'habitude elle est adulée, encouragée, mais ce soir les spectateurs se mettent à la huer, mécontents de la voir si pudique, si hésitante. Des paroles blessantes fusent de partout, lui ordonnant de montrer son « joli petit cul » avec plus de ferveur et de conviction.

Manon s'efforce de respirer à fond. Elle a refusé le verre d'alcool que lui a offert Lévis. Ce soir, par amitié pour Anne-Julie, Manon assume entièrement le choix qu'elle a fait il y a deux mois, de devenir danseuse nue au bar appartenant à son amoureux. Mais sans le secours de l'alcool pour la stimuler, Manon éprouve une honte intolérable à se compromettre ainsi sur scène devant tous ces hommes qui la convoitent sans pudeur.

Sous le regard interrogateur de Lévis, elle poursuit et achève sa danse tant bien que mal. Le calvaire terminé, elle s'empresse de quitter la scène en ramassant ses vêtements épars.

— Qu'est-ce qui t'arrive, Natacha ? On dirait que tu deviens prude ! lui crie un des spectateurs.

Manon pousse un profond soupir et se rend dans sa loge. Après quelques minutes à peine, Lévis la rejoint dans la pièce exiguë. Il ne fait rien pour cacher sa colère.

— Qu'est-ce qui te prend ? l'apostrophe-t-il rudement.

— J'ai décidé d'assumer ce métier sans alcool ni drogue, se contente d'expliquer la jeune femme.

— C'est donc ça ! se moque Lévis. C'est inutile, tu n'y arriveras pas. Je te connais bien, Manon Gauthier ! Tu es trop molle, trop faible de caractère pour y arriver ! De toute façon, bien peu de filles y parviennent. Toi, encore moins. Tu n'as pas l'étoffe pour ça.

— Ah ! c'est ce que tu crois ! s'offusque la jeune danseuse. Je suis heureuse de savoir ce que tu penses de moi. C'est toute la confiance que tu m'accordes ?

Lévis lui jette un regard impatient.

— Ne fais pas l'enfant. Cette discussion ne rime à rien.

— Moi, je pense au contraire que ma décision a un sens.

Tu n'as aucune idée du courage qu'il faut pour se déshabiller devant une bande de loups affamés de sexe, comme le sont ces voyous des bas-fonds ! Je comprends enfin à quel point j'étais téméraire de me lancer dans une aventure aussi dégradante et humiliante.

— Tu n'as qu'à tout abandonner. Personne ne te retient ici !

Elle se demande s'il pense réellement ce qu'il vient de dire. Un gros sanglot, presque enfantin, secoue ses épaules. Elle ravale péniblement sa salive et murmure :

— Je ne peux pas. J'ai besoin d'argent. Et puis, j'ai promis à Anne-Julie que je ne boirais plus et je tiendrai ma promesse !

Le regard de Lévis se promène sur le corps de Manon. Avec son bustier de dentelle noire et son minuscule slip assorti elle est diablement sexy. Il capitule :

— C'est bon, bébé ! C'est comme tu voudras. Les gars de la table 9 te demandent.

Puis il disparaît, laissant la jeune fille seule avec sa honte.

« Ah non ! Pas une danse aux tables ! » songe-t-elle, en proie à la panique.

Malgré le décor agréable et romantique du restaurant *Fleur bleue*, Anne-Julie rêve du moment où elle pourra se glisser sous la douche, dès son retour à l'appartement.

Une murale peinte sur un des murs du restaurant par un artiste du Vieux-Québec illustre une scène d'une autre époque. Des belles d'autrefois, assises au milieu de fleurs exotiques, attendent sans doute leurs prétendants tout en sirotant une boisson rafraîchissante. À contempler la fresque, on pourrait croire que ces femmes étaient nées uniquement pour le plaisir et l'oisiveté.

Anne-Julie soupire, constatant non sans amertume que le sort des femmes d'aujourd'hui s'apparente beaucoup plus à l'esclavage.

L'heure du départ sonne enfin à l'horloge antique du restaurant.

Arrivée à l'appartement, elle commence à se dévêtir dans l'entrée, pressée de se débarrasser de ses habits de serveuse. Elle les laisse tomber par terre, marquant ainsi son trajet jusqu'à la salle de bains. Sous la douche, elle entend un bruit, provenant probablement de la chambre de Manon. Un objet semble s'être fracassé sur le plancher.

Saisie par la peur, Anne-Julie se précipite hors de la douche et enfile rapidement une robe de chambre avant de se rendre directement à l'endroit d'où lui est parvenu le bruit. Sur le pas de la porte, elle hésite une fraction de seconde. Serait-il possible que Manon soit rentrée pendant qu'elle était sous la douche ? Elle l'appelle sans succès.

Tout doucement, elle tourne la poignée, ouvrant très légèrement la porte pour vite s'apercevoir que la pièce est vide et qu'une lampe de chevet s'est fracassée en tombant. D'un geste automatique, Anne-Julie commence à ramasser les morceaux épars près du lit de Manon.

Son regard effleure un amas de vêtements qui traînent sur une chaise. Intriguée, Anne-Julie les examine.

Il s'agit de lingerie équivoque. Au fur et à mesure de son investigation, Anne-Julie rougit de honte pour Manon. Ce n'est même pas ce qu'on pourrait appeler de la lingerie érotique. Non. Le terme est trop faible. Il s'agit de bustiers rouge et noir, de jarretelles, de slips, cousus dans du cuir, garnis de chaînettes, d'objets hétéroclites.

Devant ces accoutrements, Anne-Julie s'efforce de conserver son calme. Il doit bien y avoir une explication plausible. L'idée que Lévis oblige Manon à porter ces dessous dégradants lui effleure l'esprit.

Tournant les yeux dans une autre direction, la jeune fille remarque qu'un des tiroirs de la commode est resté entrouvert.

Bien qu'éprouvant une certaine gêne à fureter ainsi dans les effets personnels de sa colocataire, le regard d'Anne-Julie est attiré par une liasse énorme de billets de banque.

Elle hésite quelques secondes mais, n'en pouvant plus, elle ose prendre l'argent entre ses mains tremblantes pour le compter. Manon camoufle, de façon très imprudente, plus de 3 000 $ dans sa chambre !

— Non, je rêve ! s'exclame-t-elle, bouleversée par cette découverte, le regard embué.

Mille questions se bousculent dans son esprit. Que faire ? Doit-elle communiquer avec le père de Manon ? Où donc cette dernière s'est-elle procuré tout cet argent ? Et pourquoi tous ces vêtements affriolants ? Autant de questions sans réponses qui ne parviennent pas à diminuer l'ampleur de la catastrophe qu'elle vient de découvrir. Dépassée par les événements, elle s'assoit sur le lit de son amie et tente de réfléchir objectivement à des solutions possibles. Il n'y a qu'une seule chose à faire : mettre Manon au pied du mur.

D'un pas déterminé, Anne-Julie se dirige vers la cuisine et en revient avec un sac à ordures, bien décidée à faire disparaître toutes ces horreurs.

Satisfaite de sa décision, Anne-Julie se couche, s'obligeant à ne dormir que d'un œil pour mieux guetter le retour de son amie.

Aux petites heures du matin, la porte d'entrée grince et Manon entre enfin dans l'appartement. Complètement perdue, Anne-Julie s'éveille en sursaut. Après quelques secondes, elle bondit hors du lit et se précipite vers la jeune femme.

Chancelante, Manon s'effondre sur le parquet de l'entrée. Anne-Julie s'empresse pour l'aider à se relever. Mais Manon ne cesse de rire et de balancer la tête de tous côtés.

— Bon sang, Manon ! s'écrie Anne-Julie, furibonde.

— Oh !... salut, sainte Julie !

41

— Pour l'amour du ciel, Manon ! Dans quel état es-tu encore ?

Manon parvient à se relever et s'abandonne contre Anne-Julie en bafouillant d'une voix pâteuse :

— C'est une expérience fabuleuse, ma chère, d'être ivre. On oublie tout ! Absolument tout ! dit-elle en ricanant.

— Je vois bien, répond Anne-Julie, qui déploie toutes ses énergies pour maintenir son amie debout, sur ses deux jambes. Je remarque que tu as oublié ta promesse de ne plus boire.

— Je suis désolée, sainte Anne-Julie, mais c'est Lévis qui m'a obligée à boire. Ce n'est pas moi qu'il faut disputer.

— Comment ça, Lévis t'a obligée à boire ? demande Anne-Julie qui sent la moutarde lui monter dangereusement au nez.

— Ben, c'est une longue, longue histoire, bégaie Manon. Houp ! je crois bien que je vais vomir. J'ai mal au cœur...

Pendant deux heures, Anne-Julie entoure Manon de soins. Tantôt elle pleure, tantôt elle se plaint. Sans parler de ses gémissements qui rendent Anne-Julie malade d'inquiétude. Finalement, vers sept heures du matin, Manon finit par s'endormir d'un sommeil de plomb, presque inconsciente. Anne-Julie peut afin se recoucher, après avoir d'abord réglé son radio-réveil pour quatorze heures.

Lorsque le son strident de l'appareil se fait entendre, Anne-Julie s'habille en hâte et prépare du café. Elle s'en verse une tasse et en apporte une pour Manon, qui dort toujours dans sa chambre. Sur un ton ferme, elle commande :

— Lève-toi !

Manon a un mouvement d'agacement. De toute évidence, elle n'est pas d'humeur à collaborer.

— Lève-toi, Manon ! répète Anne-Julie sur un ton autoritaire.

— Je veux dormir, ronchonne Manon d'une toute petite voix.

— Manon, je t'ordonne de te lever. Je dois reprendre le boulot d'ici deux heures et nous devons discuter. Tu dormiras lorsque je serai partie. Debout! insiste-t-elle en retirant les couvertures du corps nu de Manon.

Manon, frustrée, sursaute violemment et s'assoit sur le lit.

— Laisse-moi tranquille! Je ne suis pas d'humeur à discuter avec toi. De toute façon, je sais déjà ce que tu as à me dire!

— Manon Gauthier, je ne sortirai pas de cette pièce tant que tu ne consentiras pas à me parler!

Le ton décidé d'Anne-Julie n'est guère rassurant. Manon sent grimper d'un cran son agressivité.

— On ne peut pas dire que tu sois la délicatesse personnifiée, Anne-Julie Beaulieu! Je te répète que je connais d'avance la teneur de ton charmant petit discours moralisateur, mais ô combien inutile! Laisse-moi dormir et sors de ma chambre!

Anne-Julie sent ses joues s'enflammer et serre les poings. Elle se retient pour ne pas laisser éclater sa fureur.

— Si tu crois que tu réussis à m'impressionner avec tes airs de fille au-dessus de tout, tu te trompes, Manon. Laisse-moi te dire que tu as intérêt à te montrer coopérative pour me convaincre que tout va bien dans ta vie en ce moment. Je suis peut-être trop sage à ton goût, mais je ne suis ni stupide ni aveugle, figure-toi!

Elle s'arrête quelques instants pour reprendre son souffle et poursuit:

— Si tu ne me dis pas tout, je communique sur-le-champ avec ton père. Lui, il saura te faire entendre raison!

Devant cette menace, Manon se hisse hors du lit. Elle blêmit et tout son corps tremble de colère.

— Si tu fais ça, ma vieille, je te jure que je quitte cet appartement immédiatement pour m'installer chez Lévis. Tu te retrouveras seule à payer la nourriture et le logement. Et je doute fort que tu puisses te tirer d'affaire avec ton maigre salaire de serveuse au *Fleur bleue* ! crache-t-elle, mauvaise.

Anne-Julie soupire.

— Je m'aperçois que tu es aussi obstinée qu'un vieux mulet. Je ne sais pas ce que tu fabriques, Manon, mais je sais que je suis prête à tout pour te ramener dans le bon chemin.

— Je suis danseuse nue au bar *L'Ingénue,* si tu veux tout savoir, lui crie Manon dans une rage folle. Cours vite à l'église prier pour mon âme, sainte Anne-Julie ! Parce que toi, on le sait bien, tu es parfaite !

Devant cette confession, Anne-Julie étouffe un sanglot et sort précipitamment de la chambre en claquant la porte derrière elle.

Elle s'empare de son manteau et de son sac à main et quitte l'appartement, alors que Manon s'effondre en larmes sur son lit.

4

Lorsque décembre arrive, Anne-Julie abandonne Manon à ses étourderies et quitte Sainte-Foy pour passer les vacances de Noël à Notre-Dame-du-Portage. Marie-Ange est en pleine forme et Anne-Julie en profite pour se confier à elle. Elle lui fait part de la lourde déception que lui cause la conduite de son amie. La vieille dame l'exhorte à la tolérance, l'assurant qu'un jour ou l'autre, Manon retombera sur ses deux pieds et reprendra un cours de vie plus normal.

— J'en doute, grand-maman. J'en doute de plus en plus.

— Aie confiance en Manon. C'est une fille intelligente. Elle va bien vite comprendre que cette manière de vivre ne la mène nulle part. Tu verras, cette expérience lui profitera.

— Tu le crois vraiment ? demande Anne-Julie que la sagesse de sa grand-mère surprend toujours.

— Mais oui, ma belle ! Parfois, certaines personnes ont besoin de vivre des expériences fortes pour découvrir le sens réel de leur existence. Je crois que Manon est de celles-là.

— Chère grand-maman ! Tu ne cesseras jamais de m'étonner ! murmure Anne-Julie, en cachant son visage contre la poitrine de la vieille femme dans un élan d'affection sincère.

— Quand tu auras vécu aussi longtemps que moi, tu comprendras bien des choses, et tu deviendras plus tolérante.

Anne-Julie est allongée sur le canapé de son bureau. Cette pièce chaleureuse, que Marie-Ange a spécialement aménagée pour elle, lui offre une vue imprenable sur le fleuve avec cette façade vitrée et la porte-fenêtre qui s'ouvre sur la galerie arrière de la maison. C'est toujours avec un grand plaisir qu'Anne-Julie s'y installe. Ce lieu lui permet de se retrouver et de rêver à son avenir d'écrivain.

Épuisée par les réjouissances des fêtes qu'elle a passées dans la famille de sa grand-mère, Anne-Julie s'endort d'un sommeil de plomb, peuplé de fantômes.

Ce rêve la transporte dans un des corridors de l'université Laval où l'enveloppe une lueur diffuse, créant une atmosphère irréelle. La jeune femme avance prudemment. Ces lieux lui paraissent lugubres. Leur atmosphère ténébreuse lui donne la chair de poule. Anne-Julie a l'impression que quelque chose va se produire. Elle a beau tenter de se rassurer, se disant qu'elle reconnaît cet endroit familier, rien ne parvient à la calmer. Elle demeure aux aguets.

Une présence maléfique semble l'épier, surveillant ses moindres gestes, à l'affût d'un faux pas. Mais, en dépit de sa terreur, Anne-Julie persiste à vouloir longer ce corridor.

Soudainement, une insurmontable angoisse lui fait adopter un pas rapide. Précipitant sa course, elle croise sur son passage le regard transparent d'un jeune homme, qui la foudroie. Anne-Julie détourne les yeux pour fuir ce regard qui la glace jusqu'au fond de l'âme. Elle presse son allure, le cœur battant, lorsqu'elle entend une voix connue l'interpeller. Elle fait volte-face et crie :

« Papa ! Est-ce toi ?

Pour s'assurer qu'elle n'est pas victime d'une quelconque hallucination, elle se frotte les yeux et voit apparaître son père. L'image demeure. Ce n'est donc pas une méprise ; son père, Philippe Beaulieu, marche bel et bien dans sa direction.

Folle d'espoir, elle se précipite à sa rencontre, se jetant dans ses bras protecteurs.

— Papa ! Ah ! mon Dieu ! C'est bien toi ! J'ai eu si peur ! Si tu savais...

— Je suis venu vers toi, mon ange, lui répond Philippe tout en l'autorisant à se nicher contre lui, comme par le passé. Tu n'as plus rien à craindre, je veille sur toi.

— Mais que fais-tu ici, à l'université ?

— Je suis toujours près de toi, Anne-Julie. Ne le sens-tu pas ?

Pour toute réponse, Anne-Julie fond en larmes.

— Si tu savais, papa, combien ta présence me manque.

— Je sais, Anne-Julie. Regarde, ta mère est là, elle aussi.

Le cœur battant, Anne-Julie voit sa mère, Corinne, approcher d'elle tout doucement. Mais le visage aimé se dédouble sans cesse, changeant d'identité pour devenir celui d'une toute jeune fille inconnue.

Ne comprenant pas ce qui se passe, Anne-Julie prend peur et veut s'enfuir, mais la jeune fille la rattrape et lui adresse un sourire si doux qu'Anne-Julie se rassure :

— Je suis ta véritable mère, Anne-Julie, lui dit la jeune fille, dans un doux murmure. Je m'appelle Caroline.

Anne-Julie n'en croit pas ses oreilles.

— C'est donc toi, ma mère ? demande-t-elle, émue.

— Oui.

Elle cligne plusieurs fois des paupières ; mais la présence rassurante de la jeune fille se fait toujours sentir. Anne-Julie verse quelques larmes de joie intense lorsqu'une porte du corridor s'ouvre et laisse apparaître David Hudon, le deuxième époux de sa grand-mère. Il lui ouvre les bras.

— Grand-papa David ! C'est bien toi ?

Il se met à rire et répond :

— Eh oui ! Comment vas-tu, ma puce ? Et comment va Marie-Ange ?

— Elle se porte à merveille, mais elle s'ennuie de toi.

À peine a-t-elle terminé ce trop bref échange que les quatre fantômes la soulèvent et la transportent en volant dans les corridors de l'université. Une paix indescriptible envahit l'esprit d'Anne-Julie. Que c'est bon, cet abandon à la douceur de vivre ! Elle se sent renaître.

Mais cette trêve est de courte durée puisque son attention est attirée au loin, par la présence d'un individu d'apparence très sombre qui avance vers elle. Il semble écrasé par le poids de grandes douleurs. Sans savoir pourquoi, Anne-Julie se sent en danger. Elle se met à hurler et les fantômes de ceux qu'elle chérit disparaissent, la laissant seule avec cet individu d'aspect cadavérique. Elle tombe alors sur le plancher froid de l'université. Le spectre de Bruno Beaulieu est bientôt à ses pieds. Il lui tend la main, dans le but de l'aider à se relever, mais Anne-Julie détourne un regard apeuré.

— Pardonne-moi, Anne-Julie, la supplie-t-il. J'aimais ta mère...

Anne-Julie frémit de terreur et de dégoût. Son cœur s'affole. Elle lui crache au visage et s'écrie :

— Tu n'avais pas le droit ! Caroline était ta nièce. La fille de ton propre frère.

— Je sais, mais pardonne-moi. Je n'aurai de repos que lorsque tu m'auras pardonné. »

Anne-Julie frissonne de dégoût. Au loin, une femme l'appelle inlassablement. Anne-Julie a l'impression que le fantôme de Bruno lui broie les os des épaules en la secouant brutalement. Puis d'un coup, elle se réveille et se retrouve dans les bras de Marie-Ange, qui cherche par tous les moyens à la calmer.

— Doucement, ma petite, tu as fait un cauchemar, lui explique sa grand-mère.

Anne-Julie sombre dans un chagrin sans fin, hoquetant chaque fois qu'elle essaie d'expliquer son mauvais rêve.

— J'ai vu Bruno Beaulieu et ma mère, Caroline, parvient-elle à dire, entre deux sanglots.

— Ma pauvre chérie, murmure Marie-Ange, bouleversée par la terreur qu'éprouve sa petite-fille. Quand décideras-tu de ne plus te laisser hanter par toute cette histoire ?

5

Dans l'hiver rigoureux, une lueur particulièrement inquiétante émane de la lune et surplombe les quartiers de Sainte-Foy. En ce jour de la Saint-Valentin 1986, le temps est froid et une violente tempête de neige s'annonce.

L'esprit en effervescence, Anne-Julie revient de l'université. Durant le cours de l'après-midi, elle a eu une discussion pénible avec un de ses professeurs. Il l'a même convoquée à son bureau.

— Vous désirez me parler, monsieur Duval ? a-t-elle nerveusement débuté, s'attendant d'instinct au pire.

— Oui, avait répondu l'homme, refermant un livre qu'il tenait ouvert, sans omettre de marquer la page avec un signet.

— De quoi s'agit-il ?

Le professeur avait alors daigné lever les yeux sur la jeune étudiante en souriant légèrement, ce qui avait contribué à détendre quelque peu l'atmosphère.

— Vous êtes toute pâle, mademoiselle Beaulieu. Ne soyez

pas effrayée et asseyez-vous. Je souhaite simplement m'entretenir avec vous.

Cette introduction l'avait rassurée. Elle avait croisé les mains, l'une sur l'autre, s'expliquant mal ses appréhensions. Après tout, n'était-elle pas une étudiante modèle ?

L'homme s'était éclairci légèrement la voix :

— Je suis franchement surpris par votre travail écrit. Oh ! il répond bien aux exigences de l'enseignement supérieur ! On y trouve la logique de raisonnement, l'esprit critique, l'art de l'analyse et de la synthèse ainsi qu'une langue conforme aux normes. Mais voyez-vous, c'est plutôt sur le contenu que je m'interroge, avait-il achevé en passant une main nerveuse dans ses cheveux noirs parsemés de mèches grisonnantes.

— Ai-je écrit quelque chose qui vous aurait choqué ?

— Oh ! Choqué est un bien grand mot ! Non, c'est autre chose.

Ce professeur a une réputation de séducteur et plusieurs étudiantes en ont fait les frais.

Les joues d'Anne-Julie avaient rougi tandis que les muscles de son cou étaient tendus.

— Je ne comprends pas très bien où vous voulez en venir.

— Bien ! D'abord, j'avais cru deviner, sous votre nature déterminée, un certain mal de vivre, voire une certaine peur de l'avenir. Mais là, franchement, j'avoue que ce texte me dépasse tout à fait ! Votre façon de concevoir la vie après la mort m'a... comment dire ?... bouleversé et inquiété tout à la fois.

Anne-Julie avait alors compris qu'elle devait agir avec souplesse et tact. Elle s'était contentée de sourciller en affichant une mimique qui voulait dire : « J'ai bien peur de ne pas tout à fait vous saisir, monsieur. »

— Vous avez peut-être mal interprété mon texte, monsieur Duval, avait-elle avancé, d'un ton extrêmement prudent.

— Je ne crois pas, non. Je me disais que bien peu d'étudiants montrent une telle profondeur d'âme. Je me suis même demandé si vous n'aviez pas été victime d'un drame secret qui serait à l'origine d'une telle... disons... philosophie de vie.

La critique et l'assurance de cet homme avaient décontenancé la jeune fille. Elle était demeurée sans voix pendant un moment. Ses écrits pouvaient-ils dévoiler certaines choses qu'elle désirait absolument garder secrètes ? Sur la défensive, elle avait grimacé et répondu :

— Je crois, monsieur Duval, que vous outrepassez les limites de votre rôle de professeur. Ma philosophie de vie ne concerne que moi, et mes écrits sont uniquement le fruit d'une longue réflexion sur le sujet difficile qu'est la mort.

Sur ce, Anne-Julie s'était levée, bien décidée à planter là ce professeur un peu trop perspicace à son goût.

— Vous m'accorderez la note que vous jugerez méritée pour ce travail. Pardonnez-moi, mais je dois vous quitter. J'ai un cours dans moins de dix minutes.

Comme Anne-Julie allait sortir, le professeur avait réagi rapidement en l'empoignant par le bras. À en juger par ce geste brusque, il n'était pas pressé de terminer cette conversation.

— Je vous observe depuis quelque temps déjà, vous savez, Anne-Julie, avait-il poursuivi, d'un ton radouci. Votre attitude m'intrigue. Vous vous entourez de mystères et j'aimerais bien vous percer à jour. J'aime vos cheveux dénoués. Vous êtes toujours si fraîche, si adorable. J'ai envie de mieux vous connaître, avait-il achevé en effleurant une mèche rebelle des cheveux de la jeune femme.

Le cœur d'Anne-Julie s'était mis à battre trop fort. Sans aucune gêne, cet homme tentait de la séduire. Anne-Julie n'en croyait pas ses yeux, ni ses oreilles d'ailleurs. Il avait avancé de quelques pas, et elle s'était retrouvée coincée contre la porte de son bureau. Et lorsque son professeur avait tenté de l'embrasser, une rage folle s'était alors emparée d'elle. Elle l'avait repoussé avec une force qu'elle ne soupçonnait pas en elle, puis, bouillonnant de colère, elle avait crié :

— Ne me touchez pas, monsieur !

Surpris par ce refus catégorique, l'homme avait blêmi.

— Savez-vous que j'ai le pouvoir de faire échouer vos études, mademoiselle Beaulieu ?

Sidérée, Anne-Julie avait répliqué vertement :

— Et vous, savez-vous que je pourrais me plaindre aux autorités compétentes de cette université, en dénonçant votre abus de pouvoir sur les étudiantes, monsieur Duval ?

Lui tenir tête, c'était la seule arme dont elle disposait pour le maintenir à distance respectable.

Ils s'étaient toisés en silence pendant de longues secondes. Anne-Julie avait pu mesurer l'ampleur de la rage qu'il s'efforçait de combattre. De son côté, elle avait continué d'afficher un courage qu'elle était loin de posséder à cet instant. Il s'était éloigné d'elle, vaincu.

— Quittez cette pièce, mademoiselle !

Non sans s'être félicitée intérieurement, Anne-Julie s'était précipitée hors du local. Elle avait refermé la porte derrière elle et s'était enfuie dans les toilettes afin de calmer son agitation.

C'est légèrement apaisée, mais en retard d'une bonne dizaine de minutes, qu'elle était arrivée à son cours d'analyse discursive, attirant ainsi le regard interrogateur de Manon.

Lorsque, enfin, elle pénètre à l'intérieur de son logement, elle est heureuse à l'idée que cette semaine de cours est terminée. Elle pourra profiter de la fin de semaine pour tenter d'oublier cette confrontation éprouvante. Mais elle fait la moue en pensant qu'elle doit se rendre au travail.

Dès qu'elle entend la porte de l'appartement se refermer sur Anne-Julie, Manon vient à sa rencontre.

— Anne, on t'a appelée de l'Hôpital de Rivière-du-Loup. Ta grand-mère y a fait un court séjour. Voici le numéro de son médecin, explique-t-elle en lui tendant une feuille de papier. Il demande que tu le rappelles sans perdre un instant.

— Oh non ! s'énerve aussitôt Anne-Julie.

Très inquiète et fébrile, la jeune femme doit recomposer plusieurs fois le numéro afin d'obtenir la ligne.

— Docteur Côté, s'il vous plaît, de la part d'Anne-Julie Beaulieu.

— Le docteur Côté a-t-il tenté de vous joindre, madame ? s'informe la secrétaire du médecin.

— Oui.

— Alors, ne quittez pas, je vous le passe immédiatement.

Anne-Julie patiente mais l'attente lui paraît durer une éternité.

— Madame Beaulieu, ici le docteur Côté. Je vous ai appelée seulement pour vous avertir que votre grand-mère a eu une légère faiblesse cardiaque ce matin. Mais, rassurez-vous, son état n'est pas critique. Je veux juste m'assurer qu'elle est entre bonnes mains. Y a-t-il quelqu'un qui s'occupe d'elle en permanence à la maison ?

— Oui, docteur. Mais dites-m'en plus long, je vous en prie. Comment va-t-elle à présent ?

Le médecin prend le temps de rassurer la jeune femme. Il explique qu'il a simplement augmenté le dosage des médicaments de sa patiente, ce qui réduit considérablement le risque d'une attaque cardiaque. Il lui parle longuement d'une diète qui serait bénéfique à Marie-Ange, tout en précisant que la vieille dame a la tête dure et qu'elle n'est pas facile à convaincre du bien-fondé de cette nécessité.

Anne-Julie reconnaît bien là le caractère entêté de sa grand-mère. Elle promet au médecin d'y veiller personnellement, puis elle raccroche. Elle appelle ensuite Marie-Ange et la sermonne au sujet de sa diète. Ensuite, elle parle longuement avec Marie, la sœur de Marie-Ange, en lui indiquant les directives très strictes du médecin ; directives qu'elle doit suivre à la lettre.

Lorsque Anne-Julie raccroche, ses nerfs flanchent et elle se met à pleurer sans pouvoir s'arrêter.

Peinée par le chagrin de son amie, Manon la berce contre son cœur en lui soufflant des paroles rassurantes.

— Tout va bien, Anne ! Tu t'inquiètes pour rien. Ta grand-mère va bien.

— Je n'ai pas le temps de m'apitoyer sur mon sort, murmure la jeune femme, entre deux sanglots. Je dois me rendre au travail.

— Prends congé ce soir. Tu as l'air épuisée.

— Non, renifle Anne-Julie, je dois y aller. Je commence à être à court d'argent.

— Je t'en prêterai, moi, Anne, lui propose gentiment Manon. J'en ai suffisamment pour deux.

— Non. De toute façon, il vaut mieux que je me change les idées. Le travail m'offrira au moins cette chance. Merci quand même pour ton offre, mais je dois apprendre à me débrouiller seule. Si tu savais ce qui m'est arrivé cet après-midi... achève-t-elle sur une note triste.

— Quoi ? Qu'est-ce qui t'est arrivé, Anne-Julie ? Pourquoi étais-tu en retard au cours ? Jamais cela ne s'était produit auparavant.

— Je n'ai pas le temps de t'expliquer. Excuse-moi, je dois me dépêcher. Je te raconterai cela demain, veux-tu ?

6

Le lendemain, lorsque Anne-Julie s'éveille, son premier souci est de prendre des nouvelles de sa grand-mère. Cette dernière lui parle au téléphone pendant plus d'une heure, ce qui réconforte beaucoup la jeune fille. Marie-Ange se porte bien. Elle semble dispose et vigoureuse. La vieille dame plaisante à propos de l'attitude paternaliste de son médecin. Anne-Julie soupire. Marie-Ange jouit d'une bonne constitution physique et c'est heureux. L'idée qu'elle pourrait disparaître à jamais de sa vie effraie la jeune femme de façon anormale. C'est même devenu une obsession.

Enfin rassurée, Anne-Julie s'octroie le plaisir de se détendre dans l'eau d'un bon bain chaud et parfumé. Depuis quelques jours, elle accumule des tensions considérables au point que sa digestion s'en ressent. D'ailleurs, elle n'a aucun appétit. Toutefois, elle se fait violence, s'interdisant de se laisser abattre par les menaces du professeur Duval. Il n'a aucun pouvoir sur elle. Ce serait ridicule et parfaitement inutile d'accorder trop d'importance à ce fait isolé puisque, en général, les enseignants de l'université Laval sont des personnes compréhensives et honnêtes ayant à cœur la réussite de leurs étudiants.

Alanguie par le bienfait de l'eau chaude, Anne-Julie sombre peu à peu dans la somnolence lorsque la sonnerie du téléphone se fait entendre. Sursautant, elle enjambe la baignoire et se précipite sur l'appareil.

— Oui, répond-elle, d'une voix légèrement essoufflée.

— Anne-Julie, c'est Gérard Beaupré à l'appareil. J'aimerais que tu arrives une heure plus tôt au travail ce soir.

— Que se passe-t-il ? demande-t-elle, méfiante comme toujours lorsqu'elle a affaire à son patron.

Elle se souvient que, la veille, son patron a eu un comportement équivoque, la reluquant avec des airs de propriétaire. Anne-Julie déteste les hommes qui se sentent supérieurs aux femmes et qui ne se gênent pas pour le leur faire savoir. Elle n'aime pas particulièrement son patron. Il y a quelque chose chez cet homme qui la perturbe. Elle le juge un peu trop empressé pour être honnête et se méfie naturellement de lui. Pour se protéger, elle fuit simplement sa présence. Les regards impudents de ce quadragénaire en disent long sur ses idées lubriques. Aux oreilles de la jeune femme, une petite voix scande : « Méfie-toi de cet homme ! »

— Mylaine doit quitter le boulot une heure plus tôt que prévu et, ma foi, je n'ai pas pu lui refuser cette petite faveur.

Anne-Julie hésite une fraction de seconde. Est-elle en train de perdre toute objectivité ou a-t-elle raison de ne pas croire aux présumées bonnes intentions de son patron ? L'altercation avec son professeur de littérature la tourmente et éveille ses craintes. Elle se raisonne cependant.

— Bien, j'y serai, concède-t-elle d'une voix lasse, sachant qu'elle ne peut agir autrement.

— Merci, Anne-Julie, je te revaudrai cela.

L'air dépité d'Anne-Julie attire l'attention de Manon venue la rejoindre dans la cuisine.

— Que se passe-t-il ? Tu as mauvaise mine, toi.

Mais la jeune femme ne répond pas. Elle se contente de soupirer. Curieuse, Manon insiste :

— J'en conclus que ce n'est pas Lévis qui vient d'appeler.

Anne-Julie ne cherche pas à dissimuler son irritation. Depuis le différend qui a opposé les deux copines, il y a un froid entre elles.

— Je m'aperçois que ton cerveau fonctionne avec une rigueur scientifique, ce qui me rassure beaucoup. Mais pour répondre à ta question, non, ce n'est pas Lévis qui vient d'appeler. C'était mon patron. Mais, dis donc, toi ! Pourquoi es-tu debout si tôt ? Il est à peine deux heures.

Manon baisse les yeux et bredouille :

— Je n'ai plus sommeil. Je n'ai pas très bien dormi cette nuit.

Puis, sentant les émotions l'envahir, Manon tourne la tête. Anne-Julie comprend d'instinct que quelque chose ne va pas. Sur un ton radouci, elle s'informe :

— Allons, Manon, ne te fais pas prier et raconte-moi tout.

— Ce n'est rien. Était-ce avec Marie-Ange que tu parlais avant l'appel de ton patron ?

— Oui, et elle va bien. Mais ne change pas de sujet de conversation, tu veux ? Dis-moi ce qui se passe.

— Tu ne comprendrais pas, répond Manon, le regard fuyant.

— Bon ! Si tu n'as pas envie d'en parler, libre à toi ! s'impatiente Anne-Julie.

Manon se laisse alors aller à son chagrin. Anne-Julie la prend dans ses bras et lui caresse les cheveux, sentant bien que Manon éprouve le besoin de se confier.

— Dis-moi ce qui ne va pas, poursuit-elle. Il s'agit de Lévis, n'est-ce pas ?

— Oui. Il a... Il a une aventure avec une autre fille du club, déclare Manon dans un hoquet de chagrin.

Anne-Julie ferme les yeux. Le désir irrépressible de secouer son amie pour la voir réagir de façon rationnelle et sensée la submerge. Elle a de la difficulté à éprouver de la compassion devant ce genre de situation. Comme si Manon n'avait qu'un but dans la vie : se mettre les pieds dans les plats ! Anne-Julie inspire à fond avant de poursuivre :

— Tu t'attendais à quoi, Manon ? Croyais-tu que cet homme pouvait t'être éternellement fidèle ?

— À dire vrai... oui, pleure Manon. Je l'espérais de tout mon cœur.

— Tu es naïve, ma pauvre amie. Tellement naïve.

— Pourquoi ça n'arrive qu'à moi ce genre de truc ?

Anne-Julie resserre son étreinte. La réponse à cette question est tellement évidente. Mais cette vérité serait cruelle à entendre.

— Tu as, toi-même, brisé beaucoup de cœurs, Manon, ne peut-elle s'empêcher de dire. Peut-être est-ce ton tour de souffrir un peu.

— Tu veux dire que je n'ai que ce que je mérite.

— Ne le prends pas mal, s'interpose aussitôt Anne-Julie, sentant que son amie devient agressive. Ce n'est pas ce que je voulais dire. Enfin, si. Marie-Ange dit toujours que les événements heureux ou malheureux qui surviennent dans nos vies prennent source dans les comportements par lesquels nous exprimons nos croyances. Avoue, Manon, que tu as eu beaucoup d'aventures depuis que je te connais ! Peut-être est-il temps pour toi de comprendre qu'on ne badine pas avec l'amour. Marie-Ange dit que ce que nous pensons de la vie, de la mort, de l'amour, du travail ou de l'argent finit par se matérialiser.

Réfléchissant de façon intensive, Manon finit par résumer :

— Autrement dit, nous devenons ce que nous pensons.

— C'est ça, oui !

Le cœur éteint, Manon ferme les yeux avant d'ajouter :

— Il est donc évident que je n'ai pas beaucoup d'estime de moi-même puisque je m'abaisse à danser nue devant des tas de mecs qui salivent juste à me regarder. C'est bien ça ?

— Oui, convient Anne-Julie, sachant qu'elle blesse profondément son amie. Mais elle se sent le devoir de la fouetter un peu.

— Lévis ne peut pas me respecter parce que je ne me respecte pas moi-même. C'est bien ce que tu veux dire ?

Anne-Julie opine de la tête.

— Eh bien, merci pour cette grande leçon de vie, sainte Anne-Julie. Je m'en souviendrai ! Tu devrais avoir pignon sur rue comme conseillère avisée. Mais assure-toi auparavant que tes cobayes sont en mesure d'entendre tes analyses judicieuses sur leurs comportements, parce que, franchement, on ne peut pas dire que tu sois le tact incarné.

Sur ce, Manon quitte la cuisine pour s'enfermer dans sa chambre en claquant violemment la porte. Anne-Julie demeure seule avec ses sombres pensées. C'est très dur d'essayer d'ouvrir les yeux de quelqu'un qu'on aime mais qui agit toujours sans penser aux conséquences. Cependant, Anne-Julie souhaite que ses remarques produisent leurs fruits, parce qu'elle considère Manon comme sa sœur.

Elle consulte sa montre et juge qu'elle doit se dépêcher un peu si elle ne veut pas être en retard au travail. La jeune femme se prépare un sandwich au thon puis se précipite vers le *Fleur bleue*.

Son arrivée, avant l'heure prévue, attire les commentaires d'une collègue. Arrogante comme toujours, Michelle s'approche d'Anne-Julie et lui lance :

— Mais, dis donc, toi, tu fais du zèle ! Il n'est que cinq heures.

Agacée, Anne-Julie répond du tac au tac :

— Crois-moi, Michelle, je n'ai pas envie de faire du zèle. Je ne mange pas de ce pain-là, moi ! C'est M. Beaupré qui m'a demandé de venir plus tôt aujourd'hui. Apparemment, l'une d'entre nous doit terminer son service avant l'heure habituelle.

— Ah oui ! Qui ça ?

— Je ne sais plus trop, Michelle. Et puis, ça ne te regarde pas. On m'a donné l'ordre d'arriver une heure à l'avance. Un point, c'est tout !

— Ce n'est pas moi en tout cas, explique Michelle qui ne cache pas sa curiosité. Josée et Mathilde sont encore ici et ne m'ont rien dit non plus à ce sujet.

Anne-Julie estime que l'attitude de cette fille est insupportable. Comme si tout le monde avait des comptes à lui rendre !

Sans chercher à dissimuler son irritation, Anne-Julie se dirige vers le bureau de son patron et frappe à la porte.

— Monsieur Beaupré ?

— Oh ! Anne-Julie ! Entre, voyons, et ferme la porte derrière toi, répond-il, roucoulant.

— Bonsoir, monsieur !

Sans perdre un instant, elle se lance dans le vif du sujet.

— Michelle me dit qu'elle n'est pas au courant du remplacement que je dois faire ce soir.

— Euh, oui. J'avoue que je t'ai menti, Anne-Julie. Mon épouse sera absente ce soir, et j'ai voulu profiter de l'occasion pour te parler. Assieds-toi un instant. Ce ne sera pas très long.

« Non, ce n'est pas vrai ! se décourage Anne-Julie. Lui aussi ! Je vais l'égorger ce sale porc si jamais il ose lever la main sur moi ! » Elle trouve cette mise en scène tellement grotesque !

— Alors, dites-moi de quoi il s'agit, articule-t-elle en s'appuyant confortablement contre le dossier de sa chaise.

— J'ai une proposition à te faire, Anne-Julie.

— Une proposition que votre femme ne peut entendre, si je comprends bien.

Gérard Beaupré toussote légèrement et lui adresse un regard nerveux.

— C'est cela, oui. Je veux prendre soin de toi, Anne-Julie. Faire de toi ma maîtresse. Tu me plais.

La réaction d'Anne-Julie ne se fait pas attendre.

— Vous ne manquez pas de culot, monsieur !

Pour toute réponse, l'homme lui renvoie un sourire plein d'assurance.

— Disons que je te propose un genre d'association. Je t'installe dans un appartement près de l'université. Je défraie toutes tes dépenses ainsi que le coût de ton logement, et en retour, tu m'offres tes faveurs, achève-t-il, l'air suffisant, les yeux rivés sur sa proie.

Anne-Julie se lève et foudroie son patron du regard. Dans un geste qu'elle maîtrise parfaitement, elle retire son tablier de serveuse et le lance au visage de son interlocuteur.

— Je crois que vous prenez vos rêves pour des réalités, monsieur. Je veux que vous m'expédiiez mon « quatre pour cent » directement chez moi. Adieu !

Avant qu'elle atteigne la porte, Gérard Beaupré lui lance :

— Anne-Julie, je te conseille de réfléchir davantage à mon offre. Cet arrangement pourrait t'offrir le luxe d'écrire sans rechercher aucune autre forme d'aide financière. Je suis suffisamment à l'aise pour te permettre d'entreprendre ta carrière d'écrivain sans que tu sois obligée de travailler. C'est bien ça que tu veux, n'est-ce pas ? Devenir écrivain ? Je pense que je te fais une offre très alléchante.

— Vous m'écœurez! répond Anne-Julie d'un ton glacial avant de sortir du bureau.

Anne-Julie ramasse son manteau pour quitter ce lieu infect. Constatant l'humeur massacrante d'Anne-Julie, Michelle essaie de la retenir :

— Qu'est-ce que tu fais, Anne-Julie? Pourquoi nous quittes-tu si tôt?

D'un mouvement sec, Anne-Julie se retourne pour lui répondre :

— Demande à M. Beaupré. Adieu, Michelle !

C'est d'un pas nerveux, en s'efforçant de réprimer sa nausée, qu'Anne-Julie rentre chez elle. Manon l'accueille par un cri de stupéfaction :

— Anne-Julie ! Mais... que fais-tu ici à cette heure?

— Mon cher patron m'a gentiment offert de devenir sa maîtresse, explique Anne-Julie, hargneuse, en claquant la porte de sa chambre au nez de Manon.

— Ouvre, Anne-Julie. Laisse-moi entrer, la supplie Manon qui lutte pour ne pas éclater de rire.

— Fous-moi la paix, Manon Gauthier ! J'ai besoin d'être seule.

— On dirait que ton estime personnelle en a pris un sale coup ! Qu'est-ce que cet événement peut t'apprendre sur toi-même, penses-tu?

— Fous le camp, Manon Gauthier, ou je t'étripe ! siffle Anne-Julie, entre ses dents.

Manon retourne dans la cuisine, pas du tout mécontente d'avoir pu, pour une fois, river son clou à sa chère amie.

— Sainte Anne-Julie, priez pour nous ! dit-elle à haute voix d'un ton narquois.

De la chambre d'Anne-Julie, on entend un objet se fracasser par terre, preuve qu'Anne-Julie a compris le message.

« Tu sauras enfin ce que l'on ressent lorsque l'on se fait juger par les autres, ma petite ! songe Manon en croisant les bras contre sa poitrine. Tu l'as bien mérité ! »

7

La semaine s'étire en longueur. Et comme si l'humeur chagrine d'Anne-Julie ne suffisait pas, le temps est maussade, brumeux et triste à mourir. On dirait que plus rien ne va. Anne-Julie a beau communiquer chaque soir avec sa grand-mère pour prendre de ses nouvelles, rien ne parvient à la rassurer vraiment.

M. Duval, son professeur de littérature, a inscrit au stylo rouge, avec force et rage la note *D* sur la première page de son travail qu'elle a pourtant exécuté avec soin. C'est un acte de vengeance, Anne-Julie le sait bien. Il veut la punir pour l'offense qu'elle lui a faite en lui tenant tête et en refusant de se laisser manipuler.

Manon la boude et ne lui parle plus depuis leur dernière dispute. Il est même question qu'elle déménage pour aller vivre avec Lévis, l'idiote !

Anne-Julie n'en peut plus de ressasser les mêmes idées noires. Elle arpente le salon du petit appartement, ouvrant et fermant le téléviseur, s'impatientant d'être incapable de se concentrer plus de dix minutes sur une émission de télévision, et tout ça à cause de l'angoisse qui l'étreint. Comment, sans salaire, parviendra-t-elle à joindre les deux bouts ? Il ne lui reste, en définitive, que 150 $ auxquels s'ajoute ce que le *Fleur bleue* lui doit. Si elle calcule sa part de loyer et le coût de la nourriture, elle n'a pratiquement plus d'argent. Décidément, elle n'y arrivera pas. Elle doit trouver un nouvel emploi. Mais qui l'embaucherait pour une durée aussi courte que quatre mois ? Et vers qui se tourner ? Elle ne connaît pas suffisamment Québec pour espérer y trouver un revenu d'appoint convenable.

Elle songe à sa grand-mère. Non. Juste à l'idée que l'argent puisse provenir de Bruno...

Seule solution, demander un prêt pour terminer l'année. Elle hésite à poser ce geste. Si elle commence dès maintenant à s'endetter, elle ne pourra réaliser son rêve : demeurer deux ans auprès de Marie-Ange en empruntant à la banque une somme qui l'aiderait à subvenir à ses besoins, le temps de voler de ses propres ailes. Ses beaux projets s'écroulent un à un.

— Merde ! crie-t-elle, démoralisée. J'ai besoin d'air, sinon, je vais devenir folle.

Manon a quitté l'appartement en début de soirée en lui offrant un peu d'argent afin de se changer les idées.

— Va au cinéma, a-t-elle proposé. Il paraît que le dernier film de Harrison Ford est génial !

Elle reconnaît bien là son amie. Comme si le simple fait de voir un film pouvait lui changer les idées ! La seule chose qui parviendrait à lui faire tout oublier serait de prendre une bonne cuite. Comme au temps du cégep.

Anne-Julie se rend à la salle de bains et remplit la baignoire d'eau chaude. Elle s'y étend, le cœur en miettes. Comme toujours lorsqu'elle est dans cet état dépressif, le passé refait surface.

Elle se revoit assise sur les genoux de son père. Son petit corps de fillette est tout recroquevillé contre la poitrine imposante de Philippe. Il referme ses deux bras puissants sur elle et elle rit de bonheur.

Soudain, une émission d'information débute à la télévision. Sur l'écran apparaît, en gros plan, l'image d'un homme qui ressemble étrangement à son père.

« Bonsoir, mesdames et messieurs. Ici Bruno Beaulieu.

Anne-Julie se tortille sur les genoux de Philippe et demande :

— Pourquoi il s'appelle comme nous, ce monsieur, papa ?

Anne-Julie sent son père se raidir. Pendant une fraction de seconde, il semble perturbé. Puis, se reprenant, il explique :

— Voyons, mon poussin, de très nombreuses personnes portent le nom de Beaulieu.

— Oui, mais en plus, ce monsieur te ressemble, papa. C'est peut-être ton cousin.

Une infinie tristesse s'inscrit alors sur le visage d'habitude si doux, si bon et si beau de son père. Il détourne les yeux et répond :

— C'est parce qu'il porte le même nom que nous que tu trouves qu'il me ressemble, mon ange. »

Puis il dépose la fillette sur le canapé du salon et se retire, laissant Anne-Julie croire qu'elle lui a fait de la peine.

Maintenant qu'elle connaît la vérité, Anne-Julie peut comprendre ce qui a torturé son père. Ses parents ont dû souffrir un véritable supplice d'avoir à lui mentir constamment.

Quelques larmes roulent sur les joues de la jeune femme, larmes qu'elle s'empresse de faire disparaître rapidement du revers de la main. Sentant qu'elle est sur le point de sombrer dans une mélancolie profonde, elle se secoue et enjambe la baignoire pour ramasser une serviette de bain.

— Cela suffit, se dit-elle, ce soir je sors !

Elle prend la décision d'aller rejoindre Manon au bar *L'Ingénue*. Elle doit absolument régler les différends qui les opposent et apprendre à respecter les choix de son amie. Et puis, quelques verres de bière ne la tueront pas. Cela, tout au moins, lui offrira l'occasion d'oublier ses soucis pendant quelques heures.

« Et pourquoi pas ? se convainc-t-elle. Je ne bois jamais. Pourquoi est-ce que je m'en priverais, pour une fois ? »

Ragaillardie par cette décision, Anne-Julie s'autorise à pénétrer dans la chambre de Manon en songeant qu'elle a bien le droit de se défouler un peu. Elle fouille dans les affaires personnelles de son amie et lui emprunte une robe, audacieuse par son décolleté plongeant et sa ligne ajustée. Elle l'enfile en toute hâte et demeure saisie par l'image que lui renvoie le miroir, celle d'une femme extrêmement attirante.

Sa chevelure épaisse, brun foncé, encadre un visage fin à la mâchoire carrée et au teint de pêche, tandis que deux immenses yeux bleus lui donnent un regard profond, méditatif et sensuel. Des pommettes hautes, des sourcils foncés, mais fins, et des lèvres pulpeuses complètent l'harmonie.

Sidérée par cette vision séduisante qu'elle ne connaît pas d'elle-même, Anne-Julie pousse l'audace jusqu'à fouiller dans la trousse de maquillage de Manon, s'amusant à se forger une personnalité. Peu habituée à se barbouiller de la sorte, elle doit refaire son maquillage plusieurs fois. Enfin satisfaite, la jeune femme appelle un taxi.

Une demi-heure plus tard, elle fait son entrée à *L'Ingénue*, attirant sur sa personne des regards de convoitise. Quelques hommes, affalés derrière des tables où ils sirotent leurs bières, poussent même l'arrogance jusqu'à siffler sur son passage. Timide et mal à l'aise, Anne-Julie sélectionne un endroit tranquille et s'assoit. Tout de suite, une barmaid vient lui offrir une consommation. Anne-Julie commande une bière et darde un regard inquisiteur sur la scène où une jeune fille, qui lui paraît bien fragile, danse nue. Regardant ailleurs, elle a un haut-le-cœur lorsqu'elle voit deux hommes caresser une autre danseuse qui ondule des hanches à la table voisine de la sienne.

« Qu'est-ce que je fais ici, moi ? » se demande-t-elle, mal à l'aise. Mais elle demeure sur place. La bière fait vite son œuvre, et Anne-Julie se détend peu à peu.

Deux tables plus loin se tiennent deux jeunes hommes qui semblent passablement intrigués par la présence d'Anne-Julie. Il s'agit de deux étudiants de l'université qui discutent entre eux.

— N'avons-nous pas déjà vu cette fille ? s'informe Jean Lachapelle à Stéphane Bourque.

— Oui, elle fréquente l'université, répond celui-ci d'une voix légèrement éraillée. Elle s'appelle Anne-Julie Beaulieu. J'essaie de la séduire depuis un bon moment déjà. Mais elle refuse toujours mes avances. Je pensais qu'elle était lesbienne, mais je me suis peut-être trompé sur son compte. Regarde-moi ce décolleté ! Ouh ! ouh ! Je me perdrais bien entre ses deux seins !

L'esprit embrumé par les effets de l'alcool, Jean se met à rire et confesse :

— Moi aussi, mon vieux. Si on allait la rejoindre ? Elle semble s'ennuyer, la pauvre petite.

— C'est justement ce que je me disais, répond Stéphane en ricanant. Depuis une demi-heure qu'elle est là, si elle attendait quelqu'un, on le saurait déjà.

— Ouais, approuve Jean d'une voix pâteuse en se levant de table.

L'alcool aidant, Anne-Julie commence à perdre un peu de

ses scrupules. Aussi, voyant Stéphane s'approcher, elle se sent soulagée : elle ne restera pas seule.

— Salut, Anne-Julie ! lui dit-il, en lui souriant de façon affable. Pouvons-nous nous joindre à toi ?

— Avec plaisir, Stéphane. Me présenteras-tu ton ami ?

— Certainement ! Voici Jean Lachapelle. Il fréquente le campus, lui aussi.

— Ah oui ! dit Anne-Julie d'une voix mal assurée. Et qu'étudies-tu Jean ?

— J'étudie la géographie.

Malheureusement pour lui, la nature ne l'a pas gâté : presque chauve, Jean porte des lunettes aux verres très épais et son visage est parsemé d'acné. Mais Anne-Julie ne s'en formalise pas et se met à lui parler sans pouvoir s'arrêter. Un vrai moulin à paroles !

Stéphane lui offre une autre bière, qu'elle avale goulûment sans prendre garde aux effets dévastateurs que l'alcool provoque chez elle. Bientôt, elle est ivre. À la grande surprise des deux jeunes hommes, Anne-Julie est néanmoins saisie lorsqu'elle voit son amie Manon entreprendre son numéro sur scène. La jeune femme retire un à un ses vêtements de façon provocante devant tous ces hommes, qui applaudissent ses charmes indéniables.

Inconsciente de sa conduite déconcertante, Anne-Julie grimpe sur la table et se met à rouler des hanches de manière suggestive, attirant tous les regards dans sa direction. Une clameur s'élève de la petite foule et on se met à lui prodiguer des encouragements, l'invitant à enlever ses vêtements.

Manon aperçoit Anne-Julie et sursaute. Ahurie devant ce spectacle inconcevable, elle s'empresse de descendre de la scène et se précipite devant la petite troupe qui harcèle son amie.

— Poussez-vous ! ordonne-t-elle, bousculant plusieurs hommes sur son passage.

Arrivée près d'Anne-Julie, elle agrippe cette dernière par un bras et l'oblige à descendre.

— Que fais-tu ici ? la rabroue-t-elle avec la ferme intention de lui faire retrouver un brin de raison.

— Mais je fais comme toi, Manon, je me trémousse les fesses, répond Anne-Julie en s'esclaffant de rire.

Les hommes qui assistent à cet échange inusité éclatent de rire à leur tour.

— Laisse-la faire, Natacha ! la supplient-ils, appréciant grandement le spectacle. Elle a bien le droit de se défouler un peu.

— Natacha ! pouffe à nouveau Anne-Julie, qui trouve ce prénom tellement ridicule. On t'appelle Natacha !

— Arrête, Anne-Julie ! lui intime Manon. Je t'expliquerai tout ça plus tard.

Mais Anne-Julie ne veut pas obtempérer aux ordres de Manon. Elle est ici pour tout oublier et ce n'est pas son amie qui l'empêchera de s'amuser. Pour une fois qu'elle sort un peu de sa coquille...

Voyant qu'Anne-Julie est trop ivre pour reprendre ses sens, Manon apostrophe les hommes :

— Cette fille n'est pas une danseuse. Poussez-vous et laissez-nous tranquilles ! Le spectacle est terminé !

— Zut ! s'objecte Anne-Julie. Juste quand je commençais à aimer ça.

Manon n'a que ses deux mains pour éloigner les hommes d'Anne-Julie. Très en colère, elle commande :

— Enlevez-vous de notre chemin, bon sang !

Les spectateurs, affichant leur mécontentement, s'écartent pour laisser passer les jeunes femmes. Lorsqu'elles ont un peu plus d'intimité, Manon réprimande son amie :

— Tu as perdu la tête ! Que fais-tu ici ?

— J'ai le droit d'être ici, que je sache ! s'indigne Anne-Julie d'une voix amollie.

— Tu n'es pas en état de discuter. Rentrons à la maison ! capitule Manon, comprenant qu'elle ne pourra rien tirer de bon d'Anne-Julie ce soir.

D'une façon tout aussi imprévisible, Anne-Julie se met à sangloter.

— Je n'ai plus d'argent, Manon. Que vais-je devenir ? Il faudra bien que j'en gagne d'une façon ou d'une autre. Pourquoi pas en dansant ?

— Je t'en prêterai de l'argent, moi. Jamais je ne te laisserai te dégrader de cette façon.

— Tu le fais bien, toi !

— Justement, je viens à l'instant de décider de ranger mes talons hauts.

Devant cette répartie qui ne manque pas d'humour, Anne-Julie explose de rire. Stéphane propose :

— Veux-tu que je ramène Anne-Julie chez elle, Manon ?

— Oui.

C'est le moment que choisit Lévis pour s'approcher du petit groupe.

— Qu'est-ce que tu fous là, Manon ? Ta place est sur la scène en ce moment.

— Non, mon cher ! Plus maintenant ! J'ai décidé de quitter ce foutu métier de merde.

— Quoi ?

— Tu as bien compris, Lévis Caron ! Je sors d'ici tout de suite. Je ramène mon amie chez elle et je te fais mes adieux en même temps.

— Mais... Manon...

— Fous-moi la paix ! Va sauter ta petite Cybèle ! Je ne veux plus rien savoir de toi. Rien de ce que tu pourras dire ou faire ne me fera changer d'avis. J'en ai assez de cette vie d'enfer. Et je te souhaite d'attraper des maladies honteuses, pauvre type ! ponctue-t-elle dans un regain de colère.

Anne-Julie rigole devant ces propos qui ne manquent pas de piquant. Humilié d'être ainsi rabroué devant témoins, Lévis réplique :

— Tu me fais la morale, toi, la putain !

Hors d'elle, Manon demande à Stéphane de soutenir Anne-Julie quelques instants et s'élance pour gifler Lévis de toutes ses forces.

— Sale petite traînée ! suffoque de rage ce dernier. Disparais de ma vue ou je te casse les reins !

Les yeux remplis de larmes, Manon entraîne Anne-Julie, Jean et Stéphane jusqu'à sa loge. Ils patientent le temps qu'elle change de vêtements.

— S'il te plaît, Stéphane ; ramène-nous toutes les deux chez nous.

— Tout de suite, consent Stéphane, trop heureux de connaître enfin l'adresse de ces deux superbes créatures.

Lorsqu'ils sont enfin arrivés, Manon déshabille Anne-Julie et la met au lit. Cette dernière tombe sans tarder dans un profond sommeil. Manon rejoint les deux jeunes hommes qui attendent au salon et leur offre un café qu'ils acceptent avec joie.

— Merci, les gars ! Sans vous, je ne sais pas ce que j'aurais fait.

— Ce n'est rien, Manon, soutient Stéphane. Dis... est-ce que je peux revenir demain pour prendre des nouvelles d'Anne-Julie ?

— Évidemment ! Je crois qu'Anne-Julie sera heureuse de te remercier personnellement. Maintenant, j'aimerais que vous partiez ; je suis épuisée.

Les deux étudiants s'empressent de quitter les lieux et

Manon se retrouve seule, les yeux inondés de larmes. Elle vient de mettre un terme à une relation amoureuse qui ne lui a procuré que des déboires.

« Je suis prête à grandir, à présent ! » constate-t-elle, entre deux sanglots, comprenant que cette soirée lui offre une grande leçon d'humilité.

Lorsque Anne-Julie s'éveille, elle s'aperçoit que Manon dort près d'elle. Un affreux mal de tête lui martèle les tempes dès qu'elle tente de s'asseoir. Les souvenirs de la veille émergent du même coup, lui arrachant un petit cri d'horreur, ce qui réveille Manon.

— Salut ! lui murmure cette dernière. As-tu bien dormi ?

Anne-Julie regarde son amie sans vraiment la voir, trop absorbée par sa honte.

— Dis-moi, Manon, que je n'ai pas fait toutes ces âneries hier soir ! Dis-moi que je rêve et que je vais bientôt m'éveiller.

Devant la mine dépitée d'Anne-Julie, amusée, Manon répond :

— Eh oui ! Sainte Anne-Julie est morte, quelque part entre une heure et deux heures du matin ! Il faudra te faire à cette idée, ma chère. Tu viens de connaître la vraie vie ! Bienvenue dans le camp des loups !

Anne-Julie se laisse choir dans son lit.

— Ce n'est pas vrai ! J'ai tellement honte !

— Tu ne devrais pas, Anne-Julie, se radoucit Manon. Ton attitude dépravée d'hier soir m'a ouvert les yeux. Finalement, cette expérience s'avère très bénéfique pour moi.

Anne-Julie ne comprend rien à ce que Manon lui raconte.

— Que veux-tu dire ?

— Je veux dire que de te voir, toi, la fille sérieuse et toujours tellement digne, tenter de séduire des hommes, m'a...

Comment dirais-je ? Disons, que j'ai compris dans quel pétrin je m'étais fourrée ces derniers mois.

— Ah ! J'ai vraiment honte, ajoute Anne-Julie en se prenant la tête à deux mains.

— Tu t'en remettras. De toute façon, tu n'as rien fait que tu pourrais vraiment regretter.

— Parle pour toi, Manon Gauthier ! Tes valeurs sont loin d'être les miennes.

Manon réprime une grimace devant cette sévérité.

— Tu n'es pas obligée d'être aussi blessante, Anne, prononce-t-elle, d'une voix triste.

— Excuse-moi. Je ne voulais pas être cruelle. Je suis désolée. Que dois-je faire pour me faire pardonner ?

Manon se laisse aller entre les bras de son amie, secouée par la douleur.

— Je te promets fidélité dans l'amitié et de toujours t'épauler dans le besoin, ma douce amie, murmure Anne-Julie, d'une voix très tendre. Et si nous faisions définitivement la paix ?

Manon s'écarte légèrement d'Anne-Julie, puis, repoussant la chevelure de son amie pour mieux appuyer son front contre le sien, elle se met à rire tout en versant quelques larmes :

— Tu m'as tellement manqué, Anne. Cette nuit m'a fait prendre conscience de beaucoup de choses. Et c'est grâce à toi ! J'ai décidé de grandir à présent et d'assumer ma vie d'adulte.

Anne-Julie laisse couler à son tour quelques larmes d'émotion et serre très fort Manon contre son cœur.

— Si ma décadence passagère de cette nuit a servi à ça, je me sens soulagée, parvient-elle à dire.

Le carillon de la porte d'entrée met un terme à cet échange émouvant.

— Qui est-ce ? s'informe Anne-Julie en s'essuyant les yeux, comme prise en faute.

Manon se frappe le front et dit :

— Oh non ! Je crois que tu vas être encore en rogne contre moi !

— Pourquoi ?

— Ce doit être Stéphane Bourque. Il m'a demandé s'il pouvait passer prendre de tes nouvelles aujourd'hui.

— Ah non ! se lamente Anne-Julie, qui sort précipitamment du lit. Tu as osé inviter ce Stéphane Machin-Chouette ici, pour me voir !

— Je n'ai pas réfléchi, Anne.

— Merde ! Merde ! et merde ! Je ne veux rien avoir à faire avec ce type !

Manon quitte le lit à son tour. Elle enfile la robe de chambre de son amie et dit :

— Calme-toi ! Ce n'est pas si terrible que ça, après tout ! Invite-le à entrer quelques minutes et remercie-le pour son geste généreux.

— Quel geste généreux ? demande Anne-Julie, qui blêmit soudain.

La sonnette de l'entrée se fait à nouveau entendre, pressant Manon d'aller répondre.

— C'est lui qui s'est occupé de toi, hier soir. Il nous a même ramenées jusqu'ici.

— Ah non ! Voilà maintenant que je lui suis redevable !

— Reste tranquille, je reviens tout de suite ! lui commande Manon.

La jeune femme s'empresse d'ouvrir la porte et se trouve effectivement devant Stéphane.

— Bonjour ! Oh ! je m'excuse ! Vous dormiez encore, bredouille l'étudiant.

— Ce n'est rien, Stéphane. Entre, voyons ! Passe au salon. Anne-Julie va t'y rejoindre dans quelques minutes. Le temps de faire un brin de toilette.

Anne-Julie a enfilé un jean et un chandail de laine. Elle passe rapidement à la salle de bains, constatant le désastre causé sur son visage par le maquillage exagéré de la veille qu'elle a gardé toute la nuit. Elle se dépêche de nettoyer le tout, passe un coup de brosse dans ses cheveux et va rejoindre Stéphane, pressée de se débarrasser de lui. Pendant ce temps, Manon prépare du café.

— Bonjour, Stéphane !

Anne-Julie s'assoit timidement sur le rebord d'un des deux canapés, soucieuse de mettre une distance entre elle et son visiteur.

— Bonjour, Anne. Comment vas-tu ce matin ?

Anne-Julie hésite. Elle ne sait pas si elle doit donner des explications à son comportement de la veille.

— Je suis navrée pour hier soir, commence-t-elle sur un ton qu'elle veut serein. Je... je n'ai pas l'habitude de me comporter de cette façon. J'ai de gros ennuis en ce moment, et...

— Tu n'as pas à te justifier. J'ai très bien saisi que ce n'est pas dans tes habitudes d'agir avec autant de légèreté. Je...

— Attends un instant, Stéphane. Est-ce que j'ai fait quelque chose de mal ?

— Non ! Tu as trop bu, c'est tout.

— Ouf ! Tu dois me trouver bien idiote. Mais, vois-tu, en général, j'ai une attitude plutôt réservée avec les hommes. Ce que j'ai fait hier soir n'est pas du tout dans mes habitudes, crois-moi.

— J'en suis certain, affirme Stéphane. Écoute, Anne-Julie, je voulais te dire... Cela fait longtemps que je me sens attiré vers toi. J'aimerais bien qu'on se voie de temps en temps, achève-t-il.

Anne-Julie sent le malaise l'envahir. Comment doit-elle expliquer à Stéphane qu'il ne l'intéresse pas ?

— Je suis désolée, Stéphane. Si j'ai pu te laisser croire, ne serait-ce qu'un instant, que tu me plaisais, je te prie de m'en excuser ; mais, vois-tu...

Voyant la déception se peindre sur le beau visage du garçon, Anne-Julie se reprend aussitôt :

— Ce n'est pas à cause de toi. Enfin, ne crois pas que je te trouve repoussant. C'est très loin de la vérité, en fait. Je te trouve charmant. C'est plutôt que je commence à peine à me remettre d'une peine d'amour que j'ai vécue, il y a de ça un an. Le chagrin a laissé tellement de marques profondes que je ne me sens pas prête à vivre une autre aventure amoureuse, explique-t-elle, se sentant coupable d'avoir à mentir ainsi.

— Je comprends, répond Stéphane en souriant. J'attendrai que tu sois prête !

— Ne te fais pas d'illusions, Stéphane. Je ne sais pas si, un jour, je réussirai à me remettre de cette mésaventure. Je ne peux rien te promettre.

— Je comprends ce que tu ressens, Anne-Julie. Pouvons-nous devenir des amis ? lui propose-t-il en échange.

— Je ne sais pas. Tu sais, mes études prennent beaucoup de mon temps. Je ne sors pratiquement jamais et je suis plutôt du genre ennuyeux.

Stéphane se met à rire.

— Je t'assure que tu me plais comme tu es !

— Bon ! Je crois que nous nous sommes tout dit, Stéphane, l'interrompt Anne-Julie, pressée de mettre un terme à cette discussion qu'elle juge stérile. Je te suis franchement reconnaissante de la délicatesse que tu as manifestée à mon endroit hier soir. Merci encore pour ton aide.

— Cela m'a fait plaisir d'avoir pu t'aider et, ainsi, de mieux te connaître, soutient Stéphane en souriant.

— Eh bien, encore mille fois merci ! Maintenant, ne le prends pas mal, mais j'aimerais demeurer seule. J'ai un affreux mal de tête, si tu savais !

Stéphane ricane d'un air entendu.

— Oui, je sais ce que c'est, l'assure-t-il, comme s'il en connaissait long sur le sujet. À lundi, alors.

— C'est ça, à lundi, Stéphane.

Lorsque le jeune homme quitte l'appartement, Anne-Julie pousse un soupir de soulagement. Manon l'attend dans la cuisine et lui verse un café bien fort. Elle sait que cela réconfortera son amie.

— Eh bien, on dirait que ce beau Stéphane Machin-Chouette est drôlement mordu ! s'exclame Manon d'un ton lourd de sous-entendus.

Anne-Julie s'empare d'une serviette de table et la jette au visage de Manon.

— Ah ! toi ! ne te mêle pas de ça ! J'aurai besoin de toute mon énergie pour repousser les avances de ce prétendant mielleux.

Manon fait mine d'être choquée par les propos de son amie.

— On dirait que tu n'as pas de cœur, Anne-Julie.

— Avec les hommes, tu as raison, je n'ai pas de cœur.

— Je suppose que c'est à cause de ce qui s'est passé lorsque tes parents sont morts... et que tu refuses toujours de me raconter d'ailleurs, avance prudemment Manon.

— C'est ça, oui. Et je te défends même d'y faire allusion devant moi !

— Excuse-moi, mais il faudra bien, un jour ou l'autre, que tu enterres la hache de guerre. À mon avis, tu donnes des proportions un peu trop grandes à ces événements du passé.

— Tu veux dire que je dramatise la situation, sans doute ?

— Oui.

— Tu ne sais pas de quoi tu parles, réplique Anne-Julie qui prend la direction de sa chambre en claquant la porte derrière elle.

Choquée par le comportement de son amie, qu'elle qualifie d'exagéré, Manon se plante devant la porte de chambre et s'écrie :

— J'ai peut-être la cuisse légère, comme tu me le fais si bien sentir, Anne, mais moi, j'aime la vie et je ne m'enferme pas dans des sentiments de frustration, de haine, d'amertume et de vengeance comme tu t'obstines à le faire ! Tu as le cœur sec, ma vieille ! Et tu crèveras sans avoir jamais rien vécu d'intéressant si tu persistes dans cette attitude.

Anne-Julie ouvre alors la porte de sa chambre et se jette dans les bras de son amie en pleurant à chaudes larmes. Elle sait ce jugement sévère mais juste. Cette nuit, Manon lui a prouvé qu'elle était digne de confiance. Aussi Anne-Julie prend-elle la décision de lui raconter son passé.

8

Par la fenêtre de la cuisine, Anne-Julie fixe le paysage. Elle s'appuie contre un mur, tandis que des images d'une enfance heureuse s'imposent à sa mémoire avec une clarté étonnante. Contempler le panorama entièrement couvert de neige lui rappelle de doux moments partagés avec son père, le héros de sa jeunesse.

Il est tellement facile pour Anne-Julie de se remémorer le merveilleux complice qu'a été Philippe lorsqu'elle était toute petite. Elle se souvient, comme si c'était hier, des jours où son père l'amenait glisser au Mont-Comi. Leurs descentes dans la neige s'accompagnaient de rires et de cris d'ivresse. On aurait cru qu'ils désiraient braver le temps, la vitesse et les espaces infinis de neige poudreuse qui s'étendaient à perte de vue.

Après ces expéditions hivernales, le père et la fille rentraient à la maison, complètement gelés, mais le cœur léger. Ils s'étaient amusés sans arrière-pensée, oubliant le quotidien trop souvent monotone à cause des lourdes responsabilités qu'exigeait le commerce de ses parents.

Au retour de ces escapades bienfaisantes, Philippe obligeait Anne-Julie à prendre un bain, tandis qu'il lui préparait un chocolat chaud qu'ils dégustaient tous deux, lovés l'un contre l'autre dans des couvertures épaisses tout en regardant des dessins animés.

Pour Anne-Julie, ces moments de tendresse partagée étaient le summum du bonheur. Ils constituaient ses seuls souvenirs heureux. Deux bras solides pour la protéger, un cœur pour l'aimer, des gestes empreints d'une douceur infinie, une sécurité affective et la sérénité ; voilà ce qu'avait représenté Philippe Beaulieu pour elle.

La petite fille qu'elle était alors avait l'impression que son père, tel un magicien, créait et embellissait le monde, juste pour elle. Du moins s'était-elle plu à le croire, et cela avait contribué à nourrir son imaginaire débordant.

Comme chaque fois qu'elle pense à Philippe, Anne-Julie ravale péniblement un sanglot qui lui noue la gorge. C'est à la fois bon et douloureux de songer à lui comme à un père.

Si seulement il avait été réellement son père, comme elle le croyait à cette époque. Dieu ! que c'était injuste !

Le fil de ses réflexions est brisé par l'arrivée de Manon qui traîne des sacs à ordures pleins à craquer.

— Manon ! mais... que fais-tu là ? Tu n'es pas une adepte du grand ménage, à ce que je sache, commente Anne-Julie, stupéfaite.

Manon lui adresse un drôle de rictus et dit :

— Habille-toi chaudement, ma vieille ; nous allons accomplir un rituel sacré de renaissance.

— Un rituel sacré de renaissance ? Mais pour l'amour du ciel, qu'as-tu l'intention de faire ?

Anne-Julie est interloquée. Son amie ne cesse de la dérouter : elle est toujours si imprévisible et originale !

— Nous allons brûler les accoutrements de la danseuse

Natacha ! annonce tout bonnement Manon, d'un air déterminé.

Ahurie, Anne-Julie s'écrie :

— Mais tu ne vas pas tout jeter ! Ces vêtements valent une fortune. Certains peuvent encore te servir.

— C'est vrai ! approuve Manon d'une voix impérieuse. Les expériences de Natacha m'ont coûté très cher, au sens propre comme au sens figuré. Mais, vois-tu, c'est le seul moyen que j'ai trouvé pour mettre définitivement un terme à ce passé peu reluisant.

Anne-Julie s'émerveille devant le raisonnement de son amie. Jamais elle ne l'a sentie aussi sérieuse et décidée.

— Eh bien, dis donc ! Tu me vois sidérée.

— Allez, paresseuse ! Enfile ton manteau, nous allons faire un feu de joie.

— Mais où ça ? s'inquiète Anne-Julie.

— Dans le baril de la cour arrière. J'ai souvent vu notre propriétaire faire du feu là-dedans.

Anne-Julie se met à rire, enthousiasmée par cette idée étrange. Plus elle y songe, plus cette proposition ne lui semble plus aussi bizarre qu'elle le paraît à première vue.

— Et si quelqu'un nous voyait ? Tu n'as pas songé à cela ? Qu'inventeras-tu pour justifier cette étrange situation ?

— Je dirai que je fête une décision importante dans ma vie. Avoue qu'une décision pareille, ça se fête !

— Tu as tout à fait raison, approuve Anne-Julie en secouant la tête. J'avoue que je trouve l'idée assez séduisante.

— Alors, ne reste pas là ! Grouille-toi !

Anne-Julie déguerpit dans sa chambre pour y enfiler des vêtements chauds, puis elle s'empare de quelques sacs.

— Ma foi, allons-y gaiement !

Les deux jeunes femmes se retrouvent à l'extérieur de l'immeuble, traînant leurs fardeaux. En moins de temps qu'il n'en faut pour le dire, elles mettent le feu à la fine lingerie et exécutent une danse indienne autour du baril.

Dans de grands éclats de rire, elles se laissent tomber à la renverse plusieurs fois dans la neige, profitant de cet événement euphorique pour se taquiner et se bombarder de boules de neige.

Leur tâche exécutée et passablement essoufflées, elles rentrent à l'appartement, les joues mordues par le froid mais les yeux pétillants de joie. Ce dimanche après-midi restera longtemps gravé dans leur mémoire comme un très beau moment de complicité.

Pressant ses tempes bourdonnantes, Manon propose :

— Ma chère amie, nous allons célébrer cela comme il faut. Que dirais-tu d'une bonne bouteille de vin et d'un repas commandé au restaurant ? C'est moi qui défraie le tout ! Aujourd'hui, je me sens d'humeur à la fête.

— Je suis d'accord ! Puisque l'ambiance est survoltée, aussi bien en profiter !

Une demi-heure plus tard, elles s'attablent devant des mets chinois et trinquent à leur amitié retrouvée.

— Je te promets ma fidélité dans l'amitié, et mon soutien dans le besoin. Bref ! Je serai toujours ta meilleure alliée, quoi qu'il advienne. Je t'aime, Manon, déclare Anne-Julie, d'une voix solennelle. Santé, bonheur et longue vie !

— À toi également, ma chère sainte Julie ! Tu comptes pour moi et je t'aime comme une sœur. Santé, bonheur, longue vie, et... je te souhaite de rencontrer l'homme idéal.

— Oh ! ça !

— Ne dis jamais : « Fontaine, je ne boirai pas de ton eau ! » Tu ignores ce que l'avenir te réserve.

Anne-Julie perçoit avec ravissement une lueur de sagesse dans le regard de son amie.

— Comment te vois-tu, toi dans l'avenir ? Lorsque tu auras franchi la quarantaine, par exemple ?

La réponse de Manon n'est qu'un souffle aux oreilles d'Anne-Julie tellement elle redevient sérieuse et rêveuse.

— Je me vois mariée à un professeur d'université avec qui j'aurai deux enfants magnifiques et intelligents. Je serai moi-même enseignante et je vivrai une vie très intéressante, qui me donnera le sentiment d'être utile à quelque chose, et, surtout, bien organisée.

Cette description fait sourire Anne-Julie.

— Ne trouves-tu pas que ce genre de vie ressemble à celui de tes parents ?

Manon fait semblant d'être incrédule.

— Mais... tu as parfaitement raison. Je n'en reviens pas !

Les deux jeunes femmes s'amusent ferme de cette découverte.

— Je n'aurais jamais cru que je puisse souhaiter ressembler à mes parents un jour. C'est drôle, on dirait que je viens de chausser des bottines de plomb tellement je me sens devenir adulte et réaliste. Oh ! sainte Julie ! Qu'as-tu fait de moi ?

Anne-Julie sourit à nouveau, méditant sur les paroles de Manon.

— Il paraît que c'est ça, la vie. Tôt ou tard, on finit par imiter nos parents. Ils ont été nos modèles durant toute l'enfance. Ils nous ont précédés pour nous indiquer la route à prendre.

— C'est merveilleux ! reconnaît Manon. J'ai l'impression de maîtriser parfaitement ma vie, ajoute-t-elle en prenant une délicieuse gorgée de vin. Et toi, sainte Julie ? Quels sont tes projets d'avenir ?

Perdue dans un rêve intérieur, Anne-Julie se lance à son tour dans une description qu'elle croit proche de ce que sera sa vie future.

— Moi, je me vois vieille avant l'âge, avec une allure d'intellectuelle un peu sèche. Tu sais, avec des lunettes sur le bout du nez !

Manon s'esclaffe.

— Ne ris pas ! J'ai la ferme intention de demeurer célibataire. Je désire voyager beaucoup, tu vois, surtout en France, et plusieurs fois par année, si possible. Après la mort de Marie-Ange...

Son humeur s'assombrit à cette pensée.

— Je vivrai seule dans la maison ancestrale. Je me vois marcher sur la plage au bord du fleuve, cherchant mon inspiration dans le calme de l'eau qui coule. Évidemment, je ne peux m'imaginer autrement qu'en célèbre écrivain.

Anne-Julie pouffe de rire à son tour, avant d'ajouter :

— N'est-ce pas prétentieux ?

— Pas du tout ! Tu en as le talent, Anne.

— Je suis une solitaire, poursuit la jeune fille. Contrairement à toi, je n'aime pas beaucoup les manifestations mondaines. Je serai seule dans la vie. Mais j'aimerais toutefois avoir un enfant. Je dénicherai un homme, sélectionné, il va sans dire, selon des critères bien définis. Il me fera cet enfant que j'élèverai seule, avec tellement d'amour !

Manon laisse écouler quelques secondes de quiétude avant de s'exclamer :

— Je suis toujours surprise de constater à quel point nous sommes différentes l'une de l'autre !

— C'est vrai, convient Anne-Julie. Ne dit-on pas que les contraires s'attirent et se complètent ?

— Eh oui !

— À notre réussite, quelle qu'elle soit ! clame Manon en levant son verre.

— À la réussite de nos vies ! poursuit Anne-Julie en souriant, heureuse pour une fois.

9

Avril s'installe paisiblement. Manon a pris une décision importante, celle d'ajouter une année d'études à sa formation littéraire. Elle prétend ne pas être suffisamment douée pour devenir écrivain ; mais comme elle souhaite enseigner la littérature, elle compte entreprendre un certificat en pédagogie.

Anne-Julie approuve ce choix. Les expériences malheureuses qu'a vécues Manon ont eu raison de son caractère insouciant. Depuis sa rupture avec Lévis, elle n'a permis à aucun homme d'entrer dans sa vie. On la trouve constamment le nez plongé dans ses livres, réalisant des travaux universitaires très intéressants. Sa maîtrise de la langue française et ses connaissances nouvelles donnent lieu à des discussions animées entre les deux jeunes femmes.

Anne-Julie jubile. Elle recevra bientôt son diplôme et pourra laisser libre cours à sa créativité littéraire. Dieu ! qu'elle a hâte !

Sa grand-mère a comblé ses besoins financiers. Un beau matin de la fin du mois de février, la jeune femme a eu la surprise de découvrir un chèque de 2 000 $ dans le courrier que lui a expédié Marie-Ange. Une missive accompagnait ce chèque :

> *Si tu refuses cet argent, je te déshérite et je refuse de te revoir !*
>
> *Ta grand-mère qui t'aime,*
> *Marie-Ange XXX*

Pour une fois, Anne-Julie a accepté cet argent de bonne grâce, sans se rebeller ni bombarder sa grand-mère de questions sur sa provenance. Sans doute devient-elle un peu plus sage. De toute façon, avait-elle réellement le choix ? Et puis, pourquoi dramatiser la situation ? Elle a donc simplement écrit une longue lettre à sa grand-mère pour la remercier.

Un jour, alors que les deux amies longent un corridor de l'université, le regard d'Anne-Julie est littéralement attiré par celui d'un beau jeune homme. Sans trop savoir pourquoi, la jeune femme est captivée par ce regard. Elle fouille dans sa mémoire pour découvrir à quel moment elle a déjà croisé cet homme.

Elle manquerait totalement de discernement si elle ne remarquait pas la forte personnalité du jeune homme. Ses gestes semblent assurés, des gestes harmonieux que seule la confiance fait naître. Sa démarche virile attire l'attention. Les traits de son visage aussi, qui, outre leur beauté, révèlent une grande intelligence. Ses yeux d'un brun vif expriment la franchise. Il porte une tenue vestimentaire simple, décontractée, sportive : jeans, tee-shirt et chandail de laine. Quelques fines ridules qui se dessinent au coin de ses yeux et aux commissures des lèvres, lui donnent un air espiègle, rempli d'humour. Son abondante chevelure brune, aux reflets cuivrés, tirée vers l'arrière, achève de conquérir Anne-Julie.

Leurs regards se croisent. Et lorsque dans sa course, l'inconnu a dépassé les deux jeunes femmes, Anne-Julie s'agrippe au bras de Manon et s'informe :

— Connais-tu ce garçon ?

— Non, mais j'aimerais bien le connaître. Il est vachement séduisant !

— Je me demande qui il est, murmure à peine Anne-Julie, comme si elle souhaitait que nulle autre qu'elle ne découvre les charmes de cet inconnu. Je l'ai déjà vu quelque part, mais où ?

Manon fronce les sourcils et étudie quelques instants la mimique de son amie.

— Eh ! Mais, dis donc, toi, tu en fais une drôle de tête !

Anne-Julie plisse le nez et tire la langue dans une grimace feinte adressée à Manon.

— Je cherche où j'ai déjà vu ce type. Je ne vois pas ce qu'il y a de bizarre là-dedans !

— Ne te fâche pas ! J'ai seulement eu l'impression que tu venais de trouver l'homme qui se sacrifiera pour te faire l'enfant que tu désires concevoir entre deux romans.

Anne-Julie hausse les épaules et lance en reprenant un rythme de marche rapide :

— Tu dis n'importe quoi, Manon Gauthier !

À la fin de l'après-midi, Anne-Julie se retrouve en compagnie de Manon, mais cette fois à l'extérieur du pavillon Charles-de-Koninck. Toutes deux discutent du choix de leur menu pour le repas du soir, lorsque Anne-Julie aperçoit l'inconnu. Non loin de l'édifice, le jeune homme discute avec Stéphane Bourque.

« Il connaît donc Stéphane ! » se dit-elle, le cœur rempli d'espoir.

Près d'eux se tient une charmante rousse au regard vert

émeraude, que les propos de Stéphane semblent stimuler : elle sautille d'excitation. Anne-Julie donne un coup de coude à Manon en lui faisant signe de regarder dans la même direction qu'elle.

— Fichtre ! Que ce type est beau ! s'écrie cette dernière d'un ton plein de sous-entendus. Mais qui est cette fille juchée sur ses échasses et qui trépigne comme une idiote devant Stéphane ?

— Sans doute une de ses amies, répond Anne-Julie, qui souhaite secrètement que cette splendide jeune fille ne soit pas l'amie de cœur de l'inconnu.

Sentant qu'on l'observe et qu'il fait l'objet de la conversation des deux amies, le jeune homme leur adresse un sourire évasif. Anne-Julie pâlit. Elle a l'impression que l'air se raréfie et la honte lui brûle les joues. De nouveau, elle s'agrippe au bras de Manon et l'oblige à entrer promptement par la grande porte du pavillon.

— Mais que fais-tu ? demande Manon, surprise.

— Je ne veux pas que ce garçon s'imagine qu'il m'attire, grogne Anne-Julie à voix basse.

Notant avec plaisir l'éclat nouveau qui brille dans le regard de sa copine et le rose qui teinte ses joues, Manon s'exclame :

— Franchement, Anne, tu te comportes comme une enfant ! Tu viens de rater la chance qui t'était offerte de connaître cet Apollon, pendant qu'il était avec Stéphane.

Anne-Julie songe à lui répondre vertement mais elle se retient, et commande plutôt d'une voix très ferme :

— Viens ! Et cesse de dire des stupidités !

Le lendemain midi, les deux jeunes femmes se rendent à la cafétéria pour prendre un léger repas. Le va-et-vient des étudiants remplit l'immense salle d'un grand tintamarre. De loin, Stéphane Bourque les repère et vient à leur rencontre.

— Regarde qui arrive, annonce Manon. Ton amoureux ! poursuit-elle en souriant béatement à son amie, qui grimace.

— Ah non ! Pas encore lui. J'en ai assez de constamment le repousser. Une vraie plaie !

— Tais-toi, il approche ! lui commande Manon en souriant hypocritement au nouveau venu. Elle va même jusqu'à l'accueillir d'une voix cajoleuse tant elle a envie de s'amuser aux dépens d'Anne-Julie.

— Stéphane ! Quelle belle surprise ! Comment vas-tu, mon vieux ?

— Merveilleusement bien, les filles ! Dis donc, Anne-Julie, accepterais-tu de m'accompagner au cinéma ce soir ?

Mais Anne-Julie n'écoute pas ce que lui propose Stéphane. Elle a le regard rivé sur une personne qui l'intéresse bien davantage : un certain inconnu qui fonce droit vers eux.

Manon donne un coup de coude à Anne-Julie pour la ramener à la réalité. Anne-Julie sursaute violemment et répond :

— Oh ! Excuse-moi, Stéphane ! Mais vois-tu, j'ai trop de travaux en retard en ce moment.

Stéphane dirige son attention vers Manon, et, déçu, s'approche de celle-ci pour lui chuchoter à l'oreille :

— Tu devrais convaincre ta copine de sortir plus souvent. Si elle continue à mener cette vie de recluse, elle finira par avoir le front tout ridé, conclut-il avec une lueur d'amusement dans les yeux.

— Si tu connaissais Anne-Julie comme je la connais, tu saurais qu'on ne peut rien faire pour la distraire de ses études, répond Manon, ignorant qu'un étranger s'approche de leur table.

Légèrement hésitant, l'inconnu adresse un sourire engageant à Anne-Julie, qui se demande comment un simple sourire peut réussir à la bouleverser autant. Le jeune homme lui adresse un clin d'œil complice et pose une main sur l'épaule de Stéphane :

— Salut, Stéphane ! Puis-je me joindre à votre petit groupe ? Je brûle d'envie de faire la connaissance de ces deux charmantes demoiselles.

— Salut, Vincent ! l'accueille gentiment Stéphane. Bien sûr que nous acceptons ta présence parmi nous. N'est-ce pas, les filles ?

« Vincent. Il s'appelle Vincent ! » se dit Anne-Julie figée par la surprise, un sourire béat sur les lèvres. Seule une volonté de fer lui permet de ne pas défaillir lorsque le regard du jeune homme revient se poser sur elle, telle une caresse infiniment agréable.

— C'est un plaisir pour nous, Vincent, affirme Manon qui jette un coup d'œil rapide vers Anne-Julie. N'est-ce pas, Anne-Julie ?

— Euh... certainement ! répond-elle. Elle se sent si stupide qu'elle en rougit de honte.

Stéphane invite Vincent à s'asseoir et poursuit la conversation.

— As-tu l'intention de participer au match de basket-ball, demain soir ?

— Évidemment, Stéphane ! Tu sais bien que le sport est la seule distraction que je m'autorise en ce moment. Mais avant de poursuivre cet échange, ne crois-tu pas qu'il serait plus poli de me présenter à tes compagnes ?

— Oh ! excuse-moi ! Que je suis bête ! Eh bien, mesdemoiselles, je vous présente Vincent Roy. Il termine une maîtrise en orthopédagogie. Vincent, je te présente Manon Gauthier et Anne-Julie Beaulieu. Elles sont étudiantes en littérature française.

— En littérature ! répète Vincent d'un air admiratif. Et d'où venez-vous toutes les deux ?

Anne-Julie éprouve l'agréable sensation de flotter sur un nuage rose.

— Moi, je viens de Rivière-du-Loup, répond aussitôt Manon, stupéfaite de l'attitude de son amie.

— Et moi, je suis de Notre-Dame-du-Portage, consent à répondre Anne-Julie d'une voix mal assurée.

— Et moi, de Saint-André-de-Kamouraska, complète Vincent, qui laisse percevoir son amusement.

Manon le dévisage un instant, puis lui demande :

— Est-ce bien vrai ?

Vincent lui lance un regard taquin avant d'expliquer :

— Mon père est chirurgien à l'Hôpital de Rivière-du-Loup.

— Je n'en reviens pas ! Nous venons tous un peu de la même région. Ne trouves-tu pas que c'est une drôle de coïncidence, Anne-Julie ? demande Manon.

— En effet, oui. Même si cette expression fait cliché, je dirai que le monde est petit !

Anne-Julie songe qu'elle pourrait se laisser bercer pendant des heures par cette voix envoûtante, aux inflexions tendres et sensuelles. C'est la première fois qu'elle éprouve une réelle attirance pour un homme. Des frissons s'insinuent dans tout son corps, tels de légers papillons.

— C'est tout de même étrange que nous ne nous soyons jamais rencontrés auparavant, dit-elle.

— Je crois, au contraire, que nous nous sommes déjà aperçus. C'était l'automne dernier ; tu faisais une promenade dans mon quartier.

Anne-Julie fouille dans sa mémoire, et s'écrie :

— Oui, je m'en souviens à présent !

Satisfait, Vincent lui sourit et reprend :

— Le temps n'était sans doute pas encore venu pour nous

de nous rencontrer, explique-t-il en prenant grand soin de capter le regard de la jeune femme.

Manon, amusée par la situation, se tourne vers Stéphane et s'informe :

— Et toi, Stéphane, nous diras-tu d'où tu viens ?

— De Trois-Rivières, précise le jeune homme torturé par la jalousie.

Mais il se reprend en s'adressant à Vincent :

— Savais-tu, cher ami, que Manon est sans attaches sentimentales en ce moment ? Et je la connais suffisamment pour te dire que cette situation doit la désespérer.

La stupeur se peint aussitôt sur le visage des jeunes gens. Vive comme l'éclair, Manon désamorce cette bombe en s'écriant :

— Que dis-tu là, Stéphane ? En ce qui me concerne, je me sens très bien toute seule. J'ai bien assez de mes études. Et je te rappelle qu'Anne-Julie est libre, elle aussi.

Anne-Julie aurait souhaité être n'importe où, sauf à cet endroit. Son regard devient glacial lorsqu'il se pose sur Stéphane. Mais le jeune homme, loin de s'en formaliser, poursuit son discours d'un ton qui en dit long sur ses intentions.

— Ah non ! Anne-Julie n'est pas entièrement libre ! N'oublie pas qu'elle m'intéresse depuis pas mal de temps déjà !

La gêne atteint son paroxysme. Anne-Julie s'interpose, sentant qu'elle doit immédiatement mettre de l'ordre dans la situation avant que Vincent ne s'imagine Dieu sait quoi.

— Je n'appartiens à personne d'autre qu'à moi-même, Stéphane Bourque ! Je croyais que cela était clair entre nous, fulmine-t-elle.

Sentant que son amie bouillonne de rage, Manon intervient pour détendre l'atmosphère :

— Pourquoi avoir choisi l'orthopédagogie, Vincent ?

Stéphane se croise les bras, manifestement irrité par le tournant qu'a pris la discussion.

Vincent prête volontiers son concours à Manon et explique :

— Mon père aurait souhaité que je poursuive des études en médecine, parce que, dans la famille, nous sommes médecins de père en fils. Mais je me suis opposé à ce désir. Mon frère Paul, de cinq ans mon cadet, est dyslexique. J'ai tellement vu ma mère consacrer presque tout son temps libre à tenter d'aider mon frère que j'ai eu moi aussi le désir de travailler avec les jeunes qui souffrent de troubles d'apprentissage. Aider les autres, ça me semble être un projet intéressant et utile.

Anne-Julie boit littéralement les paroles de Vincent. Elle se dit qu'il doit être profondément humain et généreux pour orienter sa vie d'une telle façon. Curieusement, Vincent lui rappelle son père. Même physionomie, même couleur de cheveux, même couleur d'yeux, même regard tendre et aimant. La perfection, quoi !

« Voyons ! se gronde-t-elle, tu exagères un peu. »

— Et pourquoi avoir décidé de continuer tes études jusqu'à la maîtrise ? questionne-t-elle d'une voix timide.

— Oh ! ce n'est pas aussi héroïque que ça en a l'air ! C'est tout simplement parce qu'une maîtrise en orthopédagogie m'ouvrira des champs d'action plus larges.

Charmée par la voix rassurante de son interlocuteur et par son caractère affable, Anne-Julie le presse de questions sur sa future profession.

Le jeune homme, heureux qu'on s'intéresse ainsi à lui, répond de bon cœur aux questions d'Anne-Julie. Il lui décrit en détail le but de ses études et son expérience d'enseignant dans une école primaire de Lévis.

— Mais quel âge as-tu donc, Vincent ? s'informe soudain

Manon. À t'entendre parler, on dirait que tu as l'expérience d'un homme de trente ans.

— J'ai eu vingt-six ans le 25 septembre dernier.

Stéphane, qui intérieurement maudit Vincent, décide de briser le charme de cette conversation en dénigrant un peu le jeune homme.

— Il faut dire que Vincent est un gars plutôt sérieux, presque ennuyeux. On le voit rarement en galante compagnie. Les gars le taquinent même à ce sujet.

— C'est comme pour Anne-Julie ! renchérit Manon, en souriant méchamment à Stéphane, désirant lui signifier que son attitude est complètement stupide. Anne-Julie est une solitaire, elle aussi.

Vincent se met à rire, tandis qu'Anne-Julie essaie de masquer son embarras.

— Avez-vous fini de parler de moi comme si je n'étais pas là ? réplique-t-elle d'une voix claire.

Stéphane toussote. Il a très bien perçu la lueur de plaisir dans les yeux de son rival lorsque son regard a enveloppé Anne-Julie.

— Et toi, Anne-Julie, parle-moi de tes études. Est-ce ta dernière année d'université ?

— Oui, je termine vers la mi-mai. Ensuite, je vais enfin réaliser le rêve de ma vie : vivre de ma plume.

— Une écrivaine, comme c'est intéressant ! commente Vincent, admiratif.

Voyant que des affinités se créent entre les deux jeunes gens, Manon se lève. Elle s'empare de son plateau et s'excuse :

— Je dois vous quitter. On se retrouve plus tard, Anne-Julie, achève-t-elle en adressant un clin d'œil complice à son amie.

— J'ai été ravie de te rencontrer, Manon. J'espère que nous ferons bientôt plus ample connaissance.

— Je le souhaite sincèrement, Vincent.

Puis se tournant vers Stéphane, Manon l'invite à la suivre :

— J'aimerais que tu m'accompagnes, Stéphane. Je souhaite te parler de quelque chose en particulier.

De mauvaise grâce, Stéphane quitte le jeune couple en bredouillant un vague « au revoir ».

Anne-Julie se sent embarrassée de rester seule avec le jeune homme. De quoi pourrait-elle à nouveau l'entretenir pour rendre leur échange enrichissant ? Elle veut à tout prix lui donner envie de la revoir.

Vincent reprend le fil de la conversation avec une simplicité désarmante.

— Alors, Anne-Julie, tu étais en train de me parler de tes projets.

C'est sur ce sujet que se poursuit l'heure du repas. Lorsqu'il raccompagne Anne-Julie jusqu'à sa classe, Vincent propose une prochaine rencontre :

— J'aimerais te revoir en fin d'après-midi. À quelle heure se terminent tes cours ?

— À quatre heures.

— Merveilleux ! Pourrais-je te retrouver dans le hall d'entrée ?

— Ce sera avec un réel plaisir, Vincent, répond la jeune fille d'une toute petite voix, tant elle a peine à croire à sa chance.

— À tout à l'heure, alors ! lui murmure Vincent en s'emparant d'une boucle de cheveux qui danse sur la joue de la jeune femme pour la caresser, dans un geste intime.

Ressentant ce délicat attouchement avec un plaisir presque insoutenable, Anne-Julie balbutie :

— À tout à l'heure, Vincent.

***

Le temps se joue d'Anne-Julie, s'éternisant dans un délicieux supplice. Son esprit vagabonde quelque part dans la cité universitaire, à la recherche de Vincent. Elle éprouve un mal fou à se concentrer sur le cours, pourtant intéressant. Lorsqu'il prend fin, Anne-Julie se retrouve, comme prévu, assise sur un banc du hall d'entrée, déchirée entre ses peurs et ses espoirs. Une petite voix lui conseille de ne pas s'aventurer dans cette relation amoureuse. Après tout, cela ne fait pas partie de ses projets. Tandis qu'une autre, beaucoup plus forte celle-là, beaucoup plus folle aussi, lui parle du jeune homme. Elle l'aperçoit alors, plus beau que dans son souvenir. Il s'avance à sa rencontre et l'enveloppe d'un regard brûlant avant de dire :

— Bonjour ! J'ai eu peur que tu ne m'aies pas attendu.

Le cœur d'Anne-Julie bat à grands coups. Ainsi, il désire vraiment la revoir.

Sans perdre de temps, Vincent engage la conversation. Il s'informe d'abord : « Comment as-tu passé l'après-midi ? » Puis, il lui avoue que, de son côté, il n'a cessé de penser à elle.

Anne-Julie frémit à l'idée qu'ils partagent les mêmes sentiments.

— Peut-être trouveras-tu que je vais trop vite, Anne-Julie, mais tu me plais beaucoup, lui confie-t-il, dans un agréable préambule qui chavire le cœur de la jeune étudiante. J'aimerais te connaître mieux.

Anne-Julie se sent fondre comme glace au soleil. Surtout, ne rien laisser paraître, se dit-elle. D'une main nerveuse et cherchant à dissimuler son trouble, elle soulève une mèche rebelle de sa longue chevelure. Finalement, elle approuve l'idée.

Un sourire rayonnant illumine le visage de Vincent, comme s'il venait de remporter une grande victoire.

— Je suis heureux que tu acceptes ma proposition. Aimes-tu le sport ?

— J'avoue ne pas être très sportive. Mais peut-être que ta présence pourrait changer mes habitudes.

Le sourire que lui adresse alors Vincent lui fait l'effet d'une caresse.

— Je vois... Pour commencer, que dirais-tu de venir me voir jouer au basket-ball demain soir ? Ensuite, nous pourrions nous rendre dans un endroit calme pour prendre un verre. Nous aurons ainsi l'occasion d'apprendre à mieux nous connaître.

— J'en serais ravie, s'empresse d'accepter la jeune femme.

— À demain, donc ! invite Vincent.

Mais soudain, il se ravise et suggère :

— Oh ! mais, j'oubliais les lois de la bonne éducation ! Puis-je t'offrir de te ramener chez toi ?

— Pas ce soir, Vincent. Manon et moi avons projeté de faire des courses.

— Bon. Eh bien, à demain, Anne-Julie.

— À demain.

Le jeune homme se dirige tout droit vers sa Honda bleue. Comme s'il avait deviné qu'Anne-Julie le regarde toujours, il se tourne une dernière fois pour lui adresser un merveilleux sourire avant de disparaître à l'intérieur de sa petite voiture.

Manon pose une main sur l'épaule de son amie, la faisant sursauter.

— Qui regardes-tu comme ça ? s'informe-t-elle.

— Je regarde Vincent partir, répond Anne-Julie d'une voix ravie, qui en dit long sur son nouveau bonheur.

— Eh bien, ma vieille, qui aurait cru cela ! Sainte Anne-Julie est amoureuse !

— Ne parle pas si fort ! riposte Anne-Julie. Tout le monde va t'entendre.

La soirée s'étire en longueur. Anne-Julie est perdue dans ses pensées, au grand désespoir de Manon qui tente par tous les moyens d'attirer son attention. Après d'interminables monologues qu'Anne-Julie n'écoute même pas, elle décide de s'amuser à ses dépens.

— Dis donc, sainte Julie, tu pourrais, demain soir, te glisser sous la douche avec Vincent. Qu'en penses-tu ?

Aucune réaction de la part d'Anne-Julie.

— Ou encore, tu pourrais l'inviter à passer la nuit dans ton lit.

Anne-Julie semble toujours absente.

— Invite-le à manger après son match de basket et fais-lui un strip-tease en règle pour le séduire.

Mais l'esprit d'Anne-Julie vogue on ne sait trop où. Profondément amusée, Manon lance un cri d'épouvante. Anne-Julie sursaute et refait surface.

— Qu'est-ce qui te prend ? T'es pas folle de crier comme ça ?

— Enfin, une réaction ! Je te parle depuis au moins dix minutes et tu ne m'écoutes même pas.

— Je ne comprends pas ce qui m'arrive. Je n'ai jamais vécu quelque chose de semblable auparavant.

Devant l'innocence de ces propos, Manon doit s'asseoir pour calmer son hilarité. Finalement, elle parvient à parler :

— Parbleu ! Heureusement que je suis là ! Tu es en train de perdre complètement la tête.

— Il est brillant ce type, conclut Anne-Julie. Et tu as vu ce regard ? Mon Dieu ! Je l'écouterais parler pendant des heures. Et il est si beau. Grand Dieu ! Je me sens toute chavirée dès que mes yeux se posent sur lui.

— Et il est fort sexy ! approuve Manon. Je n'ai jamais vu un aussi beau postérieur masculin de toute ma vie. Hum ! son petit jean sexy... J'étais excitée juste à le regarder marcher !

Mon Dieu ! Une pure merveille ! complète-t-elle en surveillant la réaction d'Anne-Julie, qui ne tarde pas à venir.

— Manon Gauthier ! Je te défends de poser les yeux sur Vincent !

— Oh là là ! se moque Manon, une vraie lionne ! Tu es vraiment mordue, ma petite !

Bien que légèrement jalouse, Manon se réjouit pour la jeune femme, espérant que les intentions de Vincent sont sérieuses, parce que, songe-t-elle, Anne-Julie serait du genre à faire une dépression nerveuse si l'amour la décevait. Elle prend le parti de rassurer son amie en précisant :

— Tu n'as rien à craindre, je t'aime trop pour te faire ce sale coup. Quoique, si tu voulais, tu pourrais me le prêter pour une nuit. Juste une toute petite nuit ! Quelques heures, quoi ! Vois-tu, je ne détesterais pas...

— Manon ! s'indigne Anne-Julie.

— Je blaguais ! Mon Dieu, Anne-Julie ! Ne prends pas le mors aux dents de cette façon ! Je ne peux m'empêcher de te mettre en colère. Tu es si drôle ! Si tu voyais ta tête !

10

Le lendemain midi, Anne-Julie et Vincent se retrouvent à la cafétéria de l'université.

Après le repas, Vincent invite Anne-Julie à sortir. Il dit vouloir se dégourdir les jambes. Mais la vérité est qu'il désire passer un peu de temps seul avec la jeune femme. Au grand désespoir des nouveaux amoureux, Stéphane Bourque a eu l'indélicatesse de se joindre à eux pendant tout le repas, ce qui a rendu leur conversation difficile.

Le ciel est magnifique. Vincent et Anne-Julie empruntent un petit sentier bordé de haies. La jeune femme frissonne, car elle sent que naît entre eux une familiarité troublante. Elle sourit à Vincent, incapable de contenir sa joie.

— Nous n'avons que quelques minutes devant nous, amorce Vincent en plongeant son regard dans celui de sa compagne.

— Plus précisément deux minutes, le prévient Anne-Julie.

— Il était temps qu'on se débarrasse de Stéphane.

— En effet. Il commence à me taper sur les nerfs, celui-là. Cette situation devient ridicule.

— Ne t'en fais pas trop, lui souffle Vincent à l'oreille.

Il s'approche un peu plus d'elle et s'empare des mains de la jeune fille.

— Tôt ou tard, Stéphane finira par comprendre notre besoin de solitude.

Anne-Julie frémit délicieusement. À peine Vincent l'effleure-t-il que cette proximité l'émeut tout entière. Elle le regarde à la dérobée.

— Viens. Il est temps de rentrer.

Vincent entraîne Anne-Julie vers la porte d'entrée de son pavillon.

— Puis-je passer te prendre à sept heures et demie chez toi, ce soir ? s'informe-t-il d'une voix profonde, qui provoque un délicieux trouble dans l'esprit de l'étudiante.

— Je t'attendrai.

Elle a failli ajouter : « avec impatience ». Mais elle ne veut pas brûler les étapes.

— Merveilleux ! Il ne me reste qu'à te souhaiter un bel après-midi et... à te demander de songer à moi.

Gênée, mais heureuse, Anne-Julie affiche son plus beau sourire. À voir la tendresse qui baigne le regard de Vincent, elle comprend qu'il tient vraiment à elle.

— Ce ne sera pas très difficile, lui souffle-t-elle à son tour.

Dans un désir confus, le jeune homme ose effleurer sa taille et ses hanches. Il se sent pris d'un délicieux vertige.

— Tu es une fille magnifique, Anne-Julie.

Puis, sans avertir, il frôle ses lèvres, tout doucement, dans une caresse légère comme la brise du vent, ce qui suscite chez Anne-Julie un trouble jamais ressenti. Elle sent son corps vibrer.

— À ce soir ! lui dit-il en se détachant d'elle.

— À ce soir, Vincent, répond-elle, les joues en feu.

Lorsque Vincent sonne à la porte de l'appartement d'Anne-Julie, la jeune femme croit entendre son cœur battre à grands coups. Tremblotante, elle fait signe à Manon d'aller ouvrir, tandis qu'elle s'enferme dans la salle de bains pour s'assurer qu'elle est présentable.

Manon accepte d'aller répondre, devinant l'état d'agitation de son amie. Elle fait donc entrer Vincent et lui tient compagnie.

Anne-Julie brosse soigneusement sa longue chevelure et décide qu'il est temps d'aller rejoindre Vincent au salon. Lorsqu'elle l'aperçoit, elle ne peut s'empêcher de remarquer sa large carrure et réprime un frisson de plaisir. Le jeune homme s'avance vers elle et, dans un geste délicieux, il s'empare d'une de ses mains en disant :

— Bonsoir, Anne-Julie ! Tu es magnifique ! Es-tu prête à me suivre ?

« Au bout du monde ! » songe Anne-Julie.

— Je suis prête, se contente-t-elle de répondre.

D'un geste fébrile, elle saisit son sac à main, puis elle embrasse Manon, lui souhaitant une bonne soirée.

Vincent entraîne son amie vers sa voiture, sa main enveloppant celle de la jeune fille. Anne-Julie sent sa nervosité augmenter. C'est après un trajet presque silencieux qu'ils arrivent au pavillon des sports de l'université. Vincent conduit Anne-Julie jusqu'aux bancs des spectateurs et la quitte pour aller jouer.

Quelques minutes plus tard, la partie débute et la jeune femme se concentre sur le jeu. C'est à loisir qu'elle surveille les évolutions de son ami parmi les joueurs qui s'affrontent dans une franche compétition. Elle cherche à deviner son caractère et se voit ravie de constater qu'il n'est pas violent. Elle s'émerveille de son habileté : en calculant ses interventions avec efficacité, il sert bien son équipe et gagne le respect de ses camarades.

Anne-Julie voit les muscles de son cou, de son abdomen, de ses cuisses et de ses bras se tendre pour frapper le ballon. Elle comprend que, pour la première fois de sa vie, elle a envie de sentir la proximité d'un corps d'homme contre le sien. Le souffle coupé par le désir, elle ferme les yeux et savoure ce bonheur indescriptible. Elle sait enfin ce qu'éprouvent certaines femmes pour les hommes. Manon a donc raison, c'est grisant de désirer un homme.

« Dieu ! qu'il est beau ! » songe-t-elle, émue.

La partie se termine dans une clameur provenant de l'équipe de Vincent, qui savoure sa victoire. Tout excitée, Anne-Julie se lève et applaudit avec enthousiasme. Elle ne voit pas Stéphane qui vient s'asseoir à ses côtés.

— Enfin ! Tu as finalement consenti à venir me voir jouer, déclare-t-il, un air de contentement illuminant son visage.

Anne-Julie retient un frisson de déplaisir.

— Oui et non. C'est-à-dire que... C'est Vincent qui m'a invitée.

Déçu, Stéphane arque les sourcils, cherchant une interprétation valable à l'empressement que manifeste Anne-Julie auprès de Vincent. Mais Anne-Julie ne lui laisse pas le temps de se perdre en conjectures. Elle décide de clarifier les choses entre eux.

— Stéphane, je ne t'ai jamais rien promis à ce que je sache. C'est toi qui as des attentes envers moi. Il faut que tu comprennes que je suis libre de sortir avec qui je veux.

— Ce qui, en bref, veut dire que tu aimes Vincent.

— Je ne sais pas encore ce que j'éprouve pour Vincent ! réplique Anne-Julie avec colère. Je n'ai rien dit de tel. Tout ce que je sais, c'est que je me sens bien avec lui et que je désire mieux le connaître.

Qu'a-t-elle à craindre de Stéphane pour nier ainsi les sentiments qu'elle éprouve pour Vincent ?

— Il t'intéresse suffisamment pour que tu sois venue avec lui en tout cas ! reprend Stéphane d'un ton agressif. Tandis que moi, je t'ai proposé je ne sais plus combien de sorties, et, toujours, tu as refusé ! Comprends que c'est vexant de te voir avec lui, alors que tu le connais à peine.

— Je suis libre, Stéphane. Je n'ai pas de comptes à te rendre, un point c'est tout !

C'est pendant cet échange orageux que Vincent rejoint le couple. Comprenant le malaise qui plane entre eux, il clame à haute voix :

— Nous avons gagné ! C'est sans doute grâce à toi, Anne-Julie. Ta présence nous a porté chance.

Malade de jalousie, Stéphane ne sait plus comment dominer sa colère.

— Que dirais-tu, Anne-Julie, de venir avec moi prendre une bière à *L'Ingénue* ? propose-t-il, se sentant ridicule, mais bien décidé à la déstabiliser.

Sans doute cherche-t-il à lui rappeler la situation compromettante dans laquelle elle se trouvait le soir de leur première vraie rencontre. Sentant la tension grimper entre les deux jeunes gens, Vincent intervient et s'adresse à Stéphane.

— Anne-Julie a accepté de sortir avec moi ce soir, Stéphane. Ce sera pour une prochaine fois.

Puis se tournant vers Anne-Julie, il lui dit :

— Je vais prendre une douche. Si tu veux bien m'attendre, j'en ai pour dix minutes.

— Je vais avec toi, lui répond Anne-Julie tout en fusillant Stéphane du regard.

En compagnie de Vincent, Anne-Julie quitte le gymnase et s'assoit sur un banc dans le corridor, bien décidée à ne plus adresser la parole à Stéphane Bourque de toute sa vie. Comment qualifier sa conduite ? Elle est lasse de toutes ces scènes de jalousie et de l'empressement qu'il lui témoigne.

Lorsqu'elle aperçoit Vincent, Anne-Julie retrouve sa sérénité et son calme. Les cheveux du jeune homme sont encore humides. Il les a lissés vers l'arrière, recouvrant sa nuque. Le jean en denim usé qu'il a enfilé cache maintenant ses cuisses fermes et musclées. Quelques boutons non attachés de sa chemise, également en denim, permettent de voir un tee-shirt blanc. Ses yeux, aux cils étrangement longs et épais, se posent sur la jeune femme et semblent savourer chaque partie de son corps.

Anne-Julie détourne le regard, gênée de partager la même fascination que lui.

Comme elle perçoit un certain malaise chez son compagnon, elle s'empresse d'expliquer :

— Je suis désolée pour ce qui s'est produit tout à l'heure. Je t'assure que je ne m'étais pas rendu compte des sentiments possessifs qu'éprouve Stéphane pour moi. Je ne comprends pas son attitude.

— Ne t'en fais pas avec cela, lui conseille Vincent. La jalousie est un trait commun à tous les hommes amoureux. Tout ce que je souhaite, c'est que Stéphane comprenne que nous désirons tous deux poursuivre cette relation et qu'il nous laisse tranquilles.

— Je le souhaite aussi.

Vincent doit bien avouer que l'exercice lui a creusé l'appétit. Il propose donc à la jeune femme de finir la soirée dans un restaurant du coin. Anne-Julie accepte volontiers l'invitation.

— Je crois que, jamais encore, je n'avais rencontré de femme qui suscite en moi autant d'intérêt.

Suspendant sa phrase, il examine Anne-Julie avec intensité.

— Eh bien, je crois que vos intentions se clarifient, monsieur Roy, réplique celle-ci en souriant avec coquetterie.

Amusé par le malaise de la jeune femme, Vincent propose :

— Avant d'aller plus loin dans cet échange qui m'enchante, je crois que nous ferions mieux de combler notre appétit. Que dirais-tu d'une bonne poutine bien grasse, bourrée de cholestérol ?

— J'en meurs d'envie ! Cela me changera des éternels plats de poisson que Manon m'impose pour conserver sa taille fine.

Au restaurant, Vincent fait signe à une serveuse de venir prendre leur commande, puis il concentre à nouveau son attention sur Anne-Julie.

— Parle-moi de toi, maintenant.

Anne-Julie retient un sursaut de panique.

— Il n'y a pas grand-chose à dire en réalité, avance-t-elle, prudente.

Vincent, incrédule, poursuit :

— Une fille si charmante a sûrement beaucoup de choses à raconter.

Anne-Julie parvient difficilement à masquer son embarras.

— Bon. Puisque tu insistes. D'abord, je suis orpheline depuis presque cinq ans. Ensuite, je vis seule avec ma grand-mère qui a près de quatre-vingts ans. Elle demeure à Notre-Dame-du-Portage dans une magnifique maison ancestrale qu'elle a rénovée, de fond en comble. Et puis, j'étudie la littérature, ce qui me fascine et m'emballe. Je rêve de devenir moi-même une célèbre romancière. Enfin, j'ai très peu fréquenté d'hommes. Voilà qui résume assez bien ma vie, glousse-t-elle, devant la mine déconfite de Vincent.

— Oh là là ! Quel esprit de synthèse ! s'écrie-t-il, d'un ton amusé. Il va falloir être plus bavarde que ça, mademoiselle !

Anne-Julie consent à en dire un peu plus sur elle, mais, à l'évidence, Vincent ne semble toujours pas satisfait de ce qu'elle lui révèle.

— Parle-moi de tes parents.

Le regard d'Anne-Julie s'assombrit aussitôt.

— Ils sont décédés lors d'un accident d'avion, confie-t-elle, en baissant les yeux. Ils revenaient de vacances en Floride.

— Je suis sincèrement désolé, lui murmure Vincent.

— Oh ! Ce n'est rien ! Tu ne pouvais pas savoir.

— Parle-moi d'eux, relance Vincent qui perçoit le trouble de la jeune femme.

— Si tu veux bien, j'aimerais parler d'autre chose. Ce n'est guère un sujet réjouissant pour une première rencontre.

— Comme tu voudras ! Mais, si jamais tu éprouves le désir d'en parler avec moi, n'hésite surtout pas ! J'ai, à ce qu'on dit, une excellente oreille. Sans doute est-ce mon « métier » qui veut ça.

Il y a tant de chaleur humaine dans cette proposition que malgré son désarroi, Anne-Julie réussit à lui adresser un sourire.

— Parle-moi alors de tes aspirations à devenir écrivain, poursuit Vincent, désirant détendre l'atmosphère.

— J'espère exercer ce métier à plein temps et ainsi vivre de ma plume. Ce projet te paraît peut-être utopique, mais je ne conçois pas la vie autrement. J'y pensais jour et nuit, jusqu'à ce que je te rencontre, dit-elle en rougissant de façon délicieuse.

— Hum ! Tu m'as déjà volé une partie de mon cœur, lui confie Vincent, dans un sourire irrésistible.

Anne-Julie lui rend son sourire, ravie de l'effet qu'elle produit sur le jeune homme. Après tout, il lui faut apprendre à flirter un peu !

— Mais continue, je veux te connaître davantage, la presse Vincent.

— Eh bien, je crois que c'est l'écriture qui m'a sauvée de la dépression lors de la disparition de mes parents. On prétend que les écrivains retombent toujours sur leurs pieds. Peut-être est-ce vrai, après tout. Du moins, je l'espère.

Vincent garde le silence. Il a une envie folle de l'entendre parler, de l'écouter, de la découvrir.

— Cette épreuve a dû être dure à accepter, reconnaît-il, en glissant doucement la main d'Anne-Julie entre les siennes pour la presser avec chaleur.

— Excuse-moi, murmure Anne-Julie, en détournant les yeux, je ne peux pas en parler davantage.

— Je suis incorrigible, pardonne-moi.

— Ce n'est rien. Tu as un frère, disais-tu l'autre jour...

— Oui, deux, même. Mon frère aîné, Robert, a trente ans. Il est gynécologue, au grand bonheur de mon père.

— Tes relations avec ton père sont-elles difficiles ?

— Non, bien au contraire ! J'adore mon père qui me le rend bien. C'est juste que nous sommes médecins de père en fils dans la famille. Mon père aurait souhaité que je suive ses traces, mais il a respecté mon choix.

— Et le deuxième de tes frères, comment se nomme-t-il déjà ?

— Il se nomme Paul et il a vingt et un ans. Il s'est orienté vers les arts. C'est dans ce domaine qu'il a du talent. Paul désire faire carrière comme graphiste, ce que je lui souhaite sincèrement. Mon frère a tellement travaillé pour vaincre ses problèmes, qu'il mérite une belle place au soleil.

— Cela a dû lui forger le caractère. Ma grand-mère dit toujours que ceux qui peinent pour obtenir quelque chose grandissent et s'épanouissent beaucoup mieux que ceux qui obtiennent tout sans effort.

— Ta grand-mère a tout à fait raison. Je n'ai jamais rencontré quelqu'un d'aussi acharné que Paul. C'est un garçon remarquable !

— Et as-tu des sœurs ?

— Oui, une, Sophie, à peu près de ton âge. Elle étudie pour devenir infirmière.

— J'aurais bien aimé avoir des frères et des sœurs, moi aussi. Je me sentirais sans doute moins seule maintenant.

— Tu as tout de même des amis.

— C'est vrai, mais très peu, en définitive. En fait, ma seule véritable amie c'est Manon. Nous nous sommes connues au cégep, après la disparition de mes parents. Je suis plutôt du genre solitaire.

Vincent hésite quelques secondes et demande :

— Et Stéphane ! Il y a longtemps que tu le connais ?

— Depuis le mois d'octobre ou novembre. Je ne m'en souviens pas très bien. Pourquoi cette question ?

— Eh bien, la conduite de Stéphane envers toi me déroute un peu. As-tu eu une liaison avec lui ?

— Non ! s'écrie Anne-Julie, suffoquant de surprise devant cette question inattendue. Je n'éprouve absolument aucun sentiment pour lui. Si ce n'est qu'il commence à sérieusement m'agacer.

— Pourtant, il semble franchement amoureux de toi.

Anne-Julie prend un air grave.

— J'avoue que cette situation me gêne beaucoup. Je ne sais pas comment me débarrasser de lui.

— Veux-tu que je m'en charge ?

Anne-Julie prend peur et réplique vivement :

— Non ! C'est à moi de régler ce problème !

Voyant qu'il vient de toucher une corde sensible, Vincent précise ses intentions :

— Je voulais juste t'aider. J'ai la fâcheuse habitude de me mêler des affaires des gens qui m'intéressent.

Anne-Julie est affreusement contrariée de s'être laissée emporter de la sorte devant le jeune homme. Que va-t-il penser d'elle à présent ?

Sentant le malaise chez son amie et pour éliminer cette légère tension entre eux, Vincent demande :

— Quelles seront les règles avec moi, Anne-Julie?

— Je crois qu'avec toi je ferai preuve de beaucoup plus d'ouverture d'esprit, lui dit-elle gentiment.

— Dois-je conclure que j'ai des chances de te conquérir? la taquine Vincent, se complaisant dans cette situation délicieuse.

L'audace qu'exige sa réponse achève d'abolir toutes les réserves de la jeune femme. Mutine, elle se risque à demander :

— Est-ce ce que vous souhaitez, cher monsieur?

— C'est ce que je souhaite, oui, confirme Vincent, d'une voix chaleureuse.

11

Le lendemain matin, lorsque la sonnerie du téléphone résonne dans l'appartement des jeunes femmes, Anne-Julie est encore au lit. Vivement, elle se précipite sur l'appareil pour le décrocher, angoissée comme toujours, à l'idée de recevoir de mauvaises nouvelles de Marie-Ange.

— Allô !

— Bonjour, Anne-Julie ! Je crois que je te sors du lit. Excuse-moi !

Cherchant à ordonner ses idées encore embrumées par le sommeil, Anne-Julie reconnaît néanmoins Vincent et s'empresse de le rassurer :

— Je suis heureuse de t'entendre, Vincent. De toute façon, il est l'heure de me lever.

— As-tu des cours aujourd'hui ?

— Oui, dès neuf heures. Et toi ?

— Non. Je resterai chez moi pour travailler à ma maîtrise. Mais j'avais une proposition à te faire.

— Ah oui ? s'emballe aussitôt Anne-Julie. Laquelle ?

— Que dirais-tu de venir souper chez moi, ce soir ?

Anne-Julie réfléchit à cette invitation, qui la trouble énormément. Vincent voudrait-il déjà l'attirer dans son lit ?

— C'est que j'ai pas mal de travaux à remettre cette semaine. J'ai peur de ne pas arriver à respecter mon programme.

— Je comprends. Moi aussi, j'ai des travaux à terminer. Je te propose de souper avec moi ; ensuite, nous pourrons travailler chacun de notre côté. Et vers neuf heures, si le cœur nous en dit, nous pourrions aller boire un café tous les deux. Qu'en penses-tu ?

Anne-Julie meurt d'envie d'accepter cette invitation. L'idée de passer un moment dans l'intimité de l'appartement du jeune homme la comble déjà.

— C'est d'accord, Vincent, j'accepte !

— Merveilleux ! Je passerai te prendre directement au pavillon Charles-de-Koninck, vers quatre heures. Est-ce que ça te convient ?

— Tout à fait ! Je t'attendrai, c'est promis !

Anne-Julie raccroche et s'appuie contre le mur de la cuisine, encore charmée par la voix de Vincent. C'est ainsi que Manon la surprend.

— À voir ton air rêveur, je présume que c'est Vincent qui appelait.

Anne-Julie laisse échapper un soupir de bien-être.

— Oui, c'était lui. Il m'invite à souper à son appartement. Il viendra me prendre à l'université en fin d'après-midi.

Manon n'en revient pas des changements qui s'opèrent chez son amie, si réservée habituellement.

— Ne trouves-tu pas cela précipité, Anne-Julie ? Tu le connais à peine.

— Je sais, oui, mais il m'a simplement proposé de souper chez lui. N'est-ce pas gentil de sa part ?

Cette réponse laisse Manon bouche bée, tant elle est surprise. Elle se reprend :

— Ah bon ! Et tu crois ça, toi, Anne-Julie Beaulieu, la plus grande méfiante que la planète ait vue naître !

Anne-Julie lance un regard froid à sa copine.

— De quel côté es-tu, toi ? Évidemment que je le crois, réplique-t-elle en croisant les bras, profondément déçue par l'attitude de sa colocataire. J'ai confiance en Vincent. Ça se sent, ces choses-là !

— Tu es bien naïve, ma petite ! N'as-tu jamais entendu parler du gros méchant loup ?

— Vincent n'est pas un loup à ce que je sache.

Puis sur un ton rêveur, elle ajoute :

— De toute manière, nous verrons bien. Et puis, s'il me proposait de faire l'amour avec lui, je ne suis pas sûre que je refuserais.

Frappée de stupeur, Manon reste en panne sèche de sarcasmes. Voyant son amie à ce point démontée, Anne-Julie éclate d'un grand rire clair et communicatif.

« Cette journée n'en finit plus de finir ! » Enfin, seize heures. Anne-Julie attend avec fébrilité l'arrivée de Vincent. Le cœur battant la chamade, elle le voit apparaître, dans une tenue vestimentaire très décontractée ; jean délavé et tee-shirt blanc. Sa démarche de conquérant, d'homme sûr de lui, dégage force et harmonie. Encore une fois, elle est émue devant sa beauté et n'arrive pas à croire à sa chance.

— Bonjour, dit-il, d'une voix légèrement rauque.

— Bonjour, Vincent. Je t'attendais avec impatience, s'entend répondre Anne-Julie, soudainement très à l'aise en sa compagnie.

Le jeune homme l'embrasse sur la joue en s'appropriant

sa serviette alourdie par les ouvrages de consultation qu'elle traîne toujours avec elle.

Ensemble, ils marchent jusqu'à la voiture de Vincent. Ni l'un ni l'autre n'ose parler, de peur de rompre ce silence figé, mais combien excitant. Vincent ouvre galamment la portière. La jeune fille tente, tant bien que mal, d'apaiser les battements désordonnés de son cœur et l'agitation qui la secoue. À l'appartement de son amoureux, Anne-Julie est séduite par le décor. Des sofas de cuir noir, des planchers de bois franc, de vieux meubles restaurés donnent au salon un air chaleureux et masculin. La décoration est sobre et efficace, dans des teintes de noir, de blanc, de vert forêt avec un peu de rouge, ici et là.

Vincent l'invite à visiter les lieux. De façon surprenante, la cuisine est très grande. Des meubles anciens harmonisés aux électroménagers contemporains agrémentent la pièce !

— C'est magnifique ! s'exclame la jeune femme, franchement éblouie. Tu as un faible pour les antiquités, à ce que je vois.

— Oui. J'adore combiner l'ancien et le moderne. Je trouve que c'est un heureux mariage. C'est comme si je voulais garder vivante la mémoire du passé tout en allant de l'avant, explique Vincent. Tu vois ce buffet ?

— Oui.

— Eh bien, il appartenait à mes arrière-grands-parents paternels. Mon père m'a raconté qu'il a recueilli la vaisselle ayant servi à plus de six générations de la famille Roy. Je me plais à imaginer mes ancêtres époussetant ce meuble, cassant parfois un objet de porcelaine dans leur maladresse. Je sais que ce buffet a été témoin de nombreux repas de fête, d'éclats de rire, de larmes aussi, qui ont dû ruisseler sur les joues lors des jours de deuil, des Noëls en famille, des bénédictions paternelles...

Émue par la sensibilité du jeune homme, Anne-Julie écoute, n'osant l'interrompre.

— Excuse-moi, je deviens sentimental, je crois.

— C'est un trait de caractère qui me plaît beaucoup, le rassure-t-elle.

— Si nous nous mettions au travail pour une petite heure, avant le repas ? Nous disposerons de plus de temps, après, pour discuter.

— Parfait !

Assise à la table de cuisine, Anne-Julie ouvre un livre de littérature française du Moyen Âge. Elle fait des efforts pour se concentrer sur ses textes que, d'habitude, elle trouve pourtant captivants. Mais le cœur n'y est pas. Elle ne cesse de lorgner du côté de Vincent qui lui, griffonne, rature, soupire, réfléchit et... la regarde. Il lui sourit, reportant ensuite son attention sur ses travaux. Il ouvre un livre, plonge dans sa lecture, le crayon appuyé contre sa lèvre supérieure. Elle n'a d'yeux que pour cette bouche qu'elle désire toucher du bout des doigts pour la caresser et, enfin, l'embrasser. Honteuse, elle plonge le nez dans son manuel.

— Si nous mangions ? propose Vincent, soudain attentif à la présence de la jeune femme.

— Euh... oui, répond Anne-Julie, rougissant à l'idée que Vincent ait perçu ses fantasmes.

— J'ai acheté des filets de poulet. J'espère que tu aimes ça ?

— Oh oui ! j'en raffole !

— Merveilleux ! Je compte préparer un riz aux légumes et j'ai aussi du pain de ménage au blé, un bon vin blanc et une salade de fruits maison. Est-ce que ce menu te convient ? demande-t-il, les yeux pétillants de malice.

— J'en déguste d'avance chaque bouchée !

Cet éclat sauvage qu'elle lit dans les yeux de son hôte est du désir à l'état pur ; elle en a la certitude.

— Alors, mettons-nous au travail ! Peux-tu émincer un oignon pendant que je sors les autres légumes ?

— Avec plaisir !

C'est en s'amusant qu'ils préparent le repas, se frôlant, discutant de tout et de rien, savourant simplement le bonheur d'être ensemble. Au bout d'une demi-heure, ils sont prêts à s'attabler pour mieux poursuivre leur échange. Anne-Julie boit littéralement les paroles de Vincent. Une certitude grandit en elle : elle aime cet homme. Déjà, elle pressent qu'elle ne pourra vivre sans sa rassurante présence.

Lorsque la vaisselle est rangée dans le buffet familial, Anne-Julie s'assoit de nouveau à la table pour continuer ses travaux.

— Crois-tu, qu'en... disons, une heure et demie, tu auras terminé le plus urgent ? s'informe Vincent.

— Oui, je l'espère.

Mais elle sait bien que si elle se complaît encore dans des fantasmes aussi farfelus que ceux qui l'ont tourmentée avant le repas, elle n'arrivera strictement à rien de constructif. Elle se sermonne donc et décide de s'y mettre avec sérieux.

Le silence s'installe péniblement. Chacun tente du mieux qu'il peut de se conformer à cette stricte directive, sans grand succès.

Vincent ne peut s'empêcher d'admirer son invitée. Sa chevelure soyeuse aiguise son désir de la caresser. Il éprouve l'envie folle de laisser ses mains se glisser dans les abondantes mèches brunes de la jeune femme, obligeant la nuque délicate à se ployer vers l'arrière pour ainsi pouvoir déposer sur son cou des baisers chauds et passionnés. Cette torture, créée par son imagination débridée, dure plus d'une heure. Il se lasse enfin de ce petit jeu et décide de lui avouer franchement son trouble, qui grandit un peu plus à chaque seconde.

— C'était idiot de ma part, cette proposition !

— Pardon ?

— Je disais que cette idée de nous enfermer tous les deux dans un travail intellectuel, en nous sachant si près l'un de l'autre, était tout à fait naïve de ma part. Je n'arrive pas à me concentrer plus d'une minute dans mes travaux sans penser à toi. Je n'ai qu'une envie, celle de t'embrasser, déclare-t-il, sans ambages.

Cet aveu courageux permet à Anne-Julie de mettre un terme à son calvaire. Avec une détermination insoupçonnée, elle s'approche de Vincent. Celui-ci demeure assis. Ses longues jambes musclées dans son jean moulant sont comme une invite pour la jeune femme. Dans un geste audacieux, elle s'assoit sur une des cuisses du garçon en nouant ses bras autour de son cou de façon provocante. Délicatement, dans une caresse timide, douce comme la brise d'un vent de mai, elle effleure les lèvres de son amoureux. Celui-ci gémit à ce contact sensuel, encercle sa taille fine et oblige Anne-Julie à se tourner pour lui faire face complètement.

Le souffle coupé, Anne-Julie ferme les yeux. Vincent la serre encore un peu plus étroitement, et la chaleur de son corps fait fondre les dernières résistances de la jeune femme. Ce qui n'était d'abord qu'une douce caresse, presque un souffle, se transforme subitement en vague de désir grandissante qui déferle sur eux et les entraîne, irrésistiblement, dans une mer de sensations fortes.

Vincent la soulève tendrement, la maintenant contre lui à califourchon, et dépose son léger fardeau sur la table en encerclant le jeune corps avec une force animale. Il ramasse sa lourde chevelure luisante, la repoussant avec douceur vers l'arrière pour découvrir une nuque féminine, frêle et palpitante. Dans un geste de passion, il tire sur les jambes d'Anne-Julie et plaque son bassin contre la région la plus intime de son corps.

Anne-Julie sent monter en elle une fièvre jusqu'ici méconnue. Elle s'agrippe de toutes ses forces à la volonté de Vincent. Les mains du jeune homme parcourent sa poitrine qui palpite sous le tissu fin de son chemisier de coton. Elles s'aventurent enfin sous l'étoffe pour envelopper la peau chaude et délicate de ses seins. Cette étreinte provoque un soupir de désir chez Vincent.

Anne-Julie gémit faiblement et s'abandonne. Douceur, plaisir et attente s'entremêlent dans son esprit en effervescence. Un flot de sensations confuses, et qu'elle ne peut plus dissimuler, l'envahit.

— Tu es très belle, Anne-Julie. J'ai envie de toi, lui confie Vincent.

Son désir s'aiguise, s'emballe, déferle, comme la lave d'un volcan, lui faisant perdre toute retenue, l'invitant à souffler à l'oreille de la jeune femme un flot de mots d'amour, tous plus passionnés les uns que les autres.

— Je t'aime, lui dit-il, le souffle court, la voix devenue rauque.

— Je t'aime aussi, lui répond Anne-Julie, éblouie, tout son être tendu vers lui.

Alors Vincent cesse de la caresser pour mieux la serrer contre lui.

— Arrêtons-nous maintenant, commande-t-il. Je te ramène chez toi. Je ne veux pas que cela aille trop vite entre nous. J'ai besoin de te connaître mieux avant.

D'un pas lent, il recule et s'assoit pour mieux la contempler. Honteuse, Anne-Julie s'empresse de refermer son chemisier. Un long silence s'installe entre eux, silence que brise enfin Vincent :

— Je ne sais pas ce que tu éprouves pour moi ; mais moi, je t'aime vraiment.

Anne-Julie ferme les yeux. Ce que vient de lui dire

Vincent la comble de bonheur ; mais, tout au fond d'elle, il y a cette peur qui surgit. Cette peur qu'il apprenne ses origines scandaleuses. Tous les secrets qu'elle ne pourra jamais lui confier.

— J'ai peur, Vincent, avoue-t-elle. Tu ne me connais pas. Tu ne sais pas qui je suis.

— C'est vrai. Mais je m'en fous ! Je te veux telle que tu es, et j'ai bien l'intention de te découvrir. De mériter ton amour.

Anne-Julie sourit. Peut-être est-ce possible après tout. Pourquoi refuserait-elle l'amour de cet homme si attirant ?

— Nous pouvons essayer, répond-elle. Je crois que ça en vaut la peine. Mais...

— Mais ?

— J'espère que cela ne te prendra pas un mois, car...

— Car...

— Car c'est la première fois que je désire réellement quelqu'un. J'ai envie d'expérimenter et de connaître toute ta personne.

Charmé, Vincent plaisante un peu :

— Avoue que je suis irrésistible !

— Tout à fait ! répond Anne-Julie en badinant. J'espère au moins que tu as conscience de l'attrait que tu exerces sur moi.

La surprise se peint sur le visage de Vincent.

— Viens ! Ramène-moi à l'appartement, maintenant. Je crois que cette soirée a été suffisamment riche en émotions. Je me sens fatiguée.

— Vos désirs sont des ordres, mademoiselle.

Ils éclatent de rire en chœur ; puis chacun ramasse ses effets personnels.

Lorsque Vincent stationne sa voiture devant l'immeuble de la jeune fille, Anne-Julie fait mine d'ouvrir la portière du véhicule pour en sortir, mais Vincent la retient et l'attire vers lui.

— Tu ne vas tout de même pas me quitter de cette façon, petite ensorceleuse, lui dit-il, d'un ton doux.

Il prend à nouveau possession de ses lèvres dans un ardent baiser qui freine le désir d'Anne-Julie de rentrer chez elle. Elle enlace le jeune homme et laisse une fois de plus la passion l'envahir.

Elle sent l'une des mains de Vincent qui se niche dans la vallée de ses seins, la laissant pantelante. Anne-Julie accueille cette caresse insistante dans un soupir de plaisir.

— Combien de temps serai-je en mesure d'attendre, dis-moi ?

— Il n'y a que vous qui puissiez répondre à cette question, cher monsieur. Mais pas trop longtemps, j'espère.

— Je pense qu'en dehors des heures que nous passerons à l'université, nous devrions nous contenter de nous voir seulement les fins de semaine. Ce sera plus facile de retarder le moment où nous perdrons la tête tous les deux.

Anne-Julie sourit, trouvant cette solution logique et prudente. Elle s'éloigne des bras de Vincent et sort gracieusement de la voiture.

— Bonne nuit, Vincent ! À demain, j'espère.

— À demain, mon amour.

Puis, souriant, le jeune homme démarre et la voiture disparaît dans la nuit, laissant Anne-Julie rêveuse. D'un pas très lent, elle pénètre à l'intérieur de l'appartement en lançant son sac à main sur le canapé du salon. Manon accourt :

— Il est tôt. Comment s'est déroulée cette charmante soirée ?

Anne-Julie lève le menton d'un air supérieur. Elle secoue son abondante chevelure dans un geste théâtral et clame :

— Il embrasse comme un dieu !

Puis elle passe devant Manon et s'enferme dans sa chambre en criant :

— Bonne nuit, Manon ! Je veux rêver à mon prince charmant !

Manon n'insiste pas, sachant d'avance que cela est parfaitement inutile. Elle se contente de lever les yeux au ciel en
hochant la tête.

12

Quelques semaines s'écoulent ainsi, dans la douceur de vivre. Anne-Julie connaît une période inespérée de grand bonheur. C'est comme une faveur du sort !

La relation des amoureux se fonde sur des goûts, des plaisirs similaires. Sentiments et idées se complètent, s'entremêlent, pour créer équilibre et affinité entre eux.

La jeune femme retrouve avec Vincent la même complicité qui l'a jadis attachée à Philippe, son père, ce qui est une source de réconfort pour elle. Vincent sait, mieux que quiconque, la charmer, la fasciner, l'ensorceler. Près de lui, elle s'épanouit, embellit chaque jour davantage, cherchant à être désirable pour mieux le garder auprès d'elle.

Malgré tout, ils redoublent d'efforts pour retarder le plus possible le moment de faire l'amour ensemble pour la première fois.

Mais, un certain soir de juin, les jeux amoureux dont ils sont de plus en plus friands les conduisent peu à peu à la limite du tolérable. Les baisers qu'ils échangent avec avidité augmentent leur tension.

Enhardi par la réaction d'Anne-Julie, Vincent la serre encore plus étroitement contre lui. Ses doigts courent sur la nuque de la jeune femme, dans ses cheveux, sur sa poitrine. La respiration irrégulière, il tremble d'impatience. Du bout de la langue, il caresse ses lèvres entrouvertes. Anne-Julie répond à ce baiser avec une ardeur inouïe. Elle s'offre totalement, généreusement, en frémissant de passion. Vincent a l'impression que le feu brûlant qui coule dans ses veines ne se consumera jamais.

— Je t'aime. J'ai tellement envie de toi, lui murmure-t-il à l'oreille.

— Moi aussi, répond Anne-Julie en plaquant son ventre contre le bassin ondulant du jeune homme.

— Tu me rends fou. Je n'en peux plus. Je te veux.

— Fais-moi l'amour !

Il se penche vers ses lèvres et les frôle en une caresse furtive :

— Depuis quand prends-tu la pilule ?

— Depuis presque trois semaines.

Les lèvres de Vincent se font incroyablement douces, enjôleuses, attirantes. Une vague de désir irrésistible la submerge totalement.

— Allons dans ma chambre, propose-t-elle, languissante.

Le bassin de la jeune femme, lové contre Vincent, devient insistant, ondulant et exerçant une pression sur son sexe, ce qui abolit toutes ses réserves. Entre deux baisers, il s'informe :

— Manon...

— Elle ne reviendra pas avant minuit. Ne t'inquiète pas.

Soudés l'un à l'autre, ils se rendent à la chambre de la jeune femme et se laissent tomber sur le lit.

Fébrilement, Vincent retire le chandail d'Anne-Julie. Agenouillés dans un face-à-face sensuel, une lutte vieille comme le monde s'amorce entre eux. Cette proximité lascive aiguillonne le corps de la jeune femme. Elle perçoit le vibrant délire de ses sens. Elle tend son sexe à la rencontre de celui de son amant, prononçant des mots fous d'amour que Vincent cueille au passage avec délectation.

— Prends-moi, demande-t-elle dans une supplication ardente.

— Te voilà bien impatiente, mon amour, fait remarquer Vincent, qui s'acharne à vouloir différer le plaisir par d'audacieuses caresses.

Anne-Julie se laisse aller aux délices que lui procurent ces attouchements, découvrant des sensations jusque-là inconnues. Sa respiration s'accélère, son cœur bat plus rapidement, son souffle devient court.

— Prends-moi, supplie-t-elle, inlassablement.

Vincent saisit les bras de la jeune femme et les ramène au-dessus de sa tête, en les maintenant d'une seule main. De l'autre, il suit la courbe parfaite de ses hanches, forçant Anne-Julie à tendre son corps vers lui. Langoureusement, il la pénètre enfin, savourant la tiédeur de ce corps offert. Les deux amants accordent leurs gestes dans un ballet érotique, perdant peu à peu la notion du temps et de l'espace.

Anne-Julie se laisse transporter dans un univers nouveau. Elle se cambre, se déchaîne, s'embrase, s'enfièvre et se met à pousser de petits cris, annonciateurs de l'extase. Vincent ralentit le va-et-vient de ses mouvements, exacerbant encore davantage la sensibilité de sa partenaire jusqu'à ce qu'elle hurle de plaisir. Alors, seulement, il s'abandonne, fou de bonheur.

Ruisselants de sueur, les deux amants, épuisés mais satisfaits, s'accordent un moment de répit. Profondément émue, Anne-Julie laisse perler sur ses joues quelques larmes que Vincent essuie en l'embrassant avec douceur.

— C'est la première fois que je connais le plaisir, lui déclare à voix basse Anne-Julie. Je suis heureuse que ce soit toi qui m'offres ce précieux cadeau.

Sensible à cet aveu, Vincent lui adresse un tendre sourire.

Une heure plus tard, les deux tourtereaux sont attablés devant un café bien chaud. Aguichante, Anne-Julie vient s'asseoir sur les genoux de Vincent et d'une voix sensuelle, elle supplie :

— Fais-moi encore l'amour.

Vincent la serre contre lui de manière possessive.

— Serais-tu une jeune femme insatiable ?

— C'est ce que tu souhaites, n'est-ce pas ?

— Absolument, minaude Vincent.

— Alors, embrasse-moi.

— Je ne sais pas.

Interloquée, Anne-Julie réplique :

— Dois-je te supplier ?

— Non. C'est juste que j'ai peur que Manon revienne bientôt.

Anne-Julie sourit, loin de s'avouer vaincue. Dans un geste inattendu, elle mordille le cou de son amoureux en lui susurrant à l'oreille :

— Je ne pourrai pas attendre jusqu'à demain, c'est beaucoup trop long. J'ai tellement soif de toi, mon amour, avoue-t-elle d'une voix à peine audible où s'entremêlent des notes douces et sensuelles.

Cette intimité fait frémir Vincent. Le son de sa voix, quémandant ainsi ses caresses, l'inonde d'un bonheur suave. Il la renverse et dirige adroitement ses lèvres contre la poitrine de la jeune femme.

— Hum... gémit-il, réussiras-tu toujours à me faire perdre la tête, petite sorcière ?

— Je l'espère bien...

Les mains de la jeune femme se perdent dans la chevelure abondante de Vincent, lui arrachant des soupirs d'extase. L'odeur de sa peau et de ses cheveux l'enivre. Elle voudrait s'endormir le nez enfoui contre l'épiderme de son amant :

— Hum... tu sens si bon, mon amour. Ton odeur m'excite, m'étourdit, me séduit !

— Petite coquine ! Tout devient prétexte pour faire l'amour, avec toi. Je t'aime, confesse-t-il, pris au piège. Je rêve de t'épouser et d'avoir des enfants de toi. Nous nous installerons dans une confortable maison, près d'un cours d'eau, afin que tu vives heureuse et que tu puisses écrire tes romans.

Vincent hésite quelques secondes, puis il garde le silence. Devant le mutisme du jeune homme, Anne-Julie éclate de rire et demande :

— Pourquoi ne continues-tu pas ton histoire ? Ton hésitation proviendrait-elle d'un relent de regret de vieux macho caché au plus profond de ton inconscient ? lui demande-t-elle pour le taquiner.

Vincent se contente de sourire en répliquant :

— Un homme n'avoue pas facilement son romantisme.

— Oh ! Voyons ! Allez ! Continue ce beau roman d'amour que tu as déjà ébauché pour nous. Il me tarde de savoir comment tu envisages notre vie à deux.

— Eh bien... débute Vincent, légèrement intimidé, je vois deux enfants qui s'amusent à construire des châteaux de sable sur la grève, derrière notre maison. Deux beaux enfants : un garçon et une fille. Tandis que toi, tu te promènes en maillot de bain. J'entends le bruit des vagues qui m'enchante, dit-il en fermant les yeux, comme pour mieux s'imprégner de ces images. J'entends nos enfants qui s'esclaffent avec de petits cris de joie. Le soleil est radieux. Il n'y a aucun nuage dans le ciel. J'arrive de l'école. Je stationne ma voiture et je contemple ce spectacle touchant. Je m'approche doucement de vous, afin de ne pas briser cet équilibre parfait.

Comme les yeux du jeune homme sont fermés, Anne-Julie se permet de se laisser attendrir. Cette vie à deux, elle ne pourrait pas mieux la décrire.

— Finalement, tu me vois. Ton visage s'éclaire de plaisir à l'idée de me retrouver. J'avance lentement. Tu viens vers moi. Puis on se met à courir l'un vers l'autre. On se rejoint, on s'étreint, on s'embrasse, et les enfants m'aperçoivent à leur tour. Ils quittent leurs châteaux de sable pour accourir vers moi. Je les prends dans mes bras, je les soulève de terre et je les serre contre mon cœur. Tu m'annonces alors qu'on mangera dehors. Tu as préparé un barbecue. Pendant mon absence, tu as assaisonné des steaks et enveloppé des pommes de terre dans du papier d'aluminium.

Vincent s'arrête un instant.

— Continue, mon amour, le presse Anne-Julie. C'est si bon de t'entendre !

— J'allume le barbecue, tandis que tu prépares une énorme salade. Lorsque tout est prêt, on dépose une nappe sur la table de pique-nique, installée sur la plage, et on savoure ce délicieux repas, heureux de former une si belle famille. Une fois rassasiés, nous jouons au ballon avec les enfants, sur la plage. Puis, lorsque le jour tombe, nous leur donnons un bain et nous les couchons pour la nuit. Ensuite, nous allumons un feu sur le bord de la grève et, lorsque la lune est bien haute dans le ciel, et que les étoiles brillent dans le firmament, nous nous étendons sur un sac de couchage et nous faisons l'amour jusqu'à épuisement.

Vincent soulève Anne-Julie et la transporte à nouveau jusqu'à sa chambre. Doucement, il s'étend contre elle.

— J'entends tes gémissements qui me grisent et m'excitent, ma douce, mon amour. Et je me laisse bercer par ces sons si intimes, si agréables, poursuit-il, en la caressant avec délicatesse.

Anne-Julie s'arque à sa rencontre, attentive à l'histoire délicieuse de son amant, lorsque, tout à coup, la porte d'entrée s'ouvre avec fracas. C'est Manon qui revient.

— C'est moi, les amoureux. Ne vous dérangez pas ! Et surtout, ne vous privez pas d'amour, dit-elle en riant. Je repars immédiatement. J'ai rencontré l'homme de ma vie ! Je prends quelques vêtements et je vous quitte. Pour la nuit, précise-t-elle, en refermant, tout doucement cette fois, la porte d'entrée.

Les deux jeunes gens se mettent à rire sans pouvoir s'arrêter.

— Je crois que tu es condamné à me faire l'amour toute la nuit, fait observer Anne-Julie.

— Quel supplice ce sera ! répond Vincent.

Puis ils se taisent et l'amour les transporte à nouveau dans un univers qui n'appartient qu'à eux.

13

En cette fin d'après-midi de juin, Anne-Julie se rend à l'université pour récupérer ses affaires. Ses examens sont terminés depuis quelque temps déjà et, dès demain, elle prévoit quitter Sainte-Foy pour se rendre à Notre-Dame-du-Portage. Après quelques semaines de vacances bien méritées, elle pourra enfin faire le grand saut et écrire son premier roman. Elle a une telle hâte qu'elle en tremble d'excitation !

Vincent, lui, a déjà quitté la région de Québec, mais temporairement. Il a décidé de prendre une semaine de congé chez ses parents à Saint-André-de-Kamouraska. Il reviendra à Sainte-Foy pour chercher un emploi d'orthopédagogue et attendre Anne-Julie.

La jeune femme a exigé un mois de silence, loin de lui. Elle prétend avoir besoin de ce temps pour réfléchir à son avenir. Vincent lui a proposé d'emménager avec lui, ce qui la rend nerveuse et la préoccupe. Elle hésite. Non pas qu'elle ait des doutes sur ses sentiments pour Vincent. Bien au contraire ! Elle lui a assuré que, désormais, elle ne peut concevoir sa vie sans lui. Mais elle craint de devenir une charge pour le jeune homme. Écrire un roman nécessite beaucoup de temps. D'autant plus qu'elle ne compte pas obtenir un salaire décent avant une période d'au moins trois ou quatre ans. Si, bien entendu, elle parvient d'abord à trouver un éditeur et que ses romans se vendent bien. Le métier d'écrivain n'est pas synonyme de sécurité financière ! Mais elle ne veut en aucun cas mettre une croix sur ses rêves ni imposer de sacrifice à l'homme qu'elle aime.

Or, comment Vincent réagira-t-il si elle s'enferme dans un univers où il n'aura que peu de place, tout en subvenant aux besoins de sa compagne ? Anne-Julie considère qu'elle prend un gros risque en mettant leur amour naissant à si rude épreuve et désire y réfléchir sérieusement, seule, avant de se lancer dans cette grande aventure de vie commune.

Afin qu'elle puisse conserver son autonomie et son indépendance, Vincent lui a suggéré d'emprunter un peu d'argent de sa grand-mère pendant cette période. Mais Anne-Julie préfère y songer auparavant. Elle prétend que leur amour bouscule son plan de carrière et que c'est toute sa vie qui est remise en question. Bien que cette décision soit difficile pour lui, Vincent comprend que la jeune femme a besoin de réfléchir aux conséquences de cet éventuel engagement.

Perdue dans ses réflexions, Anne-Julie se dirige à grands pas vers sa case du gymnase pour la vider de ses effets personnels.

L'endroit est désert et elle entend ses pas qui martèlent les dalles froides des corridors du pavillon. Sans raison apparente, elle éprouve une certaine appréhension à s'aventurer seule dans ces lieux. Elle y sent une présence malsaine qui l'épie. Peu à peu, elle plonge dans l'atmosphère morbide de ses pires cauchemars ; le spectre de Bruno Beaulieu vient encore la hanter. Elle se convainc que tout cela est ridicule. Qui pourrait bien lui vouloir du mal et pour quelle raison ? Elle juge son comportement enfantin, mais tandis qu'elle referme sa case, elle se trouve nez à nez avec Stéphane. Son cœur se met à battre violemment dans sa poitrine et elle laisse échapper un petit cri étranglé.

— Ah ! Mon Dieu ! Tu m'as fait faire un de ces sauts, réussit-elle à dire en tentant de retrouver un souffle normal.

Le garçon se moque d'elle et la regarde d'un air sarcastique.

— Aurais-tu peur de moi, la belle ?

— Mais non, voyons. C'est juste... que je ne t'avais pas entendu arriver. Néanmoins, je suis bien heureuse de te voir. Je trouvais justement cet endroit un peu trop désert à mon goût. Je me sens en sécurité maintenant.

La bouche de Stéphane se fige et son regard se glace. Il fronce légèrement les sourcils :

— Tu crois être en sécurité avec moi ?

Les yeux du jeune homme reflètent une lueur qui devient soudainement inquiétante. Anne-Julie se méfie d'instinct de lui. Elle s'efforce cependant de camoufler son trouble et tente de se rassurer en se disant qu'elle n'a jamais été très à l'aise en sa présence.

— Évidemment, répond-elle en souriant nerveusement. Tu quittes l'université, toi aussi ?

Stéphane fait un signe que oui en s'approchant dangereusement d'elle.

— Il ne me restait plus qu'à te dire adieu, ajoute-t-il.

À force de reculer, Anne-Julie se retrouve coincée entre sa case et le corps athlétique de Stéphane. Celui-ci bombe d'ailleurs le torse, comme pour lui montrer qu'elle est à sa merci. La panique s'empare d'Anne-Julie. Son sixième sens l'avertit d'un danger. Elle se met à rire, dans l'espoir de dérouter

Stéphane. Mais c'est peine perdue puisque, de toute évidence, il devine ses appréhensions.

— Adieu, alors ! s'oblige à dire Anne-Julie d'un ton incertain. Je te souhaite bonne chance, Stéphane. J'espère que tout ira bien pour toi.

Le jeune homme, qui n'entend pas la laisser partir si facilement, propose :

— J'aimerais un baiser de toi, avant que nos chemins se séparent définitivement.

Interdite, Anne-Julie, qui considère cette requête déplacée, se hisse avec précaution sur la pointe des pieds et effleure, du bout des lèvres, la joue de Stéphane. Celui-ci grimace :

— Pas comme ça...

La bouche d'Anne-Julie se met à trembler. Que veut-il exactement ? Elle s'efforce de maîtriser sa peur et se met à rire nerveusement :

— Tu n'es pas sérieux ! Tu te moques de moi.

Pour toute réponse, l'étudiant encercle de ses deux mains la taille de la jeune fille. Puis il les descend avec lenteur pour ensuite caresser ses hanches voluptueuses. Plus aucun doute ne subsiste : il est déterminé à obtenir ce qu'il désire.

— Anne-Julie, soupire-t-il, cela fait des jours et des jours que je rêve de t'approcher ainsi, mon amour.

La jeune femme blêmit. Elle tente de se soustraire à cette étreinte, qu'elle repousse de toutes les fibres de son être. Tous les sens en alerte, elle guette le moment propice pour se libérer de l'emprise du jeune homme. De fines gouttelettes de sueurs froides perlent à son front, trahissant sa panique.

— Voyons, Stéphane, reprends-toi ! Tu cherches à me faire peur...

Les mains de Stéphane quittent les hanches rondes de la jeune femme et se posent sur ses fesses bien découpées, puis se referment sur elles avec force pour mieux plaquer son bassin contre lui.

Anne-Julie réprime un cri d'affolement et se met à claquer des dents.

— Je suis très sérieux, ma belle, chuchote Stéphane qui semble pris d'une démence subite. Il a de la chance, ton Vincent. Dis-moi, il te baise, lui ? A-t-il réussi à faire fondre ton cœur de glace pour prendre possession de ce corps splendide ?

L'horreur se peint sur le visage d'Anne-Julie. Elle a l'impression qu'elle se vide de son sang.

— Stéphane, lâche-moi ! commande-t-elle, sentant son cœur battre violemment dans sa poitrine.

— Pas avant que tu m'aies accordé ce baiser. J'en meurs d'envie !

Comprenant qu'elle est acculée au pied du mur, Anne-Julie se débat avec l'énergie du désespoir. Elle ravale sa peur et brave le regard du jeune homme qui cherche ses lèvres.

— Arrête, Stéphane, et lâche-moi ! Laisse-moi tranquille !

— Je veux juste un baiser, ma belle, et après je te lâche, c'est promis.

Certaine que Stéphane ne lâchera pas prise, Anne-Julie lui mord la lèvre inférieure jusqu'au sang et relève le menton, avec un air de défi.

Sidéré par le rejet de la jeune femme, Stéphane hurle de douleur et son premier réflexe est de la gifler avec fureur.

— Ne m'oblige pas à être violent ! lui dit-il d'un ton glacial.

Anne-Julie se met aussitôt à pleurer. Ses forces l'abandonnent. La panique s'empare de tout son être.

— Je t'en prie, Stéphane, laisse-moi partir, supplie-t-elle, larmoyante. Vincent va arriver d'une minute à l'autre et s'il nous trouve ensemble, il s'en prendra à toi.

Devant le regard mauvais que lui lance Stéphane, Anne-Julie comprend qu'elle vient de commettre une grave erreur. Loin de lui faire peur, le rappel de l'existence de Vincent décuple la rage du jeune homme.

— Il baise bien ton beau Vincent, hein ? Qu'est-ce qu'il te fait pour que tu roucoules comme une salope devant lui ?

Dans un geste brutal, Stéphane tire sur la blouse d'Anne-Julie découvrant alors sa poitrine nue. Le spectacle des seins nus de la jeune femme attise son désir. Anne-Julie se trouve à sa merci, prisonnière, pouvant à peine bouger les bras. Il la plaque solidement contre la case en insérant un de ses genoux entre les jambes de la jeune femme, et se met à lui triturer les seins de façon impudente.

Anne-Julie laisse échapper un cri d'épouvante, comprenant que Stéphane va la violer si elle ne fait rien. Elle se débat, telle une tigresse, priant pour que quelqu'un arrive et la tire des griffes de Stéphane. Les mains du jeune homme parcourant son corps, la pétrissant comme si elle n'était qu'un vulgaire morceau de viande, lui donnent des haut-le-cœur.

— Lâche-moi, Stéphane ! hurle-t-elle.

— C'est ça qu'il te fait, hein, ton beau Vincent ?

Des larmes de frustration et d'humiliation inondent les yeux de la jeune femme. Elle se débat à nouveau, dans un élan de rage.

— Tu peux te débattre autant que tu veux, salope ! Je ne te lâcherai pas avant d'avoir reçu mon dû.

— Arrête ! gémit Anne-Julie. Si Vincent arrive, il va te tuer !

— Quand j'en aurai fini avec toi, ton beau Vincent n'éprouvera que du dégoût pour ta précieuse personne !

Anne-Julie redouble de fureur. Réussissant à se libérer, elle lance son genou vers les testicules du jeune homme. Malheureusement, elle rate la cible convoitée et son genou heurte le fémur de son agresseur.

Stéphane comprend à l'instant ce qu'elle a voulu faire.

— Tu vas me payer ça ! lui dit-il avec aigreur.

Agrippant Anne-Julie par les bras, il la jette par terre avec une violence inouïe, et se laisse choir sur le corps de la jeune femme qui se contorsionne. Il descend la fermeture éclair de son jean, relève la jupe de sa victime dont il arrache le slip. Enfin il la pénètre avec une rage et une brutalité insoupçonnées.

Cette violente intrusion arrache à la jeune femme un sanglot de douleur. Elle continue à se débattre avec acharnement. En furie, elle grogne comme un animal prêt à tuer pour sauver sa vie. Elle griffe Stéphane, le mord, le bourre de coups, mais en vain.

Ce déchaînement animal ne fait qu'aiguiser la fureur de Stéphane. Il la frappe au visage et le sang inonde la joue d'Anne-Julie. Le coup donné avec force assomme la jeune femme. Soulagé d'avoir enfin réussi à mater cette tigresse, Stéphane continue de la violer sauvagement jusqu'à ce qu'il jouisse. Alors, seulement, il relâche sa victime. Chancelant, il se relève, puis prend ses jambes à son cou, comprenant qu'il vient de commettre un geste irréparable.

Quand Anne-Julie revient à elle, à ses côtés, une voix lui commande de ne pas bouger. C'est un universitaire qu'elle connaît de vue.

— Une ambulance arrive dans un instant, mademoiselle. Nous allons vous transporter à l'hôpital.

Anne-Julie ferme les yeux et des larmes de dépit inondent son visage tuméfié par les coups qu'elle a reçus. Elle tente de s'asseoir, mais une douleur fulgurante la saisit. Elle s'écroule en pleurs. Elle vient de vivre un drame horrible.

— Voulez-vous que j'appelle quelqu'un pour vous ? lui suggère son sauveteur, avec compassion.

— Oui.

— Quel est le nom de cette personne ?

— Manon Gauthier, réclame Anne-Julie, en lui donnant son numéro de téléphone.

Elle dirige une de ses mains vers son œil gauche, dont elle découvre l'enflure.

— Ah ! mon Dieu ! s'écrie-t-elle en pleurant de plus belle.

— Ne vous touchez pas ! lui ordonne gentiment l'homme à ses côtés. Ce salopard vous a salement abîmée.

On entend la sirène de l'ambulance qui approche de l'université. Le jeune homme pousse un soupir de soulagement.

Ne pas penser. Ne réfléchir à rien, se commande Anne-Julie. Tout cela est trop horrible. Elle n'arrive pas à admettre ce qui vient de lui arriver. Elle entend son cœur palpiter dans sa poitrine et elle ne cesse de trembler. Un profond dégoût pour elle-même la submerge, tandis qu'on la soulève avec précaution et qu'on la couvre de draps propres. Elle constate que ses vêtements sont déchirés et qu'elle est presque nue. Une honte indescriptible l'envahit. Sa mère a-t-elle ressenti la même chose lorsque son oncle Bruno l'a violée ?

À l'hôpital, des infirmières et des médecins s'activent à son chevet. Manon arrive en trombe, accompagnée de Benoît, son nouvel amoureux. Lorsqu'elle découvre dans quel état se trouve Anne-Julie, elle se met à son tour à gémir de douleur. Une infirmière tente de la calmer.

— Vous n'aiderez pas votre amie à se remettre, si vous continuez ainsi, mademoiselle, la gronde-t-elle fermement.

— Mon Dieu ! C'est épouvantable ! C'est tellement injuste ! Anne-Julie ne méritait pas un tel malheur !

— Si vous êtes son amie, vous devez l'aider.

— Oui, mais comment ? interroge Manon, complètement affolée.

Des policiers s'approchent de Manon pour la presser de questions.

— Je ne sais rien, sanglote Manon. Je n'étais pas avec elle. Tout ce que je sais, c'est qu'elle s'est rendue à l'université pour récupérer ses effets personnels. Elle ne devait pas s'attarder. Et puis j'ai reçu un appel de l'hôpital m'ordonnant de venir ici. J'ai appris qu'on l'avait violée. Ah ! mon Dieu ! C'est si horrible ! Comment va-t-elle s'en sortir ?

Benoît prend Manon dans ses bras et l'oblige à s'asseoir.

— Te rends-tu compte, Benoît ? On a violé Anne-Julie !

Benoît blêmit lui aussi.

— C'est écœurant. Mais qui a fait ça ?

— C'est ce que nous essayons de découvrir, monsieur. Mlle Gauthier semble l'ignorer et Mlle Beaulieu refuse de nous l'apprendre, le renseigne un des policiers.

— Quoi ! s'offusque Manon dans un regain d'énergie.

— C'est vrai, mademoiselle. Votre amie refuse de nous donner l'identité de cet ignoble individu.

— C'est donc qu'elle le connaît, avance Manon en se dirigeant vers la salle d'examen où l'on soigne Anne-Julie.

— C'est Stéphane, n'est-ce pas ? l'apostrophe-t-elle sans ambages.

Anne-Julie se cache le visage en criant :

— Sors d'ici !

Mais Manon est dans une telle colère qu'elle ne peut s'empêcher de crier la vérité :

— C'est lui, j'en suis sûre ! Il n'a pas cessé de te harceler depuis qu'il te connaît. C'est lui, n'est-ce pas ?

— Laisse-moi tranquille, supplie Anne-Julie. Je n'en peux plus.

— Je le savais ! fulmine Manon. Ce salaud va le payer cher, tu peux compter sur moi !

Une assistante sociale, qu'on a fait venir auprès de la victime, s'interpose :

— Calmez-vous, mademoiselle ! Votre amie ne doit pas être bousculée de la sorte en ce moment.

Puis l'assistante s'adresse à la jeune femme d'une voix très douce.

— Anne-Julie, si vous connaissez le nom de votre agresseur, dites-le-nous. Nous pourrons vous aider à faire justice. Ce que vous a fait cet homme est un crime passible d'emprisonnement. Il doit en payer le prix.

Anne-Julie tremble et claque des dents. Pourquoi ne la laisse-t-on pas tranquille ? Elle en a assez de se faire questionner de la sorte. L'insistance de tous ces gens autour d'elle, lui donne l'impression d'être de nouveau violée. Quand va donc cesser cette torture ? Elle ne veut qu'une chose : s'endormir pour tout oublier.

Manon s'approche d'elle avec lenteur, le corps secoué de tremblements, la voix suppliante.

— Qui t'a fait ça, Anne ? Dis-le-moi. Je t'en supplie, dis-le-moi, insiste-t-elle, en reniflant.

À bout de résistance, Anne-Julie ferme ses yeux enflés et comprend qu'elle n'aura pas la paix tant qu'elle ne parlera pas.

— Stéphane, avoue-t-elle faiblement.

— Je le savais ! s'emporte à nouveau Manon. Cet enfant de salaud va le payer très cher, je te le promets, Anne-Julie.

En un éclair, Anne-Julie songe alors à Vincent. Non ! Il ne doit pas apprendre ce qui vient de lui arriver. Tout son être s'objecte à cette idée.

— Vincent ! hurle-t-elle, laissant son auditoire sidéré par ce cri d'effroi.

146

Manon blêmit sous le choc, comprenant l'épouvantable situation.

— Je ne veux pas que Vincent sache ce qui m'arrive, déclare Anne-Julie en tentant de se relever.

— Restez couchée, mademoiselle ! lui ordonne alors une infirmière.

Tous les muscles du visage d'Anne-Julie se crispent. Elle se contracte, sa gorge s'étrangle. Une envie de vomir l'assaille. Son cœur se soulève et se déchire de douleur. Son corps rejette ce viol avec force et se rebute contre ce qui vient de lui arriver. Stéphane vient, à jamais, de détruire leur amour. C'est ce qu'il voulait. Comme Bruno a détruit celui de sa mère...

— Elle va vomir ! s'écrie une infirmière, qui se précipite pour prendre une cuvette et soulève la jeune femme afin de l'aider. En vomissant, Anne-Julie rejette l'humiliation qu'on lui a fait subir. Elle rejette la vie, refuse l'irréparable, la fatalité du sort, le destin qui s'acharne contre elle. Elle veut mourir. Que la vie cesse ! Que la terre éclate en mille miettes ! Que tout explose ! Que l'univers s'écroule !

L'assistante sociale intervient avec fermeté.

— Ça suffit ! Que tout le monde sorte de cette salle ! Cette jeune femme a besoin de calme et de repos. Dorénavant, je la prends en charge, seule.

Manon, toujours en pleurs, se fait mettre à la porte de la salle d'examen. Brisée, elle se précipite dans les bras de son amoureux.

— Que se passe-t-il ? demande celui-ci.

— C'est Stéphane, réussit-elle à dire.

— L'écœurant ! ne peut que s'exclamer Benoît.

— Vous connaissez l'agresseur ? s'informe un des policiers.

Devant la rudesse du ton, Manon quitte les bras de son ami et, la mine dépitée, répond :

— Oui. Mais c'est à Anne-Julie de porter plainte. Et en ce moment, elle n'est pas prête à le faire, dit-elle en baissant les yeux.

— Je comprends, reprend le deuxième policier. Voici le numéro de téléphone où vous pouvez nous joindre en tout temps. Quand votre amie se sera un peu remise de ce choc, dites-lui qu'elle peut nous appeler.

Manon ramasse le bout de papier que lui tend le policier.

— Je le lui dirai, promet-elle.

Des heures pénibles s'écoulent pour Manon. Elle a ordonné à Benoît de la laisser seule pour réfléchir à la situation. Elle lui a promis de lui donner des nouvelles d'Anne-Julie dans la soirée. Mais ce que désire avant tout Manon, c'est demeurer seule au chevet de sa meilleure amie. On a transporté celle-ci dans une chambre de l'hôpital pour la nuit. Elle est encore en état de choc, et on lui a donné un sédatif pour l'aider à dormir et à reprendre des forces. Manon appréhende cependant l'instant de son réveil. Dans quel état sera-t-elle, lorsqu'elle ouvrira les yeux et qu'elle devra affronter la dure réalité? L'assistante sociale l'a prévenue que ce ne sera pas facile et qu'elle devra s'armer de courage.

Plus Manon réfléchit, plus elle se convainc qu'il ne lui reste qu'une seule chose à faire. Elle connaît bien Anne-Julie. Elle sait que cette dernière s'enfermera dans un mutisme total et refusera de communiquer à la police le nom de Stéphane. Manon songe que c'est à elle de faire justice. Elle consulte sa montre. Il est vingt-deux heures. Cela fait plus de dix heures qu'elle est dans cet hôpital. Anne-Julie ne s'éveillera probablement pas avant demain matin. Elle a donc du temps devant elle. Dans un élan de courage, elle se lève et téléphone à Benoît.

— Sapristi, Manon ! Cela fait au moins deux heures que j'attends ton appel. Est-ce que tout va bien ?

— Anne-Julie dort, l'informe Manon.

Après un silence, fatiguée, Manon gémit :

— Peux-tu venir me chercher Benoît ?

— Tout de suite, mon amour. Je serai là dans dix minutes. Attends-moi dans le hall d'entrée.

À pas feutrés, Manon retourne dans la chambre d'Anne-Julie et embrasse son amie sur le front. Elle prévient ensuite les infirmières qu'elle s'absente pour quelques heures et qu'elle sera au chevet de son amie demain matin, à la première heure.

Lorsque Benoît la cueille devant l'hôpital, elle lui demande sèchement :

— Conduis-moi à *L'Ingénue*.

— Pourquoi ? questionne Benoît très surpris.

— J'ai des comptes à régler avec ce Stéphane Bourque, bougonne-t-elle en le fusillant du regard.

La réaction de Benoît se fait vive :

— Voyons, Manon. Sois un peu lucide ! Ce sont les policiers qui doivent l'interroger. Pas toi !

Manon tente de tempérer sa colère.

— Je n'ai pas envie d'être raisonnable et je suis lucide !

— Écoute, Manon, je sais que c'est une sale histoire qui arrive en ce moment à ta copine. Je peux comprendre que ça te bouleverse, mais la colère t'aveugle, mon amour. Sois raisonnable. Demain, nous saurons mieux comment agir. En attendant, tu dois te reposer un peu. Tu es à cran.

— Ne vois-tu pas que la vie d'Anne-Julie est brisée pour toujours ? Tu es inconscient ou quoi ?

— Du calme ! Tu exagères un peu.

— Non, je n'exagère rien du tout ! Tu ne sais rien d'Anne-Julie ! Moi, je la connais mieux que quiconque. Et si tu ne veux pas m'accompagner, je peux y aller seule. Je n'ai besoin de personne et je n'ai pas peur de Stéphane Bourque !

— Calme-toi ! Je me rends compte que tu resteras sourde à mes conseils. Allons-y, si ça peut te soulager. Mais je te préviens, je resterai avec toi. Je ne veux pas te laisser seule, ne serait-ce qu'une seconde, avec ce monstre.

Manon inspire à fond et se cale dans son siège, tandis que Benoît quitte le stationnement de l'hôpital. Elle ne parviendra à dormir que lorsqu'elle aura parlé à Stéphane Bourque de son terrible crime. Si Anne-Julie refuse de le poursuivre en justice, au moins, Manon dégustera-t-elle la joie de lui avoir fait peur. Lui non plus ne dormira pas cette nuit ni les nuits qui suivront, elle se le promet !

14

Dès son arrivée au bar *L'Ingénue,* Manon se sent agressée par le vacarme des fêtards. Quand elle pense que, à peine quelques mois plus tôt, elle se vautrait dans ce lieu de perdition. Comment a-t-elle pu supporter ces épais nuages de fumée et l'haleine fétide de ces hommes ivres ?

Dans un état d'extrême nervosité, la jeune femme cherche du regard la table où s'assoit habituellement Stéphane. Elle le repère sans difficulté. Plus que jamais, elle est déterminée à lui faire passer un mauvais quart d'heure.

— Attends-moi ici, commande-t-elle à Benoît.

— Il n'en est pas question !

— Je ne cours aucun risque, dit-elle dans un élan presque sauvage.

Benoît soupire et abandonne.

— Sois prudente ! se contente-t-il d'ajouter.

— Je sais ce que j'ai à faire !

Les mains glacées d'appréhension, elle avance prudemment. Sa colère grimpe d'un cran lorsqu'elle aperçoit Stéphane en train de tripoter les fesses d'une danseuse qui se donne en spectacle devant lui.

Profondément offensée, Manon fend la foule de ses deux bras et se plante devant lui, les poings sur les hanches, blême et prête à l'abreuver d'injures.

— Eh bien ! Te voilà, toi, le pire salaud que la terre ait jamais porté ! lui crie-t-elle, les yeux injectés de sang.

Stéphane sursaute violemment. Tous ses sens en alerte. Le premier effet de surprise passé, et voulant se donner une contenance, il réplique vertement :

— Tiens ! Tiens ! Voilà la reine des vertus ! Que fais-tu ici, Natacha, la pute ?

— Je viens te donner la leçon que tu mérites, espèce de mollusque sans colonne vertébrale ! Violeur de femmes ! Épave ! Tu n'es pas mieux que mort, crois-moi !

Devant le ton menaçant de Manon, Stéphane frémit d'appréhension. Il sent la cuisante douleur que lui ont infligée les griffes d'Anne-Julie dans son cou. À son tour, il explose :

— Tu ne peux rien contre moi !

À cette seconde, Manon se rend compte à quel point elle déteste ce garçon. Jamais auparavant elle n'a autant haï quelqu'un. Un rugissement d'animal monte dans sa gorge et, sans avertir, elle s'élance sur Stéphane pour le cribler de coups et d'injures. Sidéré, Benoît intervient, tandis que Stéphane la repousse avec force.

— Lâche-moi, sale putain ! hurle-t-il, hors de lui.

Mais Manon est déchaînée. Rien ne peut l'arrêter. Elle plonge sans retenue dans un discours blessant, attirant sur eux la curiosité des clients du bar.

— Moi qui croyais que tu te mourais d'amour pour Anne-Julie, sale fumier ! Je te déteste, hypocrite !

— Je n'ai pas peur de tes menaces. Sors d'ici ! Et que je ne te revoie plus jamais, putain ! se défend Stéphane.

Un client s'approche de la petite table. D'un ton hésitant, il tente de s'interposer :

— Hé ! Ça suffit, vous deux ! Qu'est-ce qui se passe ici ?

Manon hausse le ton et répond :

— Figurez-vous que pas plus tard que cet après-midi, ce salaud a violé ma meilleure amie ! Il n'est même pas assez homme pour conquérir une femme ; il faut qu'il la viole pour obtenir ses faveurs.

On entend un murmure de désapprobation dans l'assistance et plusieurs personnes s'attroupent autour d'eux.

— Ferme ta maudite gueule ! lui commande Stéphane, qui blêmit de gêne et de peur.

Hargneuse, Manon poursuit, trop heureuse d'avoir attiré l'attention des autres hommes :

— Anne-Julie est à l'hôpital en ce moment. Tu as détruit sa vie. Les ecchymoses qu'elle a partout sur le corps prouvent qu'elle a bel et bien été agressée. Sans parler de ton sperme qui constitue une belle preuve, mon cher Stéphane. Tu vas faire de la prison, sac à merde ! La preuve du viol est faite. Des policiers sont venus l'interroger. Ils savent ton nom et connaissent ton adresse. Il suffit qu'elle leur donne l'ordre de t'arrêter et te voilà en taule pour un minimum de cinq ans. Alors, rigole autant que tu le désires, Stéphane Bourque ! Tu es dans la merde jusqu'au cou, sale con !

Les yeux de Stéphane sont noyés d'angoisse. Comprenant qu'il doit réagir, il s'adresse à son copain Éric.

— Partons d'ici ! Je n'ai pas de temps à perdre avec cette folle !

Comme un coup de vent, il bouscule tout le monde sur son passage et sort en trombe du bar, avec Éric sur ses talons.

— Hé, Stéphane ! Qu'est-ce que c'est, cette histoire de viol ?

— Ce n'est rien, Éric. Partons d'ici !

À l'abri dans la voiture, Éric ne peut s'empêcher de questionner son ami.

— Dis-moi pourquoi cette fille t'en veut ?

— Cette sale garce veut me faire chanter. Je n'ai jamais violé personne, crois-moi ! C'est juste cette petite traînée d'Anne-Julie Beaulieu qui m'a fait des avances. Je l'ai repoussée, alors, elle est furieuse contre moi. Tu vois le genre ?

— Ouais...

Un silence s'installe entre les deux compères. Stéphane sent la crainte l'envahir. Des gouttes de sueur perlent à son front. La culpabilité le ronge. La peur aussi. Mais, pour rien au monde, il ne l'admettra.

— Roule plus rapidement, Éric, j'étouffe dans cette voiture.

— À tes ordres, mon vieux ! consent Éric, trop heureux de venir en aide à son copain.

— Est-ce que je peux dormir chez toi ce soir ?

— Tu sais bien que oui, Stéphane ! Entre hommes, on peut bien s'aider.

— Merci, vieux ! Je te revaudrai ça !

Dès qu'elle rentre à l'appartement, Manon communique avec la téléphoniste pour trouver le numéro du notaire Georges Bourque, le père de Stéphane. La famille du jeune homme habite Trois-Rivières. Il est plus de minuit. Que doit-elle faire ? Peut-elle risquer de réveiller ces gens à cette heure ? Oui. Il le faut, pour Anne-Julie.

D'une main nerveuse, elle compose le numéro de téléphone. Une voix féminine et ensommeillée lui répond :

— Bonsoir, débute Manon en tremblant. Vous êtes madame Bourque ?

— Oui. Que me voulez-vous ?

— Nous ne nous connaissons pas, mais je suis une amie

de Stéphane, lui apprend Manon, consciente qu'elle va démolir le cœur de cette pauvre femme.

— Qu'a-t-il encore fait ? s'informe cette dernière, sur un ton qui laisse percevoir l'angoisse.

Manon s'efforce de calmer l'agitation qui la submerge et inspire à fond.

— Ce que j'ai à vous révéler n'est guère plaisant, madame Bourque.

Un long silence s'installe entre les deux femmes. Manon peut entendre une discussion à voix basse, tout près du téléphone. Madame Bourque explique sans doute à son mari pourquoi quelqu'un tente de la joindre à une heure aussi tardive.

— Un instant, je vous prie, lui demande la mère de Stéphane. Je vais changer de pièce.

L'attente paraît insupportable. Finalement, la mère de Stéphane reprend la communication.

— Racontez-moi tout, maintenant. Qu'a fait Stéphane ?

Manon apprend à cette femme que son fils a violé Anne-Julie. Les mots défilent à un train d'enfer.

— Comment voulez-vous que j'intervienne ?

Manon est sidérée par cette réponse surprenante.

— Mais... Il faut parler à votre fils, le convaincre de se rendre à la police ! Cela me paraît évident ! s'écrie-t-elle, profondément indignée.

— Je suis désolée, mais je ne peux rien faire, répond la femme en pleurnichant. Stéphane n'acceptera pas que j'intervienne dans sa vie, surtout pour une chose aussi grave. Il ne me pardonnera jamais cela.

— Quoi ? riposte Manon. Mais ne comprenez-vous pas qu'il a commis un horrible crime ?

— Je vous le redis, je ne peux rien y faire. On voit bien que vous ne savez rien de notre vie. Si jamais mon mari apprenait cela, il tuerait Stéphane et je veux protéger mon fils

155

contre son père. C'est un homme très sévère ! Si vous saviez...

— Ne me dites pas que vous êtes en train de justifier le comportement impardonnable de votre fils, madame Bourque ! l'interrompt Manon, qui n'en revient pas de la réaction de cette femme. Je ne parle pas d'une bêtise commise par un gamin de huit ans ! Il s'agit d'un crime sévèrement puni par la loi et passible d'emprisonnement.

— Justement ! Je préfère savoir Stéphane en prison plutôt qu'entre les mains de mon mari. Vous ne connaissez pas son père. Il serait fou de rage ! Et puis votre amie s'en remettra. Ce qui est important, c'est que vous compreniez que Stéphane a sans aucun doute hérité du caractère emporté de son père et que je ne peux rien faire contre ça.

— Mais vous êtes d'une irresponsabilité scandaleuse, madame !

— Bonsoir, mademoiselle.

L'entretien laisse Manon complètement désemparée. Elle se dirige vers sa chambre, où, toute la nuit, elle pleure sur le sort de son amie.

Aux petites heures du matin, les yeux gonflés par les larmes, Manon se lève et se rend de nouveau à l'hôpital, juste à temps pour le réveil d'Anne-Julie.

Recroquevillée sur elle-même, la jeune femme a le sentiment de flotter à la dérive. Des images de l'agression reviennent à sa mémoire par saccades douloureuses. Elle saisit la main de Manon comme on s'agrippe à une bouée de sauvetage.

Manon la prend dans ses bras. Ensemble, elles pleurent pendant un long moment.

— Que vais-je devenir, Manon ?

— Tu vas t'en remettre, je te le promets.

— Ma vie est finie.

— Ne dis pas ça. Tu es plus forte que tu ne le crois.

— Tu te rends compte, j'ai le sperme de ce monstre en moi ! s'écrie Anne-Julie en pleurant de plus belle.

Anne-Julie frissonne violemment. Sa bouche se met à trembler dans une moue qui fait peine à voir. Manon s'efforce de conserver son courage, mais elle a l'impression qu'elle n'y arrivera pas. Elle se risque cependant à demander :

— Que vas-tu faire à présent ?

— D'abord, j'ai besoin d'argent.

— Pourquoi ?

— Je dois m'enfermer quelque part pour au moins deux semaines.

— Je ne comprends pas.

— Je ne veux pas que Marie-Ange, et encore moins Vincent, me voient dans cet état. Je vais inventer un voyage autour de la Gaspésie, le temps que je reprenne des forces et que disparaissent ces contusions, explique-t-elle en montrant son visage meurtri.

— C'est un choix logique, approuve Manon, qui est d'accord pour qu'Anne-Julie protège sa grand-mère d'une telle nouvelle. Où comptes-tu te rendre ?

— J'ai pensé au chalet de tes parents. Crois-tu qu'ils accepteraient de me le prêter quelque temps ?

— Je le crois, oui. De toute façon, ils sont en voyage.

— Bon. Peux-tu m'avancer un peu d'argent ? Il ne me reste presque plus rien, hoquette Anne-Julie.

— Ce sera avec plaisir. Veux-tu que je passe un peu de temps avec toi au chalet ?

— Tu accepterais ?

— Évidemment !

— Mais je ne serai pas de très agréable compagnie.

Anne-Julie tente désespérément de chasser la nausée qui la tenaille.

— Cela ne me dérange pas, Anne.

— Merci.

— Mais après, que feras-tu ?

— Je retournerai chez Marie-Ange.

— Et Vincent ?

— Je ne le sais pas encore. Je crois que je devrai mettre un terme à cette relation.

— Ne précipite rien, Anne-Julie ! Donne-toi du temps.

Anne-Julie s'effondre, car sa peine est insurmontable.

— Tu ne comprends pas. Je ne pourrai plus jamais regarder Vincent dans les yeux. Je ne pourrai plus l'aimer. Comment pourrais-je seulement refaire l'amour avec lui ? Non, plus j'y pense, et plus ça me paraît impossible.

Manon ravale ses sanglots en serrant très fort son amie contre elle. Pourquoi le destin s'acharne-t-il sur Anne-Julie ?

15

Presque trois mois se sont écoulés depuis le drame. Enfermée dans sa chambre, Anne-Julie pense à tous les mensonges qu'elle a dû inventer pour cacher à ceux qu'elle aime l'horrible tragédie. À Marie-Ange d'abord, puis à Vincent. Rien ne ravive la moindre petite étincelle de gaieté dans son regard. Une douleur pesante, logée en permanence au plus profond de son être, a pris toute la place. Elle n'a pas d'entrain et se sent vidée de ses forces. Pour couronner le tout, depuis un mois, elle a des nausées chaque matin. Son existence se résume à survivre. Elle a l'impression de ressembler davantage à un fantôme qu'à un être humain.

En surface, seule une cicatrice, longue d'environ deux centimètres, paraît juste au-dessus de son arcade sourcilière. Mais cette balafre plutôt insignifiante suffit à lui rappeler qu'elle n'a pas droit à l'amour d'un homme. Encore moins à celui d'un homme aussi merveilleux que Vincent. Qui pourrait encore vouloir d'elle, connaissant l'horreur qu'elle a vécue ? Personne. Pas même Vincent, elle en a la certitude. L'amour ne résiste pas à ce genre d'épreuve. Comment Vincent pourrait-il aimer une femme qui a perdu son âme ? Une femme salie, défaite. Une femme au cœur brisé à tout jamais. Tout ce qu'elle est en droit d'espérer maintenant, c'est de pouvoir un jour songer à Vincent sans ressentir cette douleur intolérable au creux de l'estomac.

Leur séparation a été des plus éprouvantes. Anne-Julie a agi de manière catégorique, décisive, voire tranchante. Elle n'a laissé aucun espoir à Vincent. Cela s'est passé à la fin de juillet, et au téléphone de surcroît, ce qui a rendu la séparation encore plus cruelle. Vincent en a pleuré. Il n'a pas compris. La voix déchirée par les sanglots, Anne-Julie a dû lui mentir en prétendant qu'elle s'était trompée sur ses sentiments. Elle lui a affirmé qu'elle voulait vivre seule, sans aucune entrave à sa carrière d'écrivain. Quel monstre d'égoïsme elle a dû lui paraître ! Elle l'a supplié de lui pardonner cette méprise, mais Vincent ne peut pas lui pardonner. Comment pourrait-il en être autrement ?

« Tu ne sauras jamais, Vincent, ce que tu représentais pour moi et combien ton amour m'a apporté de joie de vivre. Tu me manques tellement, tellement. Si tu savais l'ampleur du sacrifice que je fais en t'éloignant volontairement de moi », songe-t-elle, en essuyant les larmes qui coulent sur ses joues.

Anne-Julie voit une psychologue chaque semaine. Les cauchemars qui hantent ses nuits sont devenus insupportables. Elle a réussi à cacher ces rencontres d'une durée d'une heure à Marie-Ange, ce qui n'est pas chose facile. La vieille femme ne cesse de l'épier et de la questionner sur ses allées et venues. Mais Anne-Julie s'en sort toujours en prétextant un besoin d'air ou une envie de bouger un peu.

Au début, la psychologue a été très compatissante, et l'a écoutée raconter la mort de ses parents, ses origines scandaleuses et son viol. Mais lors de la dernière rencontre, Anne-Julie a dû faire face à ses émotions. Ces moments pénibles, elle se les remémore souvent.

« Anne-Julie, je sais que votre vie est tissée de mensonges et de choses que vous voulez cacher à tous. Mais je crois qu'il serait temps pour vous d'accepter la réalité et de commencer à parler ouvertement à vos proches. Vous ne pouvez pas continuer à vivre en gardant tout cela à l'intérieur de vous, comme vous le faites depuis si longtemps. Vous allez finir par vous en rendre malade. Regardez-vous ! Vous ressemblez à un zombie, à une morte vivante !

— Vous n'êtes pas sérieuse ! s'est exclamée Anne-Julie en sanglotant.

— Je suis très sérieuse, lui a répondu la psychologue.

À cet instant, sa voix a craqué. Anne-Julie s'est levée du canapé et a rouspété de façon sarcastique en disant :

— Vous croyez ça, vous ! Vous me voyez dire aux gens : "Bonjour ! Je m'appelle Anne-Julie Beaulieu et j'ai été violée. De plus, on m'a caché les conditions particulières de ma naissance. Ma mère aussi a été violée, et pas par n'importe qui ! Par le frère de mon père. Et je suis l'enfant de ce viol, figurez-vous."

Après une profonde inspiration, Anne-Julie s'est assise de nouveau, en croisant les bras sur sa poitrine dans un geste de repli sur soi.

— Je comprends vos craintes, Anne-Julie, je sais ce que vous ressentez.

— Vous ne comprenez rien du tout, madame ! Vous ne pouvez même pas deviner les sentiments qui m'habitent. Comment pourriez-vous même être en mesure de soupçonner l'ampleur de la honte que j'éprouve à chaque instant de ma vie, à chaque battement de cœur, à chaque respiration ? Cette réalité me suit constamment. Il ne s'écoule pas une seule heure dans la journée sans que je pense à tout cela.

— Je sais, Anne-Julie. Calmez-vous !

Anne-Julie s'est alors caché le visage dans les mains et s'est mise à pleurer encore plus fort. La psychologue s'est approchée d'elle et lui a dit en lui posant la main sur l'épaule :

— Parlez-moi de votre père, Anne-Julie.

— Lequel ? riposta la jeune fille d'un ton sarcastique.

— De celui que vous considérez comme votre père : Philippe Beaulieu.

— Ce fut le plus merveilleux des hommes, a-t-elle répondu en soupirant. Je vous ai parlé de ça des centaines de fois.

Après une pause, la psychologue a repris :

— Vous ne lui en voulez pas de vous avoir caché la vérité sur les conditions inavouables de votre naissance ?

— Non ! s'est objectée violemment Anne-Julie. Comment en vouloir à un homme qui m'a protégée toute sa vie contre une réalité qui n'était pas trop belle à savoir ? Vous n'imaginez pas quel a dû être son tourment !

— Oui, mais lorsque vous avez appris la vérité sur vos origines, il ne vous a pas effleuré l'esprit que votre père vous avait menti depuis toujours ?

— Non ! Mon père a agi pour le mieux en me cachant cette vérité. Il m'a protégée.

— C'est drôle, vous n'arrivez pas à me convaincre de cela, voyez-vous, Anne-Julie.

— Que voulez-vous dire ?

— Eh bien, moi, je crois que votre père a agi égoïstement en voulant vous garder pour lui seul. Il devait bien se douter qu'un jour ou l'autre vous apprendriez la vérité. À mon avis, il n'avait pas le droit de vous mentir à ce sujet. Il n'a réussi qu'à retarder l'éclatement de cette bombe.

Anne-Julie a blêmi. Tout son être s'est rebellé devant cette façon de voir les choses.

— Dites-moi, Anne-Julie, votre père, Philippe, a-t-il entretenu des relations... disons incestueuses avec vous ?

— Non ! s'est emportée Anne-Julie avec une rage insoupçonnée. Vous êtes complètement folle de penser à une chose aussi insensée.

— Bon ! Ne vous fâchez pas ! Je voulais simplement m'assurer de cela. Mais, maintenant, Anne-Julie, êtes-vous capable d'admettre que vous entretenez du ressentiment envers Philippe parce qu'il vous a caché cette vérité ?

— Non !

— Écoutez, Anne-Julie. À mon avis, vous idolâtrez un peu trop cet homme qui, en fait, vous a toujours menti. Cela me semble anormal. Et, jamais, vous ne parlez de votre mère. Pourquoi ?

Anne-Julie s'est alors sentie coincée, complètement bloquée. De quel droit cette femme pouvait-elle s'introduire comme ça dans ses pensées les plus intimes ? Elle s'est mise à bafouiller, cherchant ses mots qui ne venaient pas. Vaincue, elle a bredouillé :

— Parce que...

— Parce que quoi ?

Furieuse, Anne-Julie a alors quitté le canapé.

— Je ne le sais pas ! Ma mère était une femme très comme il faut. Mais, mon père... je... je... je l'aimais, figurez-vous !

— Et c'est pour cette raison que vous refusez d'admettre qu'il a eu tort de vous cacher les circonstances de votre naissance ?

— Mon père est, à mon avis, irréprochable, madame !

— Pourquoi ?

Les émotions qui l'agitaient ont alors fait surface avec une force invincible. Honteusement, Anne-Julie s'est mise à sangloter sans pouvoir s'arrêter. Toute la haine, la colère et l'amertume qu'elle refoulait se sont déversées à travers un torrent de larmes. La souffrance qu'elle portait en elle s'est répandue avec une violence inouïe, telle une marée déchaînée. Des mots voulaient jaillir de ses lèvres.

— Parce que... parce qu'il m'aimait et que je l'aimais plus que tout au monde, a-t-elle articulé péniblement.

— Oui, mais vous lui en voulez, n'est-ce pas ?

— Non !

— Admettez-le !

— Non !

— Admettez-le donc une bonne fois pour toutes. Votre père vous a déçue ! Il vous a menti ! Il a manigancé derrière votre dos.

— Oui, a-t-elle alors avoué en s'écroulant sur le sol.

— Pourquoi lui en voulez-vous ?

— Parce que... parce qu'il est mort en emportant avec lui toutes...

— Qu'est-ce qu'il a emporté avec lui ? a insisté la psychologue en la regardant droit dans les yeux.

— Il... il a emporté... toutes mes illusions... toute ma joie de vivre... toute ma confiance en moi... et...

— Et ?

— Mon envie de vivre ! s'est-elle écriée en se recroquevillant sur elle-même, la tête enfouie entre ses bras croisés sur ses genoux.

La psychologue s'est accroupie près d'elle et l'a prise dans ses bras en la berçant, comme une jeune enfant.

— C'est fini maintenant. Calmez-vous. Vous allez vous en sortir à présent. Je le sais. »

Depuis ce jour, Anne-Julie s'est enfermée dans un mutisme total, ne cessant de réfléchir à tout cela. Marie-Ange la regarde vivre, impuissante. Elle sait bien que sa petite-fille lui cache quelque chose d'important. Aussi, par un beau matin de septembre, elle la questionne :

— Es-tu certaine, Anne-Julie, que c'est toi qui as quitté Vincent et non le contraire ?

— Pourquoi me demandes-tu cela, grand-maman ?

— Parce que si tu ne l'aimes plus, ce Vincent, pourquoi continues-tu de le pleurer de cette façon ? Je suis très inquiète pour toi, Anne-Julie. Depuis ton retour à la maison, tu n'es plus que l'ombre de toi-même. Raconte-moi la vérité sur cette séparation. Je sais que tu me mens.

Anne-Julie fait des efforts pour maîtriser ses émotions. Elle s'assoit par terre, près de Marie-Ange, la tête reposant contre le tissu de sa robe, réfléchissant à vive allure à ce qu'elle va dire.

— Tu as raison, grand-maman, j'aime Vincent et c'est lui qui m'a quittée.

Elle n'en est plus à un mensonge près. Pourquoi ne pas poursuivre dans cette voie, puisque c'est celle qui fait le moins souffrir ceux qu'elle aime ?

— Bon. Je comprends mieux la situation maintenant. Tu devrais consulter un psychologue. Il pourrait t'aider à voir clair dans tout cela. Si ça a du bon sens de se laisser mourir de même pour un homme ! s'indigne Marie-Ange.

— Je vais y réfléchir, grand-maman, sourit Anne-Julie.

— C'est bien, répond Marie-Ange, soulagée. Ma mère disait toujours que, pour éviter la dépression, il vaut mieux passer à l'action. Qu'attends-tu pour te mettre à écrire ?

Anne-Julie affiche un pauvre sourire et promet :

— Je vais essayer, grand-maman.

— Il faudrait mettre un peu de gaieté dans cette maison. Je suis heureuse de t'avoir à nouveau auprès de moi, Anne. Mais il te faudrait faire un petit effort pour être plus joyeuse.

Parce que, franchement, tu es triste comme la pluie. Moi qui ai enfin pu me libérer de ma sœur ! Elle était si désagréable, cette vieille chipie !

— Ta sœur Marie ! Désagréable ? ricane Anne-Julie. Tu exagères un peu, grand-maman !

— Je t'assure que non ! Elle passait des heures au téléphone avec ta tante Antoinette et elle mangeait sans cesse du chocolat sous mon nez. En me défendant d'en prendre, évidemment, prétextant que cela n'était pas bon pour mon cœur.

— Mais elle avait raison !

— Peut-être, mais là n'est pas la question. Avoue qu'elle aurait pu les manger dans sa chambre, ses maudits chocolats !

Cette diversion égaie un peu l'humeur sombre d'Anne-Julie.

— Bien sûr, poursuit Marie-Ange, si ta tante Marie avait fait preuve d'un peu plus de charité chrétienne, cela aurait été beaucoup mieux entre nous. Mais elle a tout fait pour envenimer nos rapports.

Tout en retenant un fou rire, Anne-Julie s'exclame :

— Je te trouve bien injuste pour la pauvre tante Marie, grand-maman ! Elle a pourtant été généreuse à ton endroit !

— Oh ! mais tu ne la connais pas comme je la connais, Anne-Julie ! Elle avait des manies de vieille fille détestable. Tiens ! par exemple, elle écoutait des téléromans à longueur de journée. C'était d'un ridicule ! Moi, j'aurais souhaité lire, assise confortablement dans mon fauteuil de cuir ; mais, elle, elle s'obstinait à regarder la télévision. Et lorsqu'elle l'éteignait, c'était l'heure du coucher. Tu ne sauras jamais combien tout ça m'a frustrée !

Anne-Julie éclate d'un rire clair. Sa grand-mère a toujours eu le don de l'amuser.

— J'imagine comme cela a dû être terrible pour toi, se contente-t-elle de répondre, un sourire accroché aux lèvres.

Et puis, soudain, elle a la nausée et doit même se lever pour se diriger vers la salle de bains. Blême à faire peur, elle revient au salon et s'assoit sur le canapé.

— Je ne sais pas pourquoi je vomis toujours comme ça, j'en ai marre ! Je me sens si épuisée.

Affreusement inquiète, Marie-Ange décide d'intervenir dans la vie privée de la jeune femme, en brisant le mur de silence qui s'est dressé entre elles.

— De mon temps, lorsqu'une fille vomissait comme ça chaque matin, cela signifiait qu'elle était enceinte.

Cette phrase arrache un cri de stupeur à Anne-Julie.

— Enceinte ? Moi ? Quelle idée ! C'est totalement impossible.

— As-tu eu des relations sexuelles avec ton Vincent, oui ou non ?

— Oui, admet Anne-Julie, en baissant les yeux, se sentant prise en faute. Mais il est impossible que je sois enceinte puisque je prenais la pilule anticonceptionnelle.

— Pendant combien de temps l'as-tu prise avant ta première relation ? demande froidement Marie-Ange.

Anne-Julie réfléchit rapidement à cette question embarrassante et répond :

— Euh... un peu plus de deux semaines, répond-elle, refoulant un doute qui s'insinue lentement dans son esprit.

— Mais ce n'est pas assez long, ma chérie ! s'exclame Marie-Ange, en se levant de son fauteuil. On doit prendre la pilule au moins tout un mois avant d'avoir une première relation sexuelle. Ne le savais-tu pas ?

— Non, répond piteusement Anne-Julie. Enfin, je croyais que ce laps de temps était suffisant, grand-maman. Sans compter que... j'ai oublié d'en prendre plusieurs, achève-t-elle d'une toute petite voix.

Une question s'empare de ses pensées. Est-elle enceinte de

Vincent ou de... Stéphane ? La crainte obsessionnelle d'exprimer à sa grand-mère son inavouable secret la fait frémir. Elle court à nouveau jusqu'à la salle de bains, en proie au malaise. Marie-Ange la rejoint rapidement.

— Je ne me sens vraiment pas bien, grand-maman, souffle Anne-Julie, avant de sombrer dans l'inconscience.

Marie-Ange appelle d'urgence les ambulanciers qui transportent sa petite-fille à l'Hôpital de Rivière-du-Loup.

Un médecin examine la patiente et confirme le doute : elle est bel et bien enceinte. Anne-Julie est sous le choc ; on fait donc appel à la psychologue qu'elle voyait jusque-là en secret :

— Je suppose que tu veux sans doute te faire avorter, Anne-Julie ? Cette conception est probablement le résultat du viol que tu as subi.

— Cet enfant pourrait être celui de Vincent également, précise-t-elle à voix basse. Je... je ne peux pas courir le risque de voir l'enfant de Vincent mourir. Si ce petit bébé est un cadeau de l'homme que j'aime, dit-elle en se caressant le ventre, je veux le garder et l'aimer. Il donnera un sens à ma vie.

— J'ai peur que tu t'illusionnes, Anne-Julie.

— Je ne crois pas, non. Écoutez, je suis moi-même née dans des conditions particulières. Si ma mère s'était fait avorter, je ne serais pas là aujourd'hui. Elle m'a permis de naître et cela lui a même coûté la vie.

La psychologue fixe un point imaginaire sur un mur et paraît réfléchir à ce que vient de dire la jeune femme.

— Tu as peut-être raison. Depuis des semaines, je t'observe et je t'écoute me raconter que ta vie est inutile, que tu préférerais mourir. Et voilà que, maintenant, l'idée d'avoir ce petit enfant semble donner un sens à ta vie. Mais tu dois être certaine de prendre la bonne décision. Cet enfant a pu être engendré dans la violence et être celui de ton agresseur. Il faut que tu en sois consciente.

— Je le suis. Mais étant donné la date de mes dernières menstruations, je ne peux m'empêcher de penser qu'il y a beaucoup plus de chances que cet enfant soit celui de Vincent plutôt que celui de...

Anne-Julie ne termine pas sa phrase. La psychologue soupire :

— Tout cela m'inquiète, Anne-Julie. Et si un jour tu te rends compte qu'il est l'enfant de celui qui t'a violée, que feras-tu alors ?

Anne-Julie réfléchit et sourit sincèrement, pour la première fois depuis des mois.

— Je l'aimerai, cet enfant. Je le promets ! Peu importe qui en est le père, je l'aimerai. Je le jure sur la tête de mon père !

— C'est ce que je voulais t'entendre dire ! s'écrie la psychologue, en serrant Anne-Julie dans ses bras. Maintenant, je veux que tu me promettes une chose, jeune femme.

— Laquelle ?

— Je veux que, si tu changes d'avis... Parce que tu as le droit de changer d'avis. Si cela arrivait, je veux que tu me téléphones immédiatement ! Je ferai le nécessaire pour te venir en aide.

— C'est promis !

Mais la jeune femme sait déjà qu'elle ne changera pas d'idée. Un fol espoir s'empare de tout son être avec force. Elle verra grandir l'enfant de Vincent, la chair de sa chair, le sang de son sang, qui, tout doucement, se façonne une vie bien à lui au creux de son ventre. Elle ferme les yeux et savoure ce nouveau bonheur. Enfin, un peu d'espoir !

« Merci, Vincent ! se dit-elle. Cet enfant est le plus beau et le plus grand cadeau que tu pouvais m'offrir. Je pourrai continuer de t'aimer à travers lui ! »

Anne-Julie a retrouvé un peu d'enthousiasme. Les nausées ont disparu et elle déborde d'une nouvelle énergie qui promet beaucoup. Aidée de Marie-Ange, elle s'amuse à décorer la chambre voisine de la sienne, qu'elle peint en jaune. Elle s'émerveille de l'excitation qu'affiche sa grand-mère dans l'attente de cet enfant. On dirait que la vieille dame a rajeuni de vingt ans. Elle tricote, chante des berceuses, coud des vêtements pour le nourrisson dont la naissance est prévue pour la mi-mars.

— Pourquoi le jaune, Anne-Julie ? questionne Marie-Ange, d'un ton joyeux.

— Parce que cette couleur représente la joie de vivre et le renouveau. Cet enfant sera un rayon de soleil dans ma triste vie. Et puis, de toute façon, que ce soit une fille ou un garçon, cette couleur est neutre.

— C'est vrai, approuve Marie-Ange. Mais ne te fais pas d'illusions sur le sexe de cet enfant. Dans cette famille, il n'y a toujours eu que des filles !

— Et si je conjurais ce mauvais sort, grand-maman ! De toute manière, je le saurai très bientôt puisque je vais passer une échographie dans moins de trois semaines.

— Bof ! Moi, je ne fais pas confiance à ces foutues machines !

Anne-Julie se met à rire devant le scepticisme de sa grand-mère. Elle sait que si Marie-Ange a été jadis la proche collaboratrice de ses deux maris médecins, elle se tient à l'écart des progrès médicaux depuis belle lurette.

— C'est ce que nous verrons, grand-maman. Mais n'oublie pas que tu as promis de nous accompagner, Manon et moi, lors de cet examen.

— Pour ça, j'y serai ! Sois tranquille, Anne ! Pour rien au monde, je ne manquerai cela !

Manon et Anne-Julie s'amusent ferme de la stupéfaction de Marie-Ange lorsque l'échographie révèle le sexe de l'enfant : Anne-Julie porte un fils et il est normalement constitué.

La future maman jubile. Elle se sent tellement soulagée ! Sans vouloir se l'avouer, elle a craint que cet enfant soit difforme. Comment est-il possible qu'elle donne naissance à un enfant vigoureux et sain d'esprit après l'horrible cauchemar qu'elle a vécu ? Les trois femmes décident d'aller fêter l'heureuse nouvelle en prenant un bon repas.

— Quels sont tes projets, Anne ? questionne Marie-Ange en levant sa coupe de vin pour porter un toast à la santé du futur petit Beaulieu.

— Je vais commencer à écrire un roman. Je me sens beaucoup mieux à présent. Et puis, il faut bien que je prépare un avenir à cet enfant.

— Tu vois, Manon, je savais qu'une femme aussi intelligente qu'Anne-Julie ne pouvait pas s'éterniser dans un chagrin d'amour.

— C'est vrai, constate Manon, en posant un regard triste sur son amie. Je suis contente de voir que tu vas si bien, Anne-Julie.

— Merci, Manon. C'est vrai que je vais beaucoup mieux, répond Anne-Julie en baissant les yeux.

— Je suis heureuse que tu te décides enfin à réagir, ma petite-fille ! Il est grand temps ! affirme Marie-Ange, percevant le malaise des deux jeunes femmes.

Après une courte pause, la vieille dame ajoute :

— Écoute, Anne-Julie, j'ai bien réfléchi et j'ai envie de t'offrir un cadeau.

— Ah oui ! Quoi donc, grand-maman ?

— Je vais t'offrir un de ces engins... Comment cela s'appelle-t-il déjà ? J'ai vu un reportage sur ce sujet à la télévision la semaine dernière. Il paraît que c'est l'invention du siècle. Voyons... Que c'est bête ! Je n'arrive plus à me souvenir du nom de cet appareil.

Anne-Julie fronce les sourcils, cherchant avec Marie-Ange de quoi elle veut parler.

— J'ai vu des écrivains l'utiliser. C'est un clavier de machine à écrire avec une télévision juchée sur une boîte, explique Marie-Ange.

— Un ordinateur ! répondent en chœur Anne-Julie et Manon.

— C'est ça, oui ! Un ordinateur. Il paraît que c'est ce qui est le plus utile sur le marché en ce moment. Bien que moi, je n'y comprenne strictement rien. Enfin, tu pourras m'enseigner comment ça marche, Anne-Julie.

Les deux jeunes femmes éclatent de rire ensemble.

— Mais grand-maman, ça coûte cher, un ordinateur !

— Taratata ! chantonne Marie-Ange. Il n'y a rien de trop beau pour toi et mon petit-fils. Et tant qu'à investir dans une carrière d'écrivain, il vaut mieux que tu sois parfaitement outillée ! Et ne fais pas cette tête-là, tu accepteras ce cadeau ! Sinon...

— Tu me déshériteras ! Je sais, sourit Anne-Julie, enchantée par cette offre alléchante.

Manon pouffe de rire et adresse un clin d'œil à Anne-Julie.

— Tu vois bien que tu ne peux pas refuser, Anne-Julie, dit-elle malicieusement.

Puis le regard de Manon devient tendre. Elle prend une des mains de la jeune femme et d'une voix très douce, elle ajoute :

— Je suis heureuse de te sentir plus sereine, Anne. Si tu savais comme je me sens soulagée !

Cette réflexion soulève une onde de tristesse dans le cœur d'Anne-Julie. Pendant un bref instant, elle songe à Vincent.

Comme elle aimerait partager ces moments de bonheur avec lui !

Deux jours plus tard, une camionnette vient livrer un ordinateur à la demeure ancestrale de Marie-Ange Gagnon-Hudon. Anne-Julie trépigne de joie devant cette chance inespérée que lui offre la vie. Enfin, elle pourra écrire son roman et réaliser ses rêves !

16

C'est le 15 mars 1987 que Philippe, Vincent, Mathieu Beaulieu fait son entrée officielle dans le monde. C'est un magnifique et vigoureux poupon de quatre kilos ! Marie-Ange ne peut retenir des larmes de joie. Elle a peine à croire qu'une femme de la famille ait pu enfin donner naissance à un garçon fort et en bonne santé. C'est la première fois que cela se produit depuis plusieurs générations, et elle remercie Dieu de lui avoir accordé cette faveur.

Malgré le poids imposant du bébé, l'accouchement s'est somme toute assez bien déroulé. Manon, qui a assisté à la venue au monde du petit Mathieu, resplendit de bonheur et de sérénité. Jamais elle n'oubliera cette expérience unique !

Anne-Julie n'a pu s'empêcher de fondre en larmes lorsqu'elle a aperçu le visage de son fils. Elle craignait de reconnaître les traits de Stéphane sur celui de son enfant. Cette perspective même lui a fait faire de nombreux cauchemars durant les derniers mois de sa grossesse. Heureusement, l'enfant n'a rien de Stéphane Bourque, ce qui soulage aussi grandement Manon.

Mathieu hérite de l'abondante chevelure sombre et des yeux bleus de sa mère. Si par malheur les cheveux du nourrisson avaient été blonds ? Manon préfère ne pas trop penser à cela, même si la couleur des cheveux de Mathieu n'écarte pas complètement la possibilité que Stéphane soit son père.

Rassurée, la jeune femme se coule tranquillement dans un fauteuil de la chambre d'Anne-Julie, tandis que celle-ci donne le sein à son fils.

— Cet enfant est superbe ! s'exclame Manon, légèrement jalouse.

— C'est vrai qu'il est beau ! Je n'aurais jamais cru que la vie allait m'offrir un aussi beau cadeau. J'ai l'impression de renaître. C'est comme si, tout à coup, je découvrais un sens à ma vie.

— C'est si beau de vous voir tous les deux !

— Si tu savais combien j'ai eu peur qu'il ressemble à Stéphane, ajoute Anne-Julie en serrant son fils contre sa poitrine.

— Je sais. Mais il n'en est rien. Alors, sèche ces grosses larmes et souris à la vie.

— Je vais l'aimer cet enfant, plus que ma propre vie. Il aura tout ce que je n'ai pas eu.

— Tu es injuste, Anne ! Ton père t'aimait déraisonnablement, m'a confié ta grand-mère.

— C'est vrai. Mais après sa disparition ce fut le cauchemar, ajoute-t-elle, perdue dans ses souvenirs. Mathieu ne connaîtra jamais cela, j'en fais le serment !

Marie-Ange vient les rejoindre en souriant. Il est évident qu'elle se réjouit de l'arrivée de cet arrière-petit-fils. Un brin de malice au fond du cœur, elle demande :

— Qui seront les parrain et marraine de cet enfant ?

Anne-Julie adresse un sourire à sa grand-mère. Les deux femmes en ont discuté longuement durant le dernier mois de grossesse.

— Ce seront Benoît et Manon, répond-elle lentement, pour permettre à Manon d'assimiler la nouvelle.

La réaction de celle-ci est vive comme l'éclair.

— Moi ?

— Oui, toi. Toi, ma seule amie, mon alliée depuis toujours.

— Mais Marie-Ange est ta seule parente ! s'objecte aussitôt Manon. Je crois que cet honneur lui revient de plein droit.

Marie-Ange éclate de rire devant l'effet de surprise que provoque cette nouvelle.

— Je serai la grand-mère de cet enfant. J'aurai donc tout le loisir de le gâter. Un titre à la fois suffit, il me semble. Non, sérieusement, Manon, il te revient d'être la marraine de Mathieu.

— Moi, je peux comprendre, mais Benoît ?

— N'avez-vous pas parlé de mariage, Benoît et toi ? s'interpose Anne-Julie d'un ton taquin.

— Oui, c'est décidé maintenant, s'enflamme aussitôt Manon, nous nous marierons en juillet prochain.

Anne-Julie s'attendrit à cette bonne nouvelle. Elle est franchement heureuse pour Manon. Elle apprécie Benoît qui est, à son avis, un jeune homme sérieux et très tendre envers Manon. Cette dernière n'aurait pu choisir meilleur compagnon de vie. Ils forment un couple enviable.

— Tu sais quoi ? la questionne Manon, tout excitée.

— Non.

— Benoît a décidé de postuler un emploi d'enseignant en mathématiques au cégep de Rivière-du-Loup. Il dit qu'en mettant les pieds dans cette ville, il s'est tout de suite senti chez lui.

— Il quitterait son poste d'enseignant au cégep de Limoi-
lou pour venir vivre à Rivière-du-Loup ?

— S'il y avait une possibilité pour moi comme pour lui,
oui. Il le ferait sans hésiter.

— C'est formidable ! s'exclame Anne-Julie franchement
heureuse pour son amie. Nous serions de nouveau réunies.

— C'est ce que je souhaite du fond du cœur, dit Manon en
embrassant Anne-Julie sur la joue. Et puis, je serais proche de
mon filleul aussi. Je pourrais le gâter à ma guise, moi aussi.

Marie-Ange, qui a écouté cet échange avec beaucoup d'intérêt, intervient :

— Pas trop, j'espère. Il ne faudrait pas faire de ce gamin
un petit monstre.

Les deux complices éclatent de rire, et Manon reprend la
discussion.

— Quand le feras-tu baptiser ?

— J'attendrai la fin de tes études. Tu ne vas pas toujours
manquer tes cours à cause de moi.

Le petit Mathieu quitte le sein de sa mère en faisant une
moue enfantine, qui fait rire les trois femmes.

— Oh ! s'attendrit Manon. Regarde comme il est mignon.

— C'est vrai. Je ne sais pas si c'est parce que c'est mon
fils, mais je le trouve adorable. Il sera un rayon de soleil dans
ma vie.

Deuxième partie

Août 1992

17

Notre-Dame-du-Portage ressemble aujourd'hui à une immense fresque vivante. Le ciel est d'un bleu limpide, et aucun nuage ne vient assombrir la quiétude de ce lieu paradisiaque aux yeux d'Anne-Julie. En arrière-plan, la grande demeure toute blanche de Marie-Ange s'érige avec fierté.

Anne-Julie est fascinée par la profondeur de la mer dont les flots se brisent sur les récifs à fleur d'eau. L'écume, presque blanche, se répand sur les pieds de la jeune femme. La marée monte tout doucement devant elle, tandis qu'elle prie comme si elle était en adoration devant cette vaste et puissante étendue.

Le clapotis de l'eau, tel un mantra, l'incite à une méditation profonde. Au fond du fleuve, la jeune femme distingue des algues qui deviennent le miroir de son âme. Cette similitude entre l'eau du fleuve et ses propres émotions peut paraître curieuse, mais Anne-Julie a l'impression que ses sentiments se bercent au rythme des vagues du fleuve Saint-Laurent.

Un vol de goélands vient la saluer, quémandant de la

nourriture que très souvent Anne-Julie et Mathieu leur offrent. Cela amuse follement le bambin, maintenant âgé de cinq ans.

La jeune mère sourit en regardant son fils courir sur le sable de la plage. Mathieu pousse à vue d'œil. Il est même plutôt grand pour son âge. Chaque jour, elle s'émerveille devant cet enfant si attachant par sa douceur et sa candeur.

Tandis qu'elle observe le garçonnet, elle songe à sa vie présente, une vie somme toute assez agréable. Bien sûr, elle a dû s'imposer le sacrifice de vivre loin du cœur et des bras de Vincent... Mais son existence est remplie des rires de Mathieu et de la complicité toujours grandissante de Marie-Ange. Marie-Ange... La vieille femme a maintenant quatre-vingt-sept ans, et elle conserve toujours un pas alerte. Décidément, Marie-Ange vieillit merveilleusement bien ! Elle doit se ménager à cause de son grand âge, mais Anne-Julie reste bouche bée devant l'enthousiasme qui l'anime lorsqu'il est question d'un projet nouveau ou d'une sortie intéressante. C'est sans doute Mathieu qui la garde aussi vivante et jeune. Il faut dire que le gamin aime tendrement son arrière-grand-mère et l'oblige, par ses jeux, à s'activer. C'est fou l'énergie qu'un enfant peut demander ! Il dessine à Anne-Julie des paysages étonnamment beaux, ce qui ravit les deux femmes.

Au plus profond de son être, Anne-Julie s'accroche à l'idée que Mathieu est bel et bien le fils de Vincent. N'a-t-il pas le petit nez pointu de son père ?

« Vincent, que deviens-tu ? Es-tu marié ? Où vis-tu ? As-tu des enfants ? Penses-tu à moi comme je pense à toi ? » Autant de questions qu'Anne-Julie se pose pour la millième fois mais qui demeurent sans réponses, la rendant encore trop souvent mélancolique. Elle n'oubliera jamais Vincent, elle le sait.

Des hommes l'ont pourtant approchée... Mais aucun n'a réussi à surpasser Vincent. Elle l'aime encore et sait qu'il demeurera l'unique amour de sa vie. Ses nuits restent peuplées d'images de Vincent. Elle refait constamment le même rêve : il l'attend quelque part, sur une plage déserte. Elle l'aperçoit... Puis elle se réveille en pleurant, mettant parfois des heures à se rendormir. Comment oublier les caresses de Vincent : ses lèvres posées sur les siennes ; ses mains parcourant son corps assoiffé d'amour et surtout, sa tendresse.

Morose, elle baisse les yeux et ses doigts caressent le sable. Non loin d'elle, Mathieu s'active, avec beaucoup de volonté, à ériger un château de sable. Il rit, s'impatiente lorsque son œuvre s'écroule, recommence avec la détermination d'un artiste chevronné. Anne-Julie se prend encore une fois à s'émerveiller devant ce petit bout d'homme déjà tellement grand.

Lorsque, à peine âgé de trois semaines, le chérubin a perdu sa première touffe de cheveux et que des mèches aux reflets cuivrés, comme ceux de son père, ont couvert la tête de l'enfant, le cœur d'Anne-Julie s'est emballé. Il est beau, son fils ! Beau comme on l'est à cet âge. Beau comme on l'est lorsqu'on a la vie devant soi. Beau dans un corps tout neuf. Beau comme les grands rêves qui nous habitent. Comme toutes les mères sans doute, Anne-Julie s'enorgueillit en songeant que Mathieu est le plus bel enfant de la terre. Comment pourrait-il en être autrement ? Vincent était un si bel homme ! Et Mathieu ressemble à son père. À part ses yeux bleus, rieurs, moqueurs et pleins de naïveté, l'enfant est la réplique presque parfaite de Vincent. Son corps long est solidement charpenté, comme celui de son père. Il semble solide comme le roc et pourtant son cœur est tendre et fragile ; une caractérisque de son père également. C'est un enfant tellement attendrissant... Tout comme l'était Vincent, lui aussi.

Anne-Julie soupire. Non. Elle n'a pas encore fait le deuil de son amour perdu. Vincent occupe ses pensées, et la présence de Mathieu ne l'aide pas à oublier.

Bientôt, le gamin ira à l'école maternelle, et elle appréhende ce moment qui l'éloignera de son fils. Elle éprouve de la peur à l'idée qu'il puisse perdre de son innocence. Quelque part au fond d'elle, elle refuse qu'il vieillisse et craint qu'il cesse de lui montrer son affection. Lorsque les jeunes garçons atteignent onze ou douze ans, ils ne manifestent plus à leur mère leur tendresse, maintenant volontairement leurs distances, lui a-t-on dit. C'est sans doute pour signifier qu'ils deviennent des hommes. C'est inévitable, semble-t-il.

Marie-Ange, quant à elle, se réjouit que Mathieu aille sous peu à l'école. Elle trouve inquiétant qu'Anne-Julie se consacre aussi entièrement à son fils. La jeune femme sait bien que Marie-Ange a raison. En cinq ans, elle n'a écrit que deux romans. *Jours de brume* s'est vendu à plus de vingt mille exemplaires, ce qui est un exploit pour un premier écrit. Son éditeur, qui lui faisait autrefois les yeux doux, la harcèle à présent pour qu'elle produise plus rapidement ses ouvrages, que les lecteurs s'arrachent, prétend-il. Dans moins d'un mois, la jeune auteure devra se rendre à Montréal pour le lancement officiel de sa deuxième œuvre, *Gouffre,* et passera aussi trois jours à Québec. Anne-Julie est devenue une vedette du monde littéraire.

La jeune femme a projeté de confier Mathieu à son amie de toujours durant cette semaine de déplacement. Elle préfère ne pas perturber le jeune garçon en le trimbalant parmi les foules. Il faut dire que Mathieu est plutôt solitaire. Il souffre beaucoup d'insécurité lorsqu'il rencontre les admirateurs de sa mère.

En compagnie de ses parrain et marraine, Mathieu est davantage en confiance. Il faut préciser que Manon ne cesse de le gâter, surtout depuis qu'elle habite à Cacouna. Elle et Benoît ont réussi à se dénicher un emploi d'enseignants, au cégep de Rivière-du-Loup. Le couple a même donné naissance à un gros garçon, prénommé Sébastien. Celui-ci est maintenant âgé de deux ans. Lorsque les deux garçonnets sont réunis, Mathieu, qui a déjà un grand sens des responsabilités, veille au bien-être de son petit copain.

Mathieu s'exclame de plaisir à la vue des canards qui prennent leur envol, obligeant Anne-Julie à sortir de ses pensées. La nature renferme des mystères qui fascinent son jeune enfant, curieux de tout savoir.

— Pourquoi les oiseaux quittent-ils notre pays ? demande-t-il à sa mère.

— Pour ne pas mourir de froid, répond Anne-Julie en souriant. Ils n'ont pas de maison aussi chaude que la nôtre, eux.

— On pourrait les recueillir et leur faire des nids dans le garage durant l'hiver. Ils ne seraient pas obligés de partir en voyage pour se garder au chaud. Ça doit être épuisant tous ces voyages !

Anne-Julie éclate de rire devant l'innocence de son fils.

— Notre garage n'est pas suffisamment grand pour y loger tous les oiseaux de Notre-Dame-du-Portage, Mathieu ! explique-t-elle en quittant son rocher pour aller prendre son fils dans ses bras.

— Oh ! c'est triste, maman ! Je voudrais tant les aider.

— Je sais. Tu as si bon cœur, mon adorable petit bonhomme !

— J'ai une idée, prévient Mathieu, en faisant une drôle de mimique comme il en a l'habitude. Si nous faisions un pique-nique sur le bord du fleuve. Ce serait amusant !

Anne-Julie réfléchit quelques instants à cette proposition. Si elle accepte, elle ne pourra pas écrire aujourd'hui. Mais, devant l'air suppliant du gamin, elle se laisse convaincre.

— Merci, maman ! Je vais demander à grand-mère de nous préparer des sandwichs, des gâteaux, du bon jus de fruits et des chips.

— Oh non ! Mathieu ! Pas de chips. Tu sais bien que ce n'est pas bon pour toi !

Devant la mine attristée de son fils, Anne-Julie capitule.

— C'est d'accord ! Mais juste quelques-unes, alors.

— Oh ! merci ! Est-ce que grand-maman Marie-Ange va venir avec nous ?

— Je ne crois pas, Mathieu. Grand-maman est fatiguée ces jours-ci. Et puis, tu sais comme elle est frileuse. Les personnes âgées sont sensibles à la température.

L'enfant semble réfléchir. Anne-Julie perçoit une lueur d'inquiétude dans son regard.

— C'est vrai, grand-maman ne va pas très bien, dit-il d'un air sombre. Tout à l'heure, quand je suis sorti, grand-maman n'était même pas encore levée ! D'habitude, c'est elle qui se lève toujours la première.

Anne-Julie blêmit devant la remarque de l'enfant. Elle n'y avait pas porté attention, mais c'est vrai que Marie-Ange n'était pas encore debout à neuf heures ce matin alors que, la plupart du temps, elle s'éveille vers sept heures et prépare le déjeuner de Mathieu, tandis qu'Anne-Julie flâne au lit jusqu'à huit heures.

Mue par un sombre pressentiment, Anne-Julie prend la main de Mathieu et se dirige vers la maison, pressée d'aller vérifier si sa grand-mère est enfin réveillée. Arrivée en haut de l'escalier, elle donne l'ordre à Mathieu de l'attendre, assis sur la balançoire de la galerie.

Le cœur de la jeune femme bat à tout rompre lorsqu'elle pénètre à l'intérieur de la maison. Non ! Mon Dieu, non ! Faites qu'il ne soit rien arrivé à Marie-Ange, prie-t-elle en retenant des larmes d'appréhension.

D'un pas précipité, elle entre dans la chambre de son aïeule et constate que Marie-Ange est encore dans son lit. Tremblante, elle s'approche et touche le visage de sa grand-

186

mère en l'appelant doucement. Mais la vieille dame ne bouge pas. Anne-Julie soulève les couvertures et prend la main de Marie-Ange. Dès qu'elle touche la peau glacée, elle sait qu'il n'y a plus rien à faire.

— Marie-Ange, non !

Anne-Julie se met à sangloter. Son cœur se gonfle d'un chagrin insupportable. Elle quitte la chambre de Marie-Ange et s'oblige à réfléchir à ce qu'elle doit faire. Fébrilement, elle se décide à communiquer avec sa voisine, la mère de Félix-Antoine, qui est le seul véritable ami de Mathieu.

Dès qu'elle obtient la communication, elle lui demande de venir chercher Mathieu, le temps que les ambulanciers emmènent le corps sans vie de Marie-Ange. Les larmes coulent sur ses joues enfiévrées. Elle téléphone ensuite à l'Hôpital de Rivière-du-Loup pour faire part de sa découverte. Puis, se composant un visage serein, elle va rejoindre Mathieu qui n'a pas bougé de la balançoire. Il lui sourit en l'apercevant et demande :

— Est-ce que grand-maman va venir avec nous ?

— Non, mon chéri... et nous ne pourrons pas pique-niquer aujourd'hui. Nous devrons remettre ce projet à plus tard.

— Pourquoi ? s'informe l'enfant, qui comprend bien qu'il se passe quelque chose d'anormal.

— Grand-maman est malade, Mathieu. J'ai appelé la mère de Félix-Antoine qui va venir te chercher pour t'amener chez elle. Il faut que grand-maman Marie-Ange parte pour l'hôpital. Est-ce que cela te plairait de dîner chez Félix-Antoine ?

— Oh oui ! s'excite l'enfant.

Anne-Julie se sent soulagée de voir partir Mathieu en compagnie de Félix-Antoine et de sa maman. Son enfant n'aura pas la douleur de voir le corps de sa grand-mère quitter la demeure ancestrale.

Trois jours plus tard, les yeux gonflés par les larmes, Anne-Julie enterre Marie-Ange Gagnon-Hudon. Les funérailles sont très émouvantes pour ceux qui ont côtoyé la vieille dame.

Étouffant ses sanglots, Anne-Julie s'appuie sur l'épaule de Manon. Celle-ci, mieux que quiconque, comprend sa détresse. Elle connaît les sentiments qu'éprouve Anne-Julie pour Marie-Ange. Elle l'a, elle-même, beaucoup aimée, appréciée et respectée. La vie est si cruelle parfois !

Les jours suivants, Anne-Julie s'enferme dans sa détresse. Elle a eu beau, maintes fois, tenter de se faire à l'idée que Marie-Ange disparaîtrait un jour, elle n'était pas encore prête à l'accepter. Elle n'ose trop pleurer afin de ne pas grossir démesurément le chagrin de Mathieu, lui aussi très ébranlé par ce deuil qu'il n'est pas en mesure de comprendre réellement. C'est la toute première fois qu'il vit un décès. C'est le cœur chaviré qu'Anne-Julie répond à ses nombreuses interrogations.

— Où elles vont les grands-mamans qui meurent ? demande-t-il, un mois après le départ de Marie-Ange.

— Au ciel, mon amour !

— Où il est le ciel, maman ?

— Seuls ceux qui meurent le savent, mon trésor.

— Est-ce qu'on s'amuse au ciel ? s'informe-t-il, la mine sérieuse.

— Bien sûr, mon poussin.

— Grand-maman Marie-Ange a-t-elle des amis au ciel ?

— Bien sûr, Mathieu.

— Qui sont ces amis ?

— Eh bien... il y a son mari, David Hudon. Il l'attend déjà depuis longtemps au paradis, celui-là. Il devait avoir bien hâte de revoir grand-maman. Et grand-maman, elle aussi, s'ennuyait de son mari.

— Grand-maman n'est pas triste alors ?

— Bien sûr que non, Mathieu ! Elle est très heureuse même.

— Alors... pourquoi tu pleures tout le temps, toi, maman ? T'as qu'à penser que grand-maman Marie-Ange est partie en voyage et que tu la retrouveras lorsque toi aussi t'iras dans son nouveau « Paradis ».

Anne-Julie est attendrie par la réflexion juste de Mathieu. Cet enfant ne cesse de la surprendre et de l'émouvoir. Elle l'attire vers elle. Mathieu a raison, elle ne peut indéfiniment s'apitoyer sur son sort. D'ailleurs, n'est-ce pas Marie-Ange qui lui a dit un jour :

« Ce que j'ai vécu avec David était si beau, si profond, que je ne lui ferai pas l'affront de le pleurer éternellement ! »

Anne-Julie décide, pour elle et pour son fils, de suivre l'exemple de cette femme vigoureuse. Marie-Ange lui a enseigné la force et le courage. Elle lui prouvera qu'elle est capable de tout surmonter, même sa tristesse.

— Je pleure parce que je m'ennuie de Marie-Ange, Mathieu. Cela prendra beaucoup de jours avant que je puisse la revoir... Mais tu as raison, je vais cesser de pleurer. Toi et moi, nous devons vivre encore longtemps l'un près de l'autre. Et puis, nous ne sommes pas seuls, puisque nous avons tante Manon et oncle Benoît pour amis.

— Et Sébastien !

— Et Sébastien.

— Et Félix-Antoine et sa maman !

— Et Félix-Antoine et sa maman, mon chéri.

— Et tous tes admirateurs !

Anne-Julie éclate d'un rire franc. Ce petit être aura toujours le don de la dérider totalement.

— Et tous mes admirateurs, approuve-t-elle enfin.

18

Il y a de la fébrilité dans l'air ! Ce soir, chez Manon Gauthier et Benoît Harel, on prépare une énorme fête pour célébrer les trois ans de Sébastien. Manon a invité tous les petits garçons et les petites filles du voisinage pour l'anniversaire de son fils. Elle a donc dû appeler Anne-Julie à la rescousse pour l'aider dans la lourde tâche de préparation. En tant que marraine de Sébastien, Anne-Julie a tenu à passer toute la journée auprès de Manon. Et c'est dans la joie la plus pure que les deux amies font tout pour que l'événement reste gravé dans la mémoire du gamin.

Les mains dans la farine, elles préparent un gros gâteau en forme de voiture. Sébastien adore les autos et les camions. Il en possède une véritable collection et s'amuse à imiter le bruit des moteurs.

Anne-Julie constate une fois de plus combien Mathieu est différent de son ami. Il a, lui aussi, un attrait marqué pour les voitures. Mais ce qu'il préfère, c'est dessiner des voitures anciennes. Il y réussit d'ailleurs fort bien ! Tellement, qu'Anne-

Julie ne peut se résoudre à jeter ses réalisations, qu'elle affiche sur les murs de la chambre de Mathieu ainsi que dans son bureau.

Plus les mois s'écoulent et plus les talents de dessinateur de Mathieu se développent de façon étonnante. Sa patience est illimitée. Il est consciencieux et ne cesse de recommencer ses œuvres afin de maîtriser l'art du dessin. L'entourage de l'enfant est ébloui devant le souci du détail qu'il apporte à ses créations.

Tandis qu'Anne-Julie s'occupe à écrire ses romans, Mathieu, lui, s'installe à la table à dessin que sa mère lui a offerte. Tel un professionnel, il dessine avec une rapidité étonnante. De longues heures s'écoulent ainsi, chacun heureux près de l'autre, s'exprimant selon ses talents. À plusieurs reprises, Anne-Julie a tenté d'initier son fils à la calligraphie. Mais l'écriture rebute Mathieu.

La marmaille accapare maintenant toute l'attention des deux jeunes mères. Fermement décidées à rendre cet événement inoubliable, elles se laissent mener par le tintamarre joyeux des enfants et ne ménagent pas leurs énergies pour assurer la bonne marche de cette fête.

— Où as-tu caché ton âne ? crie Anne-Julie, en s'adressant à Manon qui est occupée à remplir des verres de jus pour désaltérer les invités.

— Dans l'armoire de la cuisine, répond Manon. Attends ! Je vais le chercher tout de suite.

Pendant l'absence de Manon, Anne-Julie en profite pour faire asseoir les enfants par terre et elle leur raconte une histoire de son cru. Lorsque Manon revient avec les jus, le jeune auditoire est suspendu aux lèvres d'Anne-Julie. Médusée par le talent de conteuse de son amie, Manon s'assoit sur un des canapés et écoute attentivement l'histoire, qui captive autant les grands que les petits.

C'est dans un chahut infernal que les jeunes enfants se précipitent ensuite dans la salle à manger pour déguster le délicieux goûter aux couleurs attrayantes que les deux jeunes femmes ont préparé à leur intention.

Après le départ de leurs amis, recrus de fatigue, Mathieu et Sébastien papillotent des yeux. On les baigne et on réussit à les coucher à vingt heures. Sébastien s'endort aussitôt, mais Mathieu reste agité.

— Es-tu heureux de cette journée, Mathieu ? lui demande Anne-Julie.

— Oh oui ! répond l'enfant.

Mais soudain, son humeur s'assombrit légèrement.

— Qu'as-tu, mon ange ? Tu sembles triste tout à coup, murmure-t-elle, en scrutant le visage de son fils.

Mathieu a encore les rondeurs de l'enfance, marquées de façon touchante par de petites fossettes aux articulations des doigts et des genoux, tandis que son visage, presque angélique, est encadré par une chevelure abondante.

L'enfant adopte un air profondément troublé et annonce :

— Pierre-Luc Côté m'a demandé où était mon papa.

Anne-Julie blêmit et ressent un profond malaise.

— Que lui as-tu répondu ?

— Que je n'en avais pas. Mais Pierre-Luc prétend que ça ne se peut pas. Que ce sont les papas qui font les enfants et que, si je suis là, c'est que j'ai forcément un papa. Il m'a assuré qu'une mère ne peut pas faire un enfant toute seule. Où est mon papa, maman ?

C'est la première fois que Mathieu s'inquiète de ses origines. La jeune femme n'a jamais parlé de ce sujet délicat avec son fils. Elle comprend subitement que c'est une grave erreur de sa part.

— C'est vrai que tu avais un papa, Mathieu. Pierre-Luc a

raison sur ce point. Pour donner la vie à un beau garçon comme toi, il faut un papa et une maman, mais...

— Papa est mort ! C'est ça, maman, n'est-ce pas ?

Anne-Julie sent une tristesse indéfinissable s'emparer de tout son être. Un sanglot lui noue la gorge, mais elle se reprend en disant d'une voix très douce :

— Ton père aimait le danger. Il pilotait des avions. Un jour qu'il survolait le ciel des États-Unis, son avion s'est écrasé.

Anne-Julie constate, au fur et à mesure qu'elle élabore cet énorme mensonge, combien elle se fait horreur. Elle déteste mentir à son fils, mais elle doit le faire. L'équilibre de son enfant en dépend.

Le bambin pleurniche. Il semble si triste qu'Anne-Julie sent son cœur se déchirer de douleur.

— Mais, tu sais, ton papa était un homme très bon et toujours de bonne humeur. Et... il aimait dessiner, lui aussi, tout comme toi.

— Quel âge j'avais quand il est mort ? l'interrompt Mathieu.

— Malheureusement... il ne t'a pas connu. J'étais enceinte de toi lorsqu'il m'a quittée pour le paradis.

— Il habite avec Marie-Ange, maintenant ?

— Oui, mon chéri...

Mathieu laisse échapper une larme sur sa joue, ce qui contribue à rendre Anne-Julie encore plus triste.

— Comment il s'appelait mon papa ? poursuit l'enfant, désirant en savoir davantage.

Anne-Julie sent qu'elle va défaillir. Elle s'oblige à inventer un nom.

— Jérôme Lagacé, répond-elle, d'une voix coupable. Il vaut mieux oublier tout cela, Mathieu, nous en rediscuterons un autre jour. Il faut que tu te dises que tu n'es pas le seul petit garçon qui ne connaît pas son père. Regarde ton ami Félix-Antoine, lui non plus n'a pas de papa et cela ne l'empêche pas d'être heureux avec sa maman.

— Oui... mais lui, c'est pas pareil, affirme Mathieu en cherchant le regard de sa mère.

— Comment ça, pas pareil ?

— Ses parents ont divorcé et il voit son père, affirme l'enfant d'un ton révolté, tandis que le mien est parti au ciel.

— Ton papa est avec grand-maman Marie-Ange. Tu te souviens de ce que tu m'as dit lorsqu'elle est morte. Tu m'as conseillé de ne plus pleurer Marie-Ange en me disant que je n'avais qu'à imaginer qu'elle était en voyage et que je la reverrais un jour. Tu n'as qu'à en faire autant. Un jour, tu rencontreras ton papa et tu seras heureux de le connaître.

Cette remarque amène un sourire forcé sur le visage de Mathieu. Il tend les bras pour que sa mère le prenne contre elle.

— T'as raison, maman. Je vais l'imaginer... et je lui parlerai comme s'il était content d'avoir un petit garçon comme moi. Je lui parlerai, dans ma tête.

— C'est parfait, Mathieu. Maintenant, dors, mon ange. Il est temps de te reposer. Tu verras, demain tout ira beaucoup mieux.

Anne-Julie a la mort dans l'âme. En silence, elle descend et va s'asseoir en soupirant près de Manon. La jeune mère raconte à son amie ce qui vient de se passer.

— Que vais-je faire, Manon ? Je n'avais pas prévu cela dans mon scénario !

— Mathieu est si jeune... Bientôt, il aura oublié toute cette histoire.

— C'est faux et tu le sais, Manon ! s'emporte Anne-Julie, devant l'indifférence de son amie. Justement, Mathieu est jeune. D'ici quelques années, il va me harceler pour en savoir davantage sur son père. Oh ! mon Dieu ! Que vais-je lui dire ? J'ai honte de lui mentir de cette façon. Je suis dans une effroyable impasse !

Comprenant les sentiments qui agitent Anne-Julie, Manon s'approche et la prend dans ses bras. Un long silence s'installe entre elles, chacune méditant sur les mystères qui enveloppent la vie d'Anne-Julie. Il y a trop de secrets dans son univers, trop de choses non dites, trop d'événements à camoufler.

— Pourquoi n'essaies-tu pas de retrouver Vincent ?

— Tu es folle, ou quoi ? s'écrie Anne-Julie, scandalisée par cette idée. Tu me vois lui téléphoner ? Qu'est-ce que je lui dirais ? Bonjour, Vincent ! Comment vas-tu ? Je voulais t'annoncer qu'un fils est né de notre brève intrigue amoureuse !

La jeune femme se lève, en proie à une grande agitation.

— Imagine... Vincent est probablement marié et il est sans doute père de deux ou trois enfants. Comment prendrait-il la chose, tu crois ? Et tu oublies mes origines scabreuses ! Non !

— Tu dramatises toujours tout, Anne-Julie ! s'emporte à son tour Manon. Tu as été victime d'un viol effroyable qui a brisé ta vie. Je suis sûre que Vincent comprendrait ce qui t'est arrivé. Et puis, pense à Mathieu. Cet enfant serait heureux de connaître son père. Tu lui dois bien ça !

— Mathieu n'a besoin que de mon amour, Manon ! Et si tu es mon amie, tu dois comprendre dans quelle position délicate je me trouve.

— Ne mets pas en doute mon amitié, Anne-Julie. Tu sais tout ce que je suis capable de faire pour toi.

— C'est vrai, excuse-moi. Je dis n'importe quoi. L'idée d'apprendre toute la vérité à Mathieu m'affole tellement que je divague.

Manon quitte à son tour le canapé et vient rejoindre son amie.

— Il y a au moins une chose positive dans cette crise.

— Je me demande bien laquelle !

— Cet événement devrait te permettre de mieux comprendre dans quelle situation délicate tes parents se trouvaient.
En pensant à Mathieu, tu devrais être capable de comprendre
comment ton père a pu de son vivant te cacher l'inavouable
vérité sur ta conception... et comment cela a dû être pénible
pour lui.

À ces mots, Anne-Julie s'effondre. Le passé la poursuivra
donc inlassablement. Elle est plongée dans le même dilemme
que ses parents.

19

Mathieu a finalement accepté l'idée que son père ne puisse faire partie de sa vie. Anne-Julie lui a affirmé que c'était quelqu'un de très bien ; mais que pour des raisons qui ne s'expliquent pas, Dieu l'a rappelé à Lui. Et que peu importe l'endroit où il se trouve, il veille constamment sur eux. Elle promet qu'elle l'aime pour deux et qu'elle peut lui offrir tout ce qu'un papa lui aurait donné.

Bien qu'il ait compris tout cela, Mathieu s'enferme dans un monde imaginaire où son papa devient le plus grand aviateur de tous les temps. Il met sa passion des voitures anciennes de côté et, sous le regard déchiré de sa mère, il exhibe fièrement ses dessins d'avions de guerre.

Anne-Julie sait qu'il cherche, le plus justement possible, à se créer une image de son père en essayant de s'identifier au personnage qu'elle a fabriqué de toutes pièces pour lui. Même si cette saine réaction aide Mathieu à surmonter sa peine, Anne-Julie ressent, de son côté, une très grande culpabilité.

Mathieu ne comprend pas pourquoi tout le monde est excité par sa prochaine entrée à l'école. Même sa tante Manon lui a offert un tableau pour écrire et des crayons à colorier tout neufs. Pour lui, cette obligation d'aller à l'école l'arrache des bras de sa mère. Il ressent une terrible angoisse à l'idée que, tous les jours, il devra quitter sa table à dessin et ses jouets pour passer un long après-midi dans un endroit qu'il ne désire pas fréquenter avec des supposés amis qu'il ne connaît pas. Il craint que sa mère ne meure en son absence, comme cela s'est produit pour son père.

De chez Félix-Antoine, l'enfant guette l'arrivée de sa mère avec une pointe d'inquiétude. Anne-Julie lui a bien dit qu'à son retour ils iraient tous les deux magasiner pour la rentrée scolaire. Elle prétend qu'il a besoin de vêtements neufs, de souliers de course, d'une boîte à goûter, d'un imperméable et d'un tablier.

Tout comme ses amis, Mathieu aurait dû se réjouir, mais cela ne l'amuse pas du tout. Il déteste l'odeur des vêtements neufs. Il préfère celle de la lessive de sa mère. Cependant, c'est le voyage en autobus qu'il appréhende le plus. Il n'est pas idiot. À maintes reprises, il a vu de ses propres yeux des garçonnets descendre du gros véhicule jaune en pleurnichant. Il ne sait pas trop ce qui s'y passe, mais cela lui fait horriblement peur. Peut-être que le chauffeur est un méchant ogre qui mange les enfants...

La crainte qu'il éprouve à l'idée de commencer l'école le réveille souvent en pleine nuit. Mathieu voit enfin la voiture de sa mère dans l'entrée de la demeure de son copain Félix-Antoine. Aussitôt, son visage s'illumine. Il se sent si seul, abandonné même, lorsqu'elle n'est pas auprès de lui. Il est vrai qu'elle le quitte souvent pour faire la promotion de ses romans.

La vie semble faite de soucis et d'obligations, et Mathieu juge tout cela fort compliqué. Lorsqu'il sera grand, lui, il ne travaillera pas. Il dessinera continuellement. C'est tout ce qu'il désire faire dans la vie. Il ne s'ennuiera jamais, à la condition que sa maman soit toujours à ses côtés. Il se souvient parfaitement du jour où il lui a promis qu'il l'épouserait lorsqu'il deviendrait un homme. Il n'a pas compris pourquoi cela a tant amusé sa mère. Il était pourtant très sérieux. Sa décision était prise depuis fort longtemps : il épouserait sa mère pour la protéger éternellement. Elle semble si fragile par moments. Souvent, il a été témoin des larmes qu'elle verse en cachette, pensant qu'il ne remarque rien.

Dès que sa mère s'approche de lui, Mathieu se jette dans ses bras. Anne-Julie le serre à l'étouffer et lui dit :

— Salut, mon ange ! Es-tu prêt pour le grand magasinage ?

L'enfant hoche la tête affirmativement, mais son regard laisse percevoir son manque de motivation. Elle lui caresse les cheveux et poursuit :

— Allons ! Ne fais pas cette tête... Je ne t'amène pas au vaccin.

« Le vaccin ! Parlons-en du vaccin ! » songe Mathieu.

Sa mère l'a entraîné jusqu'au C.L.S.C. pour qu'une femme rondelette et ricaneuse lui transperce le bras avec une monstrueuse aiguille. La douleur a été si vive qu'il a senti ses larmes couler toutes seules. Il s'est cependant retenu, car cette femme l'avait averti que les garçons ne pleurent jamais.

Et il se souvient parfaitement que sa douce maman lui a dit que ce vaccin était son ticket d'entrée pour l'école. Comment voulez-vous qu'un gamin puisse désirer aller à l'école après cela ?

— Alors, tu viens ? réitère sa mère, souhaitant à tout prix rendre cette expérience intéressante.

Mathieu hausse les épaules et consent à s'asseoir à l'avant de la voiture.

Devant le manque d'enthousiasme de son fils, Anne-Julie tente de le consoler :

— Lorsque tu verras tout ce que j'ai l'intention de t'acheter pour l'école, tu seras heureux comme un poisson dans l'eau !

L'enfant se cale bien au fond de son siège et demande :

— Maman, vas-tu venir à la maternelle avec moi ?

La voix du garçonnet est presque suppliante.

— Bien sûr que j'irai. Du moins, la première journée. Après, tu iras seul, comme un grand garçon.

— Je ne veux pas y aller sans toi, maman, pleurniche Mathieu.

Prise au dépourvu, Anne-Julie soupire et réfléchit longuement avant de dire :

— Écoute, Mathieu, cesse de pleurnicher. Ce n'est pas si terrible que cela, tu verras. Je te promets que lorsque tu quitteras la maison pour l'école, je t'accompagnerai jusqu'à l'autobus. Et lorsque tu reviendras à la fin de l'après-midi, je serai toujours là à t'attendre. Tu constateras par toi-même que toutes tes peurs s'envoleront comme par magie. C'est parce que tu ne connais pas l'école que tu es aussi craintif. C'est normal, tu sais. Mais tu verras : dans quelque temps, tu riras de tes peurs. Je suis certaine que tu t'habitueras à tout cela avant une semaine. Je t'assure que je te dis la vérité, mon ange. Pourquoi mentirais-je au plus adorable des petits garçons du monde entier ?

Mathieu hoquette :

— J'ai peur que tu meures toi aussi, comme papa.

Anne-Julie sent son corps se glacer d'effroi devant cette peur qu'exprime enfin Mathieu. Depuis combien de temps traîne-t-il cette crainte ?

— Alors, c'est ça qui te préoccupe tant ? Tu ne crois tout de même pas que je vais me sauver pendant ton absence ! C'est complètement insensé de penser une chose pareille !

L'enfant se croise les bras sur la poitrine dans une attitude fermée et réplique :

— Papa l'a bien fait, lui !

L'air stupéfait, Anne-Julie soupire en disant :

— Voyons, Mathieu, une mère n'abandonne pas son enfant, surtout si elle l'aime comme moi je t'aime.

— Guillaume dit que sa mère l'a abandonné lorsqu'il était petit, s'emporte le gamin.

— Moi, je ne ferai jamais une chose pareille, Mathieu ! Je n'ai que toi à aimer. Je ne peux pas vivre sans ton amour ! insiste Anne-Julie, qui veut absolument chasser cette idée de la tête de son fils.

— C'est bien vrai ? demande Mathieu, pas tout à fait convaincu.

— Écoute... tu te souviens de toutes les fois où je t'ai quitté pour aller vendre mes livres ?

— Euh... oui.

— Eh bien, je suis toujours revenue à ce que je sache ! Tu vois, il n'y a pas de raison que je t'abandonne. Je t'aime, Mathieu. Je t'aime tellement ! Si tu savais... Pour rien au monde je ne t'abandonnerais. Je mourrais de chagrin s'il t'arrivait quelque chose, mon petit homme. J'aimerais mieux mourir que de te perdre. Tu dois me croire, mon chéri.

Cette confession soulage Mathieu. Anne-Julie espère de tout cœur avoir effacé les doutes de son fils. S'il fallait que Mathieu grandisse avec une peur pareille, elle ne se le pardonnerait jamais.

Quelques mois plus tard, Anne-Julie a confié la garde de Mathieu à la mère de Félix-Antoine, pour se rendre à la maternelle que fréquente son fils. Elle est excitée à l'idée de connaître les observations de l'enseignante à son sujet.

Après une attente d'une demi-heure son tour arrive enfin.

— Je crois que vous êtes Anne-Julie Beaulieu, la mère de Mathieu ? s'informe Louise Rimbaud d'un ton professionnel.

— C'est exact !

Anne-Julie sent ses mains trembler. Elle a l'impression d'attendre le diagnostic d'un médecin sur son état de santé, tellement elle se sent nerveuse.

— D'abord, j'aimerais vous exprimer toute l'admiration que je porte à votre grand talent de romancière. Ce n'est pas tous les jours que nous avons la chance d'enseigner à l'enfant d'une célébrité. J'ai lu vos romans et même le livre que vous avez écrit pour enfants. J'en ai d'ailleurs plusieurs exemplaires ici, à la maternelle. Et c'est avec un réel plaisir que j'en fais la lecture aux enfants qui apprécient vos histoires, croyez-moi.

— Je vous remercie, madame.

Anne-Julie s'efforce de ne pas montrer de signe d'impatience devant le bavardage de Louise Rimbaud, car elle a hâte d'avoir des nouvelles de son fils. Aussi, avec beaucoup de tact, finit-elle par amener la conversation sur le sujet qui la préoccupe.

— Si nous parlions de Mathieu, madame Rimbaud... J'aimerais tellement savoir comment il se comporte à la maternelle !

Le visage de la dame s'assombrit légèrement. Elle se met à fouiller parmi les feuilles qui sont sur son bureau et retire celle de Mathieu qu'elle remet entre les mains d'Anne-Julie. Pendant quelques instants, elle paraît réfléchir à ce qu'elle va dire, puis débute, d'une voix soigneusement modulée.

— Mathieu est un enfant charmant. Extrêmement facile à aimer, mais...

— Qu'est-ce qu'il y a ? s'inquiète Anne-Julie qui pressent une mauvaise nouvelle.

— Rassurez-vous, madame Beaulieu. Dans l'ensemble tout va bien pour Mathieu. Je veux simplement attirer votre attention sur le fait que je trouve Mathieu un peu trop solitaire. On dirait qu'il éprouve du mal à s'intégrer au groupe. Il préfère jouer seul et ne semble pas beaucoup apprécier la compagnie de ses camarades de classe. Alors, je me demandais... si Mathieu vivait une situation, disons spéciale, qui pourrait expliquer son attitude fermée vis-à-vis des autres ?

Anne-Julie prend une mine circonspecte. De quel droit cette femme vient-elle fureter dans sa vie personnelle ? D'une voix tendue mais nette, elle explique :

— Je vis seule avec mon fils. Mathieu ne connaît pas son père... parce qu'il est mort avant même sa naissance. Je l'ai élevé seule.

— Bon ! Je comprends mieux la situation maintenant.

Les épaules voûtées sous le poids de l'inquiétude, Anne-Julie reprend :

— Vous dites que Mathieu est replié sur lui-même. Mais... il a pourtant quelques amis dans la rue où nous habitons et il s'amuse régulièrement avec eux. Il ne me semble pas être aussi solitaire que vous le dites.

L'interlocutrice papillote légèrement des paupières avant de poursuivre :

— Tant mieux ! Mais, dites-moi, madame Beaulieu, combien de temps passe-t-il avec ses petits copains ?

— Assez de temps, je dirais. Mais, vous savez, je suis moi-même quelqu'un de solitaire. Je passe la majeure partie de mon temps à écrire, et Mathieu me ressemble beaucoup sur ce point. Sauf que lui, sa passion, c'est le dessin. Vous l'avez sans doute remarqué ?

— Oh ! ça oui, je l'ai remarqué ! fait l'institutrice en riant, dans le but de détendre l'atmosphère. Ne croyez pas que je désire vous apeurer avec les comportements de Mathieu, madame Beaulieu. Votre fils fait son apprentissage au même rythme que tous les autres enfants. Il n'est ni attardé ni indiscipliné. C'est juste que je trouvais son besoin de solitude difficile à vivre. Vous savez, lorsqu'on a une classe de dix-huit enfants de cinq ans, il faut avoir l'œil ouvert sur eux en tout temps. Et ma principale tâche consiste à les observer.

— Je comprends. Mais sentez-vous que Mathieu a un problème important ?

— Non, pas du tout. À mon avis, votre fils possède une vive intelligence et déborde d'énergie et de talents. D'ailleurs, à cet effet, je vous avoue qu'en vingt et un ans d'enseignement, je n'ai jamais rencontré un enfant aussi créatif que lui. Et dans ce sens, votre fils est un leader-né. Cependant, ça l'éloigne de ses petits copains, qui ne sont pas capables de le suivre dans ses projets beaucoup trop avancés pour des enfants de cet âge. Souvent, Mathieu propose des jeux qui demandent une excellente dextérité manuelle, comme la construction de maisons, par exemple. Or, la plupart de ces enfants éprouvent encore de la difficulté à tenir correctement des ciseaux entre leurs mains ! Vous comprendrez qu'il est naturel pour Mathieu de ressentir certaines frustrations. Il se décourage et préfère se retirer du groupe. Et, franchement, je ne sais pas trop comment m'y prendre avec lui. Je sens bien que cet enfant à des talents hors du commun, mais je dois lui apprendre la socialisation. Si je l'oblige à se joindre continuellement aux autres enfants, il sera privé de ce qu'il aime le plus faire. Si, par contre, je le laisse faire selon ses désirs, j'ai peur qu'il ne s'intéresse jamais à l'école et qu'il n'apprenne pas à vivre en collectivité. Comprenez-vous où je veux en venir ?

Anne-Julie ne sait comment elle pourrait intervenir dans le besoin de solitude de son fils. Prudente, elle demande :

— Que dois-je faire, à votre avis ? risque-t-elle, les sourcils froncés d'impuissance.

— Je pense qu'il faut obliger Mathieu à s'insérer dans le groupe, sans toutefois trop le brimer. Il faut lui accorder du temps libre pour laisser jaillir son imagination et encourager sa créativité, ce qui est une grande force chez lui, avouons-le.

— Je comprends, approuve Anne-Julie.

— Bien. À cet effet, madame Beaulieu, je voulais vous prévenir qu'il est très possible que Mathieu arrive parfois de l'école en pleurant parce qu'il n'a pas pu réaliser un projet qu'il avait en tête, avant même d'arriver en classe en début d'après-midi. Vous devez vous attendre à ce qu'il exprime son mécontentement quant aux décisions que je prendrai à son sujet. Il peut, par exemple, arriver à la maison et vous dire qu'il me déteste, qu'il ne mettra plus jamais les pieds à l'école. Ses réactions seront normales parce que depuis le début de l'année scolaire, je l'ai laissé faire à son idée. Je désirais l'apprivoiser pour qu'il aime venir ici. Mais maintenant, je devrai l'obliger à des activités très précises parfois. Je lui accorderai toujours des moments de liberté. Mais, comme c'est à prévoir, il n'aura pas toujours suffisamment de temps pour terminer ses projets, et cela le rendra agressif envers moi. Je n'ai pas tellement le choix, voyez-vous ?

— Oui... répond Anne-Julie d'un air découragé.

— N'ayez pas de craintes à ce sujet, madame Beaulieu. Tôt au tard, Mathieu devra apprendre à sortir de son petit monde pour s'intégrer au groupe, comme nous le faisons tous. Ce sera dur, mais il y arrivera. Ce n'est pas le premier enfant à vivre ce genre de difficulté d'adaptation. Faites-moi confiance : votre fils est intelligent et il s'en sortira !

Sur ce, Anne-Julie se lève. Elle en a assez entendu. Une déception amère l'inonde et lui vrille le cœur. Elle aurait tant espéré entendre des choses positives au sujet de Mathieu. Elle comprend parfaitement le besoin de solitude de son fils puisqu'elle éprouve le même besoin. Mais voilà que la vie allait obliger Mathieu à changer sa personnalité pour se conformer à un monde rationnel qui n'est pas le sien. La crainte qu'il devienne malheureux la met en colère.

— Merci pour tout, madame Rimbaud ! Je verrai ce que je peux faire pour encourager Mathieu à s'intégrer davantage au groupe. Mais actuellement, je ne me sens pas suffisamment objective pour émettre quelque opinion sur le sujet. Vous comprendrez que je me sens impuissante en ce moment. Je dois réfléchir à tout cela à tête reposée.

— Je comprends votre inquiétude. Mais tout rentrera dans l'ordre d'ici peu, je vous le garantis.

Anne-Julie serre la main que lui tend l'enseignante et quitte la classe en songeant qu'elle n'aurait jamais cru qu'élever un enfant pouvait donner autant de soucis.

20

La première année scolaire de Mathieu s'avère un véritable enfer pour les nerfs déjà éprouvés d'Anne-Julie. La jeune mère ne sait plus quelle attitude adopter pour amener son fils à de meilleurs sentiments envers l'école.

Mathieu déteste apprendre à lire et à écrire. En classe, il est constamment dans la lune et il passe le plus clair de son temps à gribouiller de minuscules dessins sur le coin des feuilles de ses travaux d'écriture.

Son enseignante, Simone Perrier, une femme d'une patience à toute épreuve, ne cesse de s'accroupir près de lui, dans l'espoir de ramener l'attention du jeune garçon au travail en cours. Pour ce faire, elle s'empare du doigt de Mathieu et le dépose sur un mot qu'un élève de la classe lit à haute voix. Cette façon de faire oblige et incite Mathieu à suivre les exercices de lecture que fait le groupe. Mais, manifestement, Mathieu refuse de coopérer. Il affirme qu'il fait des efforts considérables pour apprendre, mais que c'est inutile puisqu'il ne comprend rien et qu'il est incapable d'être aussi bon que les autres enfants de son âge.

Inquiète, Anne-Julie communique souvent avec l'enseignante de son fils. Celle-ci, elle-même dépassée par la situation, ne peut la rassurer. Elle prétend que Mathieu représente une énigme à ses yeux, car l'enfant possède toutes les facultés pour mener à bien son apprentissage. Pourtant, il adopte volontairement un comportement de refus. Si Anne-Julie lit bien entre les lignes, elle comprend que l'institutrice juge Mathieu de mauvaise foi et la jeune mère a du mal à admettre que cela soit possible.

Le mystère consiste à comprendre comment Mathieu arrive à obtenir d'excellentes notes en compréhension de textes alors qu'il éprouve de la difficulté à lire. Et ça, c'est tout à fait déroutant. La logique même veut que, pour arriver à comprendre un texte, il faut d'abord pouvoir en lire le contenu. Or, l'enfant prend un temps considérable à déchiffrer les symboles des sons que constitue un mot, mais, paradoxalement, il répond aux questions que suscite cette lecture d'une façon très intelligente. Comment parvient-il à retenir l'information alors que son débit de lecture est si lent ? Tout le monde s'interroge là-dessus.

Mathieu comprend également très bien le fonctionnement des mathématiques. Il décompose un nombre avec une facilité déroutante, mais il est incapable de donner un nom à ce nombre. Le personnel enseignant de l'école n'y comprend rien. On lui accorde deux périodes de vingt minutes par semaine avec une orthopédagogue qui révise les sons de la langue française avec Mathieu. Mais le gamin n'arrive pas à rattraper le retard qu'il a sur les autres enfants. De plus, il ne manifeste aucun intérêt.

Tous les jours, Anne-Julie lui accorde une heure de son temps afin de l'aider. Mais plus elle persiste dans cette attitude, plus Mathieu se rebelle. Tous les jeux de persuasion y passent : les promesses de récompense, la tendresse, la patience, la persévérance, parfois même le chantage. Très souvent l'enfant lance son livre de lecture par terre dans un geste agressif qui démontre sa frustration croissante. Avec ténacité, Anne-Julie le ramasse et lui promet qu'il pourra dessiner jusqu'à l'heure du coucher s'il accepte de faire des efforts pour terminer sa lecture. De mauvaise grâce, Mathieu se résigne et se prête à cette discipline qu'exigent de lui les adultes de son entourage.

On conseille à Anne-Julie de demander l'aide de la psychologue scolaire. La direction de l'école lui fait sentir qu'elle dramatise un peu trop la situation et que Mathieu découvrira de lui-même, lorsqu'il sera prêt, l'importance d'apprendre à lire.

Personne ne veut l'écouter lorsque Anne-Julie dit que Mathieu est différent des autres enfants de son âge. Il préfère un livre de sciences plutôt que le sport à la télévision. Il écoute de la musique classique plutôt que de la musique moderne. Il privilégie le dessin à toute autre forme d'activités de son âge. Et, surtout, il ne se sent en sécurité que chez lui. Il se mêle peu aux jeunes de sa classe, éprouvant même du mal à les désigner par leur nom, et ce, même après neuf mois de fréquentation de l'école.

Anne-Julie se sent totalement démunie. C'est après une longue conversation qu'elle a eue avec la psychologue engagée par la commission scolaire, qu'Anne-Julie téléphone au directeur de l'école pour demander que Mathieu refasse sa première année dans une autre école. Monsieur Sirois accueille drôlement cette requête. Il est persuadé qu'Anne-Julie grossit démesurément le problème de Mathieu et que les notes du jeune garçon sont trop élevées pour justifier qu'il recommence une année scolaire. Il lui explique que Mathieu peut aussi bien se prendre d'affection pour l'école dans les mois qui suivront et qu'il est parfaitement capable de rattraper le temps perdu à une rapidité surprenante. Qu'il faut lui faire confiance, etc., etc.

Anne-Julie insiste fortement, prétendant que l'année scolaire de Mathieu ressemble à une belle maison bâtie sur de mauvaises fondations. Elle souhaite, alors que Mathieu est encore tout jeune, lui offrir des bases plus solides au lieu de le faire monter de classe malgré son retard. Elle argumente aussi que, pendant ce temps, Mathieu prendra de la maturité et que cela lui servira beaucoup.

Le directeur de l'école promet de reconsidérer sa demande après la fin des examens scolaires de l'enfant.

Fin juin arrive sans qu'Anne-Julie soit convaincue que Mathieu est dans de meilleures dispositions. Le directeur de l'école la convoque pour une rencontre avec divers intervenants. Cette rencontre vise l'analyse des progrès de Mathieu.

C'est ainsi que les notes de Mathieu déroutent tout le personnel de l'école. Il a atteint une moyenne de 86 % en mathématiques et 84 % en français.

Anne-Julie explique qu'elle ne comprend rien à ce succès puisque son fils ne sait pas lire couramment. L'enseignante de Mathieu expose alors sa théorie sur le cas de l'enfant.

— Mathieu est extraordinairement débrouillard et créatif. Il est lent et lunatique, c'est vrai, mais on lui laisse tout le temps dont il a besoin pour répondre aux questions qu'on lui pose. Débrouillard comme il est, Mathieu s'est aidé de tous les tableaux affichés en classe pour reconstituer les sons et ainsi former des mots. Cet enfant n'a aucune déficience mentale et je prétends qu'il serait inutile de lui faire répéter une année scolaire. Il peut complètement changer d'attitude l'an prochain et découvrir la joie d'apprendre de nouvelles choses. Je pense que nous devons lui faire confiance. De toute façon, poursuit-elle d'un ton convaincu, j'ai cru remarquer une forme prononcée d'orgueil chez cet enfant. Je pense qu'on lui ferait un tort considérable si je le reprenais dans ma classe l'an prochain, alors que tous ses petits copains passeront au niveau supérieur. Pour ma part, je crois que j'ai fait tout ce que je pouvais pour aider Mathieu.

Le silence se fait lourd. Anne-Julie ne sait plus sur quel pied danser. Ces gens ont-ils raison ? Elle n'est pas suffisamment préparée pour faire face à ce dilemme. Elle ne peut que se fier à son intuition et à ses impressions personnelles. Les doutes l'assaillent. Elle conclut qu'elle est trop dépendante de ses émotions lorsqu'il s'agit de son fils pour prendre la décision qui s'impose à son sujet.

La réunion prend fin et il est décidé que Mathieu montera en deuxième année l'an prochain, comme prévu.

Lorsque l'année scolaire se termine, Anne-Julie décide de consacrer tout son temps à Mathieu. Elle vient de terminer son cinquième roman qu'elle a porté chez l'éditeur. De plus, elle a écrit deux romans jeunesse qui seront publiés à l'automne. Elle a aussi écrit quelques contes qui paraîtront à raison d'un par mois dans une revue spécialisée pour les jeunes. Elle a suffisamment d'avance dans son travail pour se permettre cet heureux répit. Son compte de banque se porte à merveille, ce qui lui accorde toute liberté d'action.

Durant l'été, Mathieu et Anne-Julie font de petits voyages agréables, à Montréal, en Gaspésie, et font d'extraordinaires randonnées dans la nature, apportant même leur pique-nique.

Au mois d'août, ils sont bronzés, heureux et complices comme jamais. Les heures tendres qu'ils passent ensemble les rapprochent de plus en plus. Par un bel après-midi, Mathieu lui confie :

— Maman, je suis si bien avec toi. Je voudrais toujours être en congé et vivre auprès de toi. Pourquoi est-ce que ce n'est pas toi qui m'enseignes à lire et à écrire ? Je pourrais toujours demeurer à tes côtés.

Anne-Julie réprime une envie de pleurer tant elle est émue par cette confession. Elle attire Mathieu contre elle :

— Mais nous sommes toujours ensemble, mon lapin. Même lorsque tu es à l'école, nous sommes ensemble par la pensée. Tu sais, c'est normal de vivre avec les autres. Ce n'est pas bon de s'enfermer et de s'isoler.

— Mais, moi, il n'y a qu'avec toi que je suis bien, maintient l'enfant.

— Cela va passer, mon ange. Un jour, tu verras, tu seras heureux de vivre près des autres et tu te lasseras de moi.

— Ça jamais, maman ! s'offusque l'enfant scandalisé.

— On s'en reparlera dans quelques années, mon ange. Pour l'instant, il faut rentrer à la maison. Il commence à faire froid dehors. Déjà l'été s'achève. Le temps passe si vite... Toi comme moi, nous devons nous remettre au travail.

Mathieu soupire. L'idée de retourner à l'école dans moins d'une semaine ne le réjouit pas du tout.

21

Les mains d'Anne-Julie se crispent sous l'effet d'une violente colère qui menace d'éclater à tout instant. Son animosité croît dangereusement, et elle ne comprend pas ce qui la retient de ne pas s'emporter contre le directeur de l'école de Mathieu.

— Quoi ? Vous osez me dire que vous vous êtes trompé au sujet des progrès de Mathieu !

— Calmez-vous, madame Beaulieu. Cela peut arriver... Vous êtes suffisamment intelligente pour comprendre que l'évolution d'un enfant est difficile à prévoir. Mathieu aurait très bien pu surmonter rapidement ses problèmes. Je vous répète que je regrette cette situation.

— Mais qu'allons-nous faire à présent ? tempête Anne-Julie, qui se sent à bout de ressources.

— Je ne le sais pas encore. Nous allons demander à Stéphanie Duquette, la psychologue, de nous aider à voir clair dans tout cela.

Anne-Julie n'en croit pas ses oreilles. Elle avait donc raison, l'an dernier, de pressentir le pire. Sous prétexte qu'elle

215

n'est pas une professionnelle de l'éducation, on a refusé de prendre au sérieux ses intuitions de mère et voilà que maintenant, on lui annonce qu'il y a en effet matière à s'inquiéter pour son fils. On lui avait même laissé sous-entendre qu'elle n'était pas objective et qu'elle dramatisait la situation. Hargneuse, elle reprend :

— Stéphanie Duquette est arrivée aux mêmes conclusions que moi l'an dernier, claironne-t-elle avec force. Et pourtant, elle, c'est une professionnelle de l'éducation ! Vous n'avez pas pour autant tenu compte de son avis. Si ma mémoire est exacte, elle comprenait l'importance pour Mathieu de reprendre sa première année scolaire.

— Mathieu ne présentait pas suffisamment de lacunes pour l'obliger à recommencer une année scolaire, madame Beaulieu, se défend le directeur... Vous le savez aussi bien que moi. Rappelez-vous ses résultats d'examens de fin d'année !

— Cela ne prouvait rien, et vous le savez très bien, monsieur ! s'impatiente Anne-Julie, qui fait des efforts considérables pour se ressaisir.

Elle soupire bruyamment, ferme les yeux et reprend avec un peu plus de maîtrise :

— L'an dernier, Mathieu jetait son livre de lecture par terre tellement c'était devenu difficile pour lui de déchiffrer les lettres de l'alphabet. Il utilisait les affiches exposées en classe pour répondre aux questions d'examen. Il est souvent dans la lune et ne sait toujours pas donner un nom aux chiffres qu'il décompose pourtant de façon efficace. De plus, il inverse encore plusieurs lettres de l'alphabet. Et vous osez dire qu'il ne présentait pas de lacunes ! Si je ne me retenais pas, monsieur, je vous accablerais d'injures !

Le visage du directeur se glace devant la colère manifeste de la jeune femme qui n'accepte pas la situation de son fils.

Voulant à tout prix la ramener à de meilleurs sentiments, il reprend, d'un ton détaché :

— Madame Beaulieu, vous dramatisez la situation ! Votre enfant n'a que sept ans. Nous pouvons encore l'aider à se sortir de cette impasse. Cessez de vous en faire inutilement.

Anne-Julie foudroie du regard l'homme qui est assis devant elle et réplique vertement :

— Comment réussirez-vous à aider mon enfant si vous n'êtes même pas tous du même avis, dites-moi ? Stéphanie Duquette a une opinion. Elle propose même un bulletin scolaire adapté pour Mathieu. L'enseignante de l'année dernière ne voyait pas de problème et celle de cette année prétend que Mathieu n'est pas prêt à suivre une deuxième année. Imaginez dans quel dilemme je me trouve !

— Je comprends ce que vous pouvez ressentir, madame Beaulieu. Je compatis à vos difficultés.

— Voyez-vous, monsieur le directeur, je doute que vous compreniez ce que peuvent ressentir les parents devant un pareil cauchemar. À mes yeux, rien ne peut justifier l'échec que subit mon fils !

Anne-Julie est à bout de forces et d'arguments. Elle a l'impression que l'avenir de son fils est en jeu et que personne ne peut l'aider. Le directeur lui promet qu'il se penchera sérieusement sur le cas de Mathieu.

Quelques jours plus tard, Anne-Julie est à nouveau assise dans un petit local de l'école en compagnie des divers intervenants de l'établissement. Elle se sent complètement en dehors de cette discussion. Elle constate qu'on parle de Mathieu sans trop lui demander son avis, exactement comme si elle n'était pas là.

L'orthopédagogue de l'école présente une hypothèse susceptible d'expliquer l'attitude récalcitrante de Mathieu envers la lecture :

— Moi, je crois que Mathieu est dyslexique, affirme-t-elle d'une voix posée.

La psychologue porte une attention particulière à ce que vient d'émettre sa collègue, tandis que tous se tournent vers elle, attentifs.

Anne-Julie, de son côté, cherche à comprendre ce que signifie tout cela. Mais subitement, son esprit s'éclaire : elle se rappelle que le frère de Vincent est lui-même dyslexique. Oui ! Ce ne peut être que ça ! Pourquoi n'y a-t-elle pas songé plus tôt ? Cette certitude l'arrache de sa torpeur. Elle devient volubile. Elle raconte que le frère du père de Mathieu est dyslexique et qu'il n'a jamais vraiment pu apprendre à lire et à écrire, qu'il travaille à la pige comme illustrateur pour de nombreuses maisons d'édition et pour des magazines. Plus elle parle, plus ses doutes se dissipent. Vincent est bien le père de Mathieu !

Le personnel de l'école lui suggère alors de se rendre chez un neurologue pour confirmer ce diagnostic. En attendant, on considère qu'il serait préférable que Mathieu change d'école et reprenne sa deuxième année. On lui assurera un suivi pédagogique plus intense.

Lorsque Anne-Julie quitte l'école, l'espoir investit son cœur de mère alors que des sentiments bizarres s'emparent de tout son être. Peu lui importe l'état de Mathieu ! Elle aime son fils plus que tout au monde et sait pertinemment que la dyslexie n'est pas une maladie mais un état d'être. Elle veut que Mathieu soit respecté de tous, même dans ses différences, et c'est pour cette raison qu'elle désire se battre. Qu'on accepte donc Mathieu tel qu'il est ! Personne n'a le droit d'essayer de le transformer en quelqu'un d'autre.

Anne-Julie et Mathieu attendent patiemment leur tour dans la salle d'attente de l'Hôpital de l'Enfant-Jésus de Québec. Ils vont rencontrer un neurologue. Anne-Julie déjoue sa nervosité en lisant un conte futuriste à Mathieu. L'enfant adore les histoires de soucoupes volantes et d'extraterrestres. Bien qu'Anne-Julie n'ait aucun intérêt pour ce genre de littérature, elle s'efforce tout de même d'en lire à Mathieu, sachant combien cela lui fait plaisir.

Tout à coup une voix grésille dans l'interphone de la salle d'attente et réclame la présence de Mathieu. Vivement, Anne-Julie se lève et prend la main de son fils pour l'entraîner vers le lieu indiqué par une infirmière.

L'assistant du médecin l'accueille avec un aimable sourire et l'invite à s'asseoir.

— Bonjour, je suis Pierre Langevin. Je vais examiner Mathieu en attendant le docteur Verrette.

Malgré sa nervosité, Anne-Julie sourit et présente son fils. Elle explique rapidement le but de sa visite, puis laisse le jeune médecin commencer son examen.

L'assistant converse doucement avec Mathieu. Il vérifie son équilibre, sa flexibilité et ses réflexes. L'examen physique terminé, il s'assoit et invite Mathieu à venir près de lui. Il ouvre un grand livre et lui demande de nommer les lettres de l'alphabet. Mathieu en confond plusieurs, comme il confond certains chiffres que lui montre le médecin.

Anne-Julie sort de son sac à main quelques dessins que Mathieu a réalisés, et les tend fièrement au spécialiste. Le jeune homme les étudie avec attention en poussant des exclamations de surprise devant le talent manifeste de Mathieu. Il s'excuse et quitte la pièce quelques secondes pour revenir en compagnie du neurologue qu'il informe des résultats de son examen.

Le docteur Verrette, renommé pour sa grande compétence auprès des enfants, amorce à son tour une discussion avec Mathieu.

Le garçon semble très à l'aise devant ce grand gaillard qui

suscite le respect. Il répond avec attention aux questions et se soumet aux directives simples du médecin. On vérifie son sens de la latéralité. Le docteur lui tend sa montre afin que Mathieu lui indique l'heure. Bien entendu, l'enfant ne peut répondre, car il ne sait pas encore lire l'heure. Le médecin se met à rire devant l'étonnement du garçonnet et, tout en caressant son abondante chevelure, il demande :

— Mathieu, montre-moi ton oreille droite.

L'enfant montre son oreille gauche.

— Bon. Montre-moi ton pied gauche à présent.

Mathieu inverse la consigne et montre son pied droit.

— Bien. Détache et rattache le lacet de ton soulier droit.

Le garçonnet se trompe de soulier.

Souriant, le médecin s'adresse alors à Anne-Julie :

— Éprouvez-vous des difficultés à vous situer dans l'espace, madame Beaulieu ?

— Pour être franche, il faut que je réfléchisse avant d'indiquer une direction à qui que ce soit.

— Vous situez-vous bien dans le temps ? demande alors le médecin, qui prend des notes sans même la regarder.

— Oui, de façon excellente. Je ne porte pas de montre, mais je peux vous dire l'heure au quart d'heure près.

— Connaissez-vous des personnes dyslexiques dans l'entourage de Mathieu ?

— Oui, le frère de son père est dyslexique.

Le médecin fronce les sourcils et dit lentement :

— Mathieu est lui aussi dyslexique. L'examen est concluant. Il a de la difficulté à se situer dans le temps et dans l'espace. De plus, il éprouve de notables difficultés de langage.

Anne-Julie sourcille et réplique :

— Mathieu s'exprime pourtant très bien. Ses professeurs ne cessent de s'exclamer devant la richesse de son vocabulaire.

— Les difficultés de langage ne sont pas reliées à la prononciation des mots ni à la richesse du vocabulaire, madame Beaulieu. Lorsqu'on parle de difficultés du langage, on veut dire que l'enfant éprouve, à divers degrés, des difficultés à lire et à écrire et inverse l'ordre des lettres et des chiffres. Quelques-uns vont même jusqu'à inverser des sons.

— Je l'ignorais, ment Anne-Julie, car Vincent lui en a très souvent parlé, jadis.

— La dyslexie est une immaturité du cerveau gauche, madame Beaulieu. Comme vous le savez, le cerveau humain possède deux hémisphères, le droit et le gauche. Le gauche est le côté de la logique. Par exemple, si on prend une fleur, l'hémisphère gauche en dessinera les contours et les lignes précises. On appelle cela l'analyse, le côté rationnel du cerveau. Dans le cas des mathématiques, c'est l'hémisphère gauche qui résout les problèmes. En mathématiques, on raisonne. C'est l'hémisphère gauche qu'on utilise. Quant à l'hémisphère droit, c'est le côté du cerveau qui englobe le tout ou, si vous voulez, qui fait la synthèse de ce que nous voyons et entendons. Il permet de connaître la texture de la fleur, ses couleurs et son aspect général. C'est aussi le côté du cerveau qui est source de créativité. Nous avons donc besoin des deux hémisphères de notre cerveau pour vivre de façon équilibrée. Malheureusement, l'éducation nous a forcés à utiliser davantage l'hémisphère gauche que le droit. Pour apprendre à décoder les symboles de la lecture, nous utilisons presque entièrement l'hémisphère gauche, parce qu'il nous indique l'ordre de l'alphabet et c'est ainsi que nous arrivons à relier des lettres pour former des mots.

— Je comprends, répond Anne-Julie.

— Dans le cas de Mathieu, je dirais que l'hémisphère droit de son cerveau, celui de la créativité, est développé à l'extrême. C'est pour cela qu'il dessine si bien. Par contre, l'hémisphère gauche de son cerveau est immature... Est-ce que vous me suivez ?

— Je crois saisir... oui.

— On pourrait dire que son côté droit du cerveau est surdoué, tandis que le gauche – celui de la logique – est sous-développé. Et c'est ainsi qu'on explique la dyslexie.

— Mais que peut-on faire pour pallier cette différence ?

— Pas grand-chose. Avec les années, Mathieu apprendra à vivre avec ce problème. Il va développer ses trucs personnels, ses façons de raisonner, ainsi que des méthodes pour atteindre ses objectifs. Je ne peux pas dire qu'il est dyslexique profond, car il inverse seulement quelques lettres de l'alphabet. Cependant, il faut en tenir compte dans son éducation. Le personnel enseignant qui travaille avec votre fils doit prendre conscience que Mathieu n'est ni paresseux ni de mauvaise foi. Mathieu repousse simplement une matière qu'il maîtrise difficilement. Cela le rend capricieux et il ne pense qu'à ses dessins. Bien que cette réaction soit tout à fait normale, il ne faut pas l'encourager dans cette voie. Sinon, il ne pourra jamais s'en sortir de lui-même. Vous devez lui accorder du temps pour travailler et du temps pour s'amuser afin qu'il puisse se libérer des tensions et des frustrations qu'il vit à l'école. Petit à petit, avec l'âge, il apprendra à se débrouiller seul.

— Doit-on lui fournir de l'aide à l'école ? questionne Anne-Julie en fixant le médecin droit dans les yeux.

— Absolument ! Il en a grand besoin. On doit l'aider à trouver des trucs qui seront bien personnels. Et, surtout, on ne doit pas lui faire recommencer une année scolaire. Mathieu ne doit pas être puni pour une chose dont il n'est pas responsable.

— Mais... l'interrompt Anne-Julie, l'école et moi avions décidé de lui faire refaire sa deuxième année.

— Dans quel but, madame ?

— Nous pensions que cela lui permettrait de rattraper les

apprentissages de sa première année scolaire, explique Anne-Julie avec embarras.

Le médecin semble réfléchir à cette solution :

— Bon. Cela lui donnera sans doute une bonne chance d'acquérir un peu plus de maturité. Mais dans l'avenir, refusez fermement toute proposition de lui faire doubler une autre année scolaire. Cette situation risque de le décourager bien plus que de l'aider.

— J'y veillerai, docteur !

— De toute façon, je vais expédier une lettre au directeur de l'école de Mathieu pour lui faire part de ce que je viens de vous expliquer. Je vais aussi vous recommander des lectures pour vous familiariser avec les problèmes de la dyslexie. Avez-vous entendu parler de Vincent Roy ? demande le médecin en souriant.

Anne-Julie sent un frisson lui parcourir l'échine. Une petite goutte de sueur perle à son front. D'une voix faible, elle murmure :

— Un peu...

— C'est un excellent orthopédagogue. Il a obtenu une maîtrise à l'université Laval et a étudié de près ce problème. Il a écrit deux excellents ouvrages sur le sujet, spécialement à l'intention des parents de dyslexiques. Vous savez, on le réclame partout dans la province. Lisez ces volumes, vous pourriez en apprendre beaucoup sur le sujet et cela vous aidera à mieux comprendre la situation de Mathieu.

Anne-Julie tend une main nerveuse et s'empare du feuillet sur lequel le médecin vient d'inscrire le titre des ouvrages en question. Lentement, elle glisse le papier dans son sac et bredouille un léger remerciement avant de quitter la pièce.

Quelques minutes plus tard, dans une agitation extrême, elle se retrouve au grand air en compagnie de Mathieu.

L'image de Vincent s'impose à son esprit. Une tristesse infinie lui tord le cœur. À la seule mention du nom de Vincent elle est toujours bouleversée.

22

Plongée au cœur même des difficultés qu'éprouve le garçonnet et constatant que l'école où il va ne peut accorder toute l'attention nécessaire à un enfant comme Mathieu, Anne-Julie prend une grave décision. Elle profite de sa célébrité pour annoncer, à la radio comme à la télévision, qu'elle désire former un comité de parents pour venir en aide aux enfants en difficultés d'apprentissage.

« Dans la région du Bas-Saint-Laurent, explique-t-elle, on manque de ressources humaines et financières pour venir en aide aux enfants qui éprouvent de graves difficultés scolaires. Soyez sensibles à cette cause et aidez-nous à offrir à ces jeunes une éducation de qualité. »

Dès septembre, elle est en mesure de former un comité de parents qui, eux aussi, souhaitent la création d'une école adaptée aux apprentissages particuliers des enfants en difficultés.

Anne-Julie a tellement déployé d'énergie qu'elle a convaincu le petit groupe de parents de faire des pressions auprès du ministère de l'Éducation et des commissions scolaires des environs pour qu'enfin ils s'intéressent au sort de ces enfants.

Le projet d'ouverture d'une école spécialisée a été présenté au Ministère, et celui-ci a accepté d'offrir une subvention, à condition que des fonds soient débloqués dans la région pour aider la cause.

Fous de joie à cette bonne nouvelle, les parents ont formé un conseil d'administration qui s'est donné pour mandat d'organiser une campagne de levée de fonds. Ils ont bien sûr élu une présidente : Anne-Julie. Cette dernière a pour tâche de rencontrer des membres de différents organismes et ministères pour obtenir leur appui dans cette démarche.

Leurs efforts ont été couronnés de succès ! À Rivière-du-Loup, on procède à la réouverture d'une école fermée depuis trois ans et qu'on va maintenant organiser pour l'enseignement spécialisé.

Entre-temps, Anne-Julie a achevé un nouveau roman intitulé *Sur la route de l'obstination*, qui raconte justement l'histoire d'une mère monoparentale luttant pour sensibiliser les gens aux difficultés d'apprentissage de son enfant dyslexique. La sortie de ce roman est prévue pour le mois prochain. Il viendra appuyer le travail amorcé par son comité de parents.

Son agent littéraire lui suggère fortement de se rendre à une importante émission de télévision pour promouvoir la vente du livre. Elle s'empresse d'accepter, à condition qu'on lui offre la possibilité de parler de la cause dont il est question dans le roman.

C'est ainsi qu'Anne-Julie, le cœur plein d'espoir, se retrouve un jeudi soir, vers vingt heures dans une loge de l'émission *Pierre Chevalier rencontre* en compagnie de l'animateur, qui prépare son entrevue avec soin. Il a lu son manuscrit et lui promet de lui laisser le temps nécessaire pour informer les gens sur cette noble cause.

Deux heures plus tard, Anne-Julie est présentée au petit écran comme l'initiatrice d'un projet d'envergure.

Pierre Chevalier commence l'entrevue en faisant l'éloge des réussites d'Anne-Julie comme écrivain. Ensuite, il fait dévier la conversation sur le sujet qui intéresse la jeune auteure, déjà aimée du grand public.

— Dites-moi, madame Beaulieu, j'ai su que vous vous occupiez d'une noble cause en ce moment ?

Et voilà, l'entrevue est amorcée. Anne-Julie inspire à fond et, s'armant de courage, elle décrit les problèmes auxquels son jeune fils Mathieu se heurte chaque jour. Elle discourt avec fougue et passion du sujet qui la préoccupe, tant et si bien que l'animateur de métier qu'est M. Chevalier l'écoute avec un intérêt sans cesse accru. À sa façon, il aide la jeune femme à bien sensibiliser le public à cette cause. On donne même l'adresse et le numéro de téléphone où l'on peut joindre l'association pour offrir des dons.

Dans la fraîcheur du sous-sol d'une maison de banlieue de Montréal, Vincent Roy est assis confortablement, une bière à la main, et il écoute Pierre Chevalier avec attention en compagnie d'un collègue.

Dès que l'émission débute et qu'il entend le nom d'Anne-Julie parmi la liste des invités, Vincent ordonne à Sylvain de se taire.

Chaque fois que Vincent voit Anne-Julie au petit écran, des sentiments contradictoires viennent le bousculer intérieurement. Malgré les années qui les séparent, il n'a jamais réussi à oublier la jeune femme. Il est même demeuré célibataire, n'ayant jamais rencontré personne qui l'intéresse suffisamment pour bâtir une vie à deux.

Dans un état proche de l'éblouissement, il la regarde défendre sa cause avec énergie et flamme.

« Ainsi, elle a un fils ? » pense-t-il en secret. Elle n'a guère changé. Malgré la trentaine à peine amorcée, Anne-Julie conserve cette beauté qui la rend si femme et si désirable à ses yeux. Apparemment, sa jeunesse sera éternelle...

« Dieu qu'elle est belle ! » Vincent est sous le charme. Les yeux francs et moqueurs, avec une pointe de tristesse, donnent à la jeune femme un regard profond. Ses longs cheveux bruns, épais, qui cascadent allègrement sur ses frêles épaules, la rendent féminine et irrésistiblement attirante !

Souvent, la nuit, il rêve encore à elle et peut presque sentir son corps nu se lover contre le sien. Les nombreuses femmes qu'il a rencontrées ne sont pas parvenues à lui faire oublier Anne-Julie. À son grand désespoir, il ne cesse de confondre l'image de la jeune femme avec celles de ces conquêtes qu'il étreint dans l'obscurité de la nuit. Il a finalement renoncé aux aventures faciles pour se consacrer entièrement à sa carrière. De ce côté, tout va bien, heureusement ! Il a réussi au-delà de ses espérances. On lui offre des postes alléchants grâce auxquels il gagne très bien sa vie... Suffisamment bien en fait pour élever une famille dans l'abondance. Mais il a fait le choix de vivre seul, en prétextant que c'est mieux pour sa carrière. Il sait pourtant que ce n'est pas l'exacte vérité. S'il réussit à tromper son entourage, il ne peut se tromper lui-même...

Lorsque, comme ce soir, il voit Anne-Julie à la télé, le vide de sa vie le rend extrêmement morose. Il ne peut s'empêcher de penser que son bonheur dépend de cette femme, qu'il aime encore à la folie.

Concentré sur l'émission, Vincent entend Anne-Julie annoncer soudainement une chose qui capte toute son attention.

— Présentement, monsieur Chevalier, nous sommes à la recherche d'un orthopédagogue d'expérience qui possède des qualités d'expert pour venir en aide aux enfants en difficultés d'apprentissage dans notre région. Nous effectuons des recherches soutenues, mais nous n'avons pas encore comblé le poste. Le principal problème réside dans le fait que nous ne pouvons offrir un salaire correspondant aux compétences d'une telle personne. Nous vivons dans une région éloignée des grands centres, et par le fait même, nos ressources financières sont limitées. À ce propos, j'annonce publiquement que cinq pour cent des droits d'auteur obtenus sur la vente de mon nouveau roman seront directement versés pour la cause que nous défendons.

— Raison de plus, madame Beaulieu, pour inciter les gens à donner généreusement afin d'appuyer cette cause, affirme Pierre Chevalier d'un air charmant.

— J'avoue que c'est ce que nous souhaitons de tout cœur, monsieur Chevalier, répond poliment Anne-Julie, dans un délicieux sourire qui fait fondre le cœur de Vincent.

L'entrevue se termine et on présente le prochain invité, un chanteur très en vogue.

Sylvain se lève alors pour offrir une autre bière à Vincent.

— Jolie brin de fille, articule-t-il, en souriant.

— À qui le dis-tu... approuve Vincent d'un air sombre.

Son cerveau fonctionne à vive allure. Il se sent pris d'une subite fébrilité.

— Merci pour la bière, Sylvain, mais je n'ai plus soif. Je crois que je vais rentrer. Cette jeune femme vient de trouver son homme. Je pars sur-le-champ pour Rivière-du-Loup.

Sylvain Lucas éclate de rire devant cette décision plutôt surprenante.

— Tu n'es pas sérieux...

— Tu as très bien compris, mon vieux ! Qu'est-ce qu'il y a de surprenant là-dedans ? Tu oublies que je suis natif de cette région et que je veux y retourner depuis fort longtemps. C'est l'occasion rêvée pour cela, ne trouves-tu pas ?

— Mais tu as entendu comme moi... Le salaire ne sera pas

très intéressant, s'interpose Sylvain sur un ton presque scandalisé.

— Qu'est-ce que ça change ? demande Vincent en le regardant droit dans les yeux.

— Mais ça me paraît évident. Ça change tout, justement ! C'est toi qui seras perdant dans cette aventure. Elle, elle a tout à gagner, tandis que toi...

Mais devant l'air décidé de Vincent, Sylvain s'emporte :

— Tu ne vas tout de même pas compromettre ta carrière pour une femme, aussi jolie soit-elle ?

— Je m'en fiche éperdument de ma carrière ! Il y a des choses beaucoup plus importantes dans la vie qu'un bon salaire, répond Vincent, enthousiasmé par la décision qu'il vient de prendre. De toute façon, je suis seul dans la vie. Je n'ai pas besoin d'autant d'argent. Et puis, sincèrement, la cause de cette femme m'intéresse au plus haut point. Ça, c'est un vrai défi !

— Tu me fais marcher, Vincent Roy ! Tu n'abandonnerais jamais ton poste à l'université. Coordonnateur à la recherche médicale et psychologique, c'est quand même très intéressant et prestigieux !

— Eh oui ! J'abandonnerai mon poste ! Je me sens appelé là-bas. Je suis avant tout un orthopédagogue qualifié. Vois-tu, c'est comme si je venais de découvrir ma véritable mission, ricane Vincent, fort amusé par la réaction de son ami.

Ébahi, Sylvain ne le quitte pas des yeux. Il hésite une fraction de seconde, puis se met à rire sans pouvoir s'arrêter.

— Tu te moques de moi !

— Je t'assure que non, mon vieux, lui affirme Vincent, d'un air entendu.

— Mais tu gagnes plus de 80 000 $ par an !

— C'est juste ! Et je te répète que je n'ai pas besoin d'autant d'argent. Je peux donc me permettre de me joindre à n'importe quel projet intéressant.

— Je ne te comprends pas. Pourquoi agirais-tu sur un pareil coup de tête ?

— Parce que vois-tu, mon vieux, cette fille qui vient de passer à la télé est la femme de ma vie ! annonce Vincent, en s'amusant ferme devant le regard de surprise que lui lance Sylvain.

— J'avais raison, tu te moques de moi !

— Tu verras bien ! s'écrie Vincent avec un air de défi. Tu verras bien...

23

L'été s'écoule beaucoup trop rapidement ; c'est du moins l'avis d'Anne-Julie. Le projet d'ouverture de la nouvelle école a pris presque tout son temps libre. Cependant, à la fin du mois de juillet, Anne-Julie et Mathieu ont enfin pu prendre des vacances bien méritées. Ils se sont rendus dans la région de Charlevoix pour y faire du tourisme, pendant deux semaines, se distraire et se reposer un peu.

Au retour, Anne-Julie retrouve ses responsabilités. C'est une période de grande frénésie. Elle est constamment sollicitée. Le conseil exécutif règle les derniers préparatifs pour l'ouverture de l'école qui portera un joli nom : *Le Nouvel Élan*. On se démène sans répit pour que tout soit prêt afin d'accueillir les enfants en septembre prochain.

Anne-Julie se consacre tout entière à ses nombreuses tâches. En plus de l'organisation monstre qu'exige un tel projet, elle doit se déplacer fréquemment pour signer des contrats d'achat d'équipement ou pour embaucher de futurs professeurs.

De plus, son éditeur a organisé pour elle une série de conférences qu'elle doit donner au début d'octobre.

La jeune femme est maintenant une écrivaine de grand renom. On la respecte. On la voit fréquemment à la télévision où son image crève l'écran. Ses romans se vendent toujours aussi bien et sa carrière d'auteure de littérature jeunesse prend de plus en plus d'ampleur. Il n'est pas rare qu'on lui propose d'animer des ateliers pour les élèves de l'enseignement primaire. Professionnellement, Anne-Julie vit donc des moments palpitants et très valorisants. Si la vie lui a refusé le privilège de pouvoir vivre un autre amour, du moins lui a-t-elle offert, en compensation, le droit de mener une carrière enviable.

En cette journée de mi-août, elle est assise devant son ordinateur et converse avec lui. Son ordinateur, qu'elle a surnommé Harold, est en effet son confident. Si ridicule que cela paraisse aux yeux du commun des mortels, Harold apporte pourtant à Anne-Julie une présence réelle et chaleureuse, puisqu'il accueille tous ses états d'âme sans jamais la contredire ! Par l'écriture, Harold lui permet de se livrer.

— Et voilà, Harold ! monologue-t-elle, je pense que si tout va bien, je pourrai terminer ce roman jeunesse d'ici la fin du mois. Qu'en penses-tu, toi, mon vieux complice ?

Elle soupire et reprend :

— Évidemment, tu ne peux me répondre. Tu ne peux pas me dire, par exemple, à quel point je suis quelqu'un d'organisé et d'efficace...

Comme Harold reste bien sûr muet, Anne-Julie appuie à fond sur la clé « Sauvegarde » en s'écriant :

— Bon ! O.K. ! Garde le silence si ça te chante, monsieur l'indépendant ! On ne peut pas dire que tu sois très bavard, toi ! De toute façon, j'ai terminé ce chapitre...

La sonnerie du téléphone interrompt cet échange insolite.

— Bonjour ! s'exclame Anne-Julie, d'un ton joyeux.

— Anne-Julie, c'est Ginette. J'espère que je ne te dérange pas trop ?

Le visage d'Anne-Julie s'éclaire. Elle reconnaît la voix de son interlocutrice : Ginette est la maman dévouée et charmante d'une petite fille âgée de huit ans, prénommée Mélissa. Elle s'occupe activement du dossier de la nouvelle école. Lorsque Anne-Julie a soumis ce projet d'envergure aux parents de la région, Ginette a été sans contredit sa première véritable alliée. Depuis leur rencontre, Anne-Julie ne cesse de découvrir les nombreuses qualités d'organisation de cette femme, qui ne semble jamais à bout de ressources. Son efficacité et son dynamisme sont de plus très communicatifs. Sans aucune hésitation, le conseil d'administration lui a confié le poste de vice-présidente, outre la tâche de secrétaire d'école. Émue, Ginette a accepté, trop heureuse de rendre service, et ainsi être en mesure de gagner sa vie de façon utile.

Chaque fois que Ginette communique avec Anne-Julie, c'est toujours pour lui apprendre d'agréables nouvelles.

— Devine ! reprend Ginette, d'une voix tout excitée.

— Attends un peu que je réfléchisse... Tu m'appelles pour m'annoncer que le premier ministre va assister, en personne, à l'ouverture de l'école !

— Mieux que ça, Anne-Julie ! Grâce à ton passage à l'émission *Pierre Chevalier rencontre*... nous venons d'atteindre la somme astronomique de 456 000 $.

— C'est bien vrai ? Mais c'est extraordinaire ! Crois-tu que ce sera suffisant ?

— Tu parles ! Mais ce n'est pas tout, poursuit Ginette, d'un ton mystérieux. Es-tu bien assise ?

— Oui...

— Eh bien, figure-toi que je viens de recevoir une lettre du gouvernement provincial nous informant que le ministère de l'Éducation nous fait don de l'école.

— Quoi ? s'écrie Anne-Julie, ahurie.

— Tu as bien compris. Il nous donne le bâtiment, à condition que nous lui fournissions des rapports détaillés de rentabilité ; nous devrons prouver notre réussite académique et financière. Imagine un peu ! Nous pourrons réduire le coût d'inscription de nos futurs élèves et, par conséquent, davantage d'enfants fréquenteront l'école.

— Je n'en crois pas mes oreilles !

— C'est la vérité ! Grâce à toi, nos enfants auront une école adaptée à leurs besoins. Ah ! mon Dieu ! Je n'aurais jamais cru que cela soit un jour possible !

— C'est la meilleure nouvelle que j'aie entendue depuis longtemps, s'exclame Anne-Julie.

Elle en a les larmes aux yeux et n'arrive pas à croire que cette entreprise, qui semblait impossible au départ, puisse réussir si brillamment.

— Il ne nous reste plus qu'à terminer l'embauche du personnel et nous pourrons ouvrir les portes avec assurance, poursuit Ginette. C'est l'euphorie totale, ma chère ! Ton passage à l'émission de Pierre Chevalier nous a grandement aidés. Tu es née sous une bonne étoile !

Anne-Julie éclate de rire :

— Oui... On pourrait dire que j'ai une veine de pendu.

— Évidemment, lorsque l'on est une célèbre écrivaine... Mais revenons aux bonnes nouvelles, Anne-Julie. Je t'appelais aussi pour t'annoncer que le conseil d'administration vient d'engager une nouvelle enseignante. Il s'agit d'une jeune femme de vingt-huit ans, qui a déjà enseigné dans une classe à effectif réduit. On a obtenu d'excellentes recommandations à son sujet. À ce qu'on dit, elle est débordante de ressources et d'énergie. Elle est célibataire et accepterait de commencer avec un salaire de 26 000 $ par année. Elle dit que cet emploi lui apportera une grande expérience.

236

— Super ! se réjouit Anne-Julie. Et qui d'autre avez-vous engagé ?

— Eh bien... es-tu toujours bien assise ?

— Oui, oui, s'amuse Anne-Julie.

— Nous venons de gagner le gros lot, ma belle !

— Comment ça ?

— Nous avons enfin trouvé la perle rare, un orthopédagogue qui jouit d'une excellente réputation.

— C'est vrai ?

— Eh oui, ma fille ! C'est un type fantastique ! D'après son apparence, il doit avoir environ trente-deux, trente-trois ans. Il est beau à couper le souffle !

Anne-Julie pouffe de rire. Elle croit reconnaître les accents légers de Manon lorsque celle-ci s'extasiait sur les charmes d'un homme.

— Je te le dis ! s'exclame Ginette. Le genre Kevin Costner, mais en plus grand et avec des yeux sombres, très sensuel. Dieu du ciel ! Un véritable Apollon ! Les femmes du conseil d'administration en sont restées bouche bée ! Ce n'est pas tout ! Il est cé-li-ba-tai-re, traîne-t-elle d'une voix enthousiaste. Et si tu voyais son curriculum vitæ. Je n'ai jamais vu ça de toute ma vie. Il possède une maîtrise en psychologie de l'enfance inadaptée, ou quelque chose du genre. Outre sa grande expérience dans le domaine, il nous arrive de l'Institut de recherche de l'université McGill. Avec lui pour diriger les enseignantes, ma chère, nous pouvons être certaines que tout le personnel travaillera à plein régime. Tu aurais dû voir la tête des enseignantes ce matin, lorsqu'on leur a présenté ce beau spécimen de la nature. C'était presque à pouffer de rire ! On a vu leurs visages s'éclairer de convoitise. Ma chère ! la tension était palpable ! J'avoue que je lui laisserais bien déposer ses pantoufles à côté de mon lit, achève-t-elle.

Anne-Julie trouve les propos enflammés de son amie bien amusants et reprend la conversation, le sourire aux lèvres :

— Voyons, Ginette, un peu de retenue ! Que dirait ton beau Robert s'il savait que tu t'es entichée de ce bel inconnu ?

— Hum ! Je sais bien qu'il n'est pas pour moi, mais pour toi par exemple... Tu sais ce qu'il a répondu lorsque nous lui avons demandé s'il avait une famille ?

— Non.

— Eh bien, il a dit qu'il avait perdu l'amour de sa vie et qu'il avait décidé de consacrer tout son temps aux enfants qu'il n'aura jamais. Hum... n'est-ce pas romantique ?

— Ouf ! s'exclame Anne-Julie. Laisse-moi un peu respirer ! Mais, dis-moi, cette perle rare, que tu me décris avec autant de chaleur, a réellement accepté de travailler pour un salaire aussi bas que celui que nous proposons ?

— Eh oui !

— Avoue que c'est curieux ! S'il a tant de compétence et d'expérience...

— Mais c'est ça qui est formidable, ma grande ! Puisqu'il est célibataire, il peut relever ce défi, malgré un maigre salaire. Entre nous, il ne doit pas manquer d'argent. Il possédait un poste très bien rémunéré à l'université.

— Alors, si je comprends bien, on est vraiment prêts ? s'écrie Anne-Julie, en souriant de contentement.

— Tout à fait, ma belle ! approuve Ginette.

— Je n'arrive pas à y croire ! Lui a-t-on bien décrit sa tâche ?

— Justement, Anne-Julie ! Nous aimerions que tu le rencontres pour lui expliquer tout ça. C'est toi, après tout, qui as créé ce poste. Et j'ai bien l'impression qu'il est pressé de faire ta connaissance. Il est probablement au courant de ta carrière d'écrivaine. Chanceuse ! Tu pars avec une longueur d'avance sur nous.

— Tu dis n'importe quoi, Ginette ! Tu regardes trop de films d'amour.

— Et je lis trop de romans, je sais. Bon ! Trêve de plaisanteries ! Quand pourras-tu le rencontrer ?

Anne-Julie hésite un instant et se dit que le plus tôt sera le mieux.

— Serait-il disposé à venir à l'école cet après-midi ?

— Je le crois, oui. Je vais lui téléphoner pour prendre rendez-vous avec toi cet après-midi même. Que dirais-tu de treize heures ?

— Ce sera parfait ! Je téléphone tout de suite à Ghyslaine pour qu'elle s'occupe de Mathieu. Si tu n'as pas de mes nouvelles d'ici quinze minutes, c'est que je serai présente à ce rendez-vous. Sinon, nous prendrons d'autres arrangements. Est-ce que cela te convient ?

— Parfait ! J'ai hâte que tu le voies !

— Et moi donc ! commente Anne-Julie. Ce n'est pas tous les jours qu'on rencontre un Kevin Costner en chair et en os !

Anne-Julie pensait amener Mathieu au *Château des rêves*. C'est un centre d'amusement très populaire à Rivière-du-Loup. On peut y passer de nombreuses heures à visiter un château dans lequel sont organisées des activités pour les jeunes. Elle demande à Ghyslaine si une telle sortie en compagnie des garçons l'intéresse. Anne-Julie offre de défrayer les coûts de ce divertissement. La maman de Félix-Antoine s'empresse d'accepter la proposition, sûre que les deux enfants seront fous de joie. Anne-Julie promet qu'elle ira rejoindre son fils tout de suite après son rendez-vous.

Vers midi trente, elle quitte donc Notre-Dame-du-Portage pour se rendre à l'école située boulevard Cartier à Rivière-du-Loup. Lorsqu'elle arrive enfin, Ginette l'accueille en lui signalant :

— Je viens d'envoyer un communiqué de presse annonçant

l'ouverture officielle de l'école pour septembre. Sais-tu que nous avons déjà reçu quarante inscriptions officielles ? Si nous pouvions atteindre le nombre de cinquante enfants, nous pourrions réduire les frais d'inscription à 300 $ par année. Avec la levée de fonds, nous pourrons aménager l'école et nous offrir le laboratoire de sciences et la salle d'ordinateurs que nous souhaitions tant. Tu imagines ce que cela représente ?

— C'est fantastique, Ginette ! L'orthopédagogue est-il arrivé ?

— Oui, il est dans la salle des professeurs, je vais le chercher immédiatement.

— Je l'attends, se contente de répondre Anne-Julie, en glissant une feuille dans la photocopieuse pour en imprimer quelques copies.

Vincent attend nerveusement dans la salle des enseignants. Il se sent le cœur en déroute. Quelle sera sa réaction lorsqu'il se retrouvera en présence d'Anne-Julie ? Et elle, comment réagira-t-elle ? Sera-t-elle heureuse de le revoir après toutes ces années ? Ou, au contraire, sera-t-elle tellement en colère qu'elle refusera tout rapprochement avec lui ? Pour la première fois depuis qu'il a décidé de se lancer dans cette aventure, Vincent éprouve des craintes et remet sérieusement son projet en doute. Arrivera-t-il à construire une relation professionnelle avec la jeune femme ? Les craintes l'assaillent, d'autant plus qu'il aura à s'occuper du fils d'Anne-Julie. Cette idée le met tout à coup mal à l'aise. Cela signifie qu'elle a aimé un autre homme que lui. A-t-il pris la bonne décision en venant ici ? Et Anne-Julie l'acceptera-t-elle au sein de l'équipe ? Tout lui paraît soudainement ridicule. Une envie folle de rebrousser chemin et de retourner à Montréal sur-le-champ l'envahit. Il tente de se raisonner. De toute façon, il est trop tard pour revenir en arrière. Et même si on peut qualifier son comportement de puéril,

Vincent désire plus que tout au monde revoir celle qu'il aime toujours.

L'état d'agitation dans lequel il se trouve lui donne une sorte de crampe à l'estomac. L'idée qu'Anne-Julie est probablement mariée, donc inaccessible, le rend profondément malheureux. D'ailleurs, à supposer qu'elle soit célibataire, pourquoi s'intéresserait-elle à lui maintenant ? Après tout, ne l'a-t-elle pas rejeté par le passé ? Elle lui a fait clairement comprendre qu'elle ne l'a jamais aimé et qu'elle s'était trompée sur leur relation. Pourquoi cela aurait-il changé ?

Il prend une longue inspiration et fait taire cette petite voix agaçante qui ne cesse de lui dire de s'en aller. Dans le corridor de l'école, il entend distinctement la voix de la jeune femme, ce qui suffit à lui chavirer le cœur. Mon Dieu ! La revoir après toutes ces années. C'est complètement démentiel ! À quoi a-t-il pensé ?

— Monsieur Roy ? demande une jeune femme qui vient de pénétrer dans la pièce où il se morfond comme un gamin.

— Oui.

— Madame Beaulieu désire vous rencontrer.

— Je vous suis ! se contente de répondre Vincent, qui se lève et enfonce ses ongles dans les paumes de ses mains.

Lorsqu'il aperçoit Anne-Julie, son cœur s'affole dans sa poitrine.

Elle est penchée, le regard fixé sur le photocopieur où elle récupère des feuilles. Vêtue d'une robe soleil jaune vif, elle semble avoir conservé sa souplesse et sa minceur d'autrefois. Le dos de la jeune femme, nu sous les bretelles croisées du vêtement, attire l'attention de Vincent. Il repère avec facilité le grain de beauté qu'elle a sur l'omoplate gauche et qui l'a si souvent séduit lorsqu'il contemplait la splendeur de sa nudité. De minuscules petites fleurs rouges parsèment le tissu léger de sa robe. Et lorsqu'elle se penche à nouveau pour récupérer

241

d'autres feuilles, il remarque son corsage ajusté, emprisonnant de façon ravissante sa poitrine menue mais ferme.

L'abstinence qu'il s'est imposée depuis plus d'un an rallume son désir devant cette image de rêve. Il ressent les petits picotements annonciateurs d'un plaisir diffus lui parcourir le corps malgré ses efforts à freiner ses élans amoureux. À la fois agité et paralysé, il attend qu'Anne-Julie daigne jeter un regard sur lui.

Inconsciente du trouble que ressent le jeune homme, Ginette s'adresse directement à son amie :

— Anne-Julie, j'aimerais te présenter M. Vincent Roy, notre orthopédagogue...

Anne-Julie lève la tête dès qu'elle entend prononcer ce nom. Son corps se fige instantanément et ses yeux affolés se posent sur le jeune homme. On croirait que le temps vient de s'arrêter. Muette de stupeur, elle doit s'agripper au photocopieur pour ne pas s'écrouler. Sa voix laisse difficilement échapper un son retenu depuis si longtemps. Un son défendu. Un son aimé, parmi tous les sons. Un son formé de deux syllabes et qui a encore le pouvoir de la bouleverser :

— Vincent !

Le jeune homme rencontre le regard d'Anne-Julie, un regard fiévreux, parsemé de minuscules éclats violets. Le sourire de Vincent s'éclaire, car il constate que son amante d'autrefois est aussi émue que lui par cette rencontre. Il remarque que le visage d'Anne-Julie est toujours aussi beau. Davantage même, parce qu'elle est plus femme, plus attirante encore que dans ses souvenirs. Il toussote légèrement avant de répondre :

— C'est bien moi, Anne-Julie ! Comment vas-tu ?

Anne-Julie lui fait face et, instinctivement, elle s'appuie contre le photocopieur, de peur que ses jambes ne la supportent pas. Elle rêve. Elle va se réveiller sous peu. Ce n'est pas possible. Revoir Vincent, de façon aussi imprévisible, lui noue les entrailles. Elle voudrait s'enfuir. Mais où aller ? Comment disparaître ? L'esprit en cavale, elle ne parvient pas à réfléchir. Il... il... est si beau, si attirant, si homme. Mon Dieu ! Que fait-il ici ?

Ginette, qui surveille toute la scène, ne peut réprimer un éclat de rire. Elle ne sait pas trop comment réagir, aussi décide-t-elle de plaisanter un peu :

— Monsieur Roy est l'orthopédagogue dont je t'ai parlé ce matin, Anne-Julie. Mais, d'après ce que je constate, vous vous connaissez déjà, tous les deux.

Vincent s'oblige à réagir. Ils ne peuvent pas demeurer ainsi suspendus dans ce malaise insupportable. Courageusement, il réplique :

— Vous avez raison. Nous avons fréquenté la même université.

— Je vois, fait Ginette, qui ne peut détacher les yeux du merveilleux couple qu'ils forment. Bon ! Alors, je vous laisse. Puisque vous vous connaissiez déjà, cela facilitera votre échange.

Si Ginette pouvait, ne serait-ce qu'une fraction de seconde, deviner dans quelle situation inconfortable Anne-Julie se trouve, elle n'avancerait pas de telles âneries. Une réalité s'impose à son esprit : Vincent va côtoyer son fils. Cela ne se peut pas ! En proie à la panique, Anne-Julie refuse cette éventualité. Mais comment éloigner Vincent de Mathieu ? Elle ne peut pas intervenir dans les décisions du conseil d'administration. Vincent est celui que tous attendaient pour ce poste. Il est trop qualifié pour qu'on refuse sa candidature. De toute façon, quelles explications justifieraient son refus ? « Vous ne pouvez pas engager cet homme parce qu'il est le père de mon fils ! »

Si Anne-Julie s'oppose à l'engagement de Vincent, elle devra mettre le conseil d'administration au courant de sa vie privée. Puis le conseil devra, à son tour, expliquer la décision à Vincent. La jeune femme est foudroyée. Elle se trouve à nouveau dans une impasse. Il ne lui reste qu'une seule solution : convaincre elle-même Vincent que sa place n'est pas dans cette école.

D'une voix chevrotante, elle invite son amoureux d'autrefois à la suivre jusqu'au petit local réservé pour leur rencontre. Elle le devance et lui fait signe de s'asseoir. N'arrivant pas à s'habituer à sa présence, elle préfère mettre une distance respectable entre eux en conservant un silence buté. De toute façon, que pourrait-elle lui dire d'intelligent ? Elle ne sait pas comment l'aborder et ne parvient pas à se remettre du choc de leur rencontre. Elle a l'impression que, dans son cœur, se déverse un flot de sentiments contradictoires qu'elle n'arrive pas à maîtriser. C'est tout simplement insupportable !

— Comment vas-tu ? demande à nouveau Vincent, qui ne cesse de l'examiner avec une nervosité non feinte.

— Comment veux-tu que je te réponde ! intervient Anne-Julie, décidant d'afficher son mécontentement. Tu te demandes comment je me sens ? C'est galant de ta part, mais ne crois-tu pas qu'il est naturel que je sois plutôt déconcertée ?

— Tu ne le devrais pas, répond Vincent, sarcastique. Je pense que tu devrais me considérer comme n'importe qui, puisque je ne suis rien d'autre pour toi qu'un orthopédagogue qualifié pour accomplir le travail exigé.

Anne-Julie retient péniblement une envie de pleurer.

— Comment peux-tu affirmer une telle chose ? Après ce que nous avons vécu ensemble... il est parfaitement compréhensible que je ressente un certain malaise.

Vincent baisse les yeux. Il se sent très agité et à cet instant même, il comprend ce que veut dire l'expression « troubles affectifs ». Il est confus, dérouté et profondément ébranlé par cette rencontre.

— Je sais ce que tu éprouves, dit-il enfin. Je me sens exactement comme toi en ce moment. Te revoir après tant d'années me bouleverse énormément.

Vincent se questionne intérieurement. Que signifie cette réaction ? Pourquoi semble-t-elle si émue, puisque c'est elle qui l'a chassé de sa vie sans ménagement ? Il croit normal de se sentir secoué par ces retrouvailles puisqu'il l'aime toujours ; mais elle, qui n'éprouve plus rien pour lui, devrait reprendre rapidement la maîtrise de ses émotions.

Anne-Julie expose alors son point de vue d'une voix tranchante :

— Tu ne peux pas travailler ici, Vincent.

— Pourquoi cela ? s'écrie-t-il aussitôt, surpris par la hargne de la jeune femme.

— À cause... du passé, laisse-t-elle tomber, en repoussant ses cheveux derrière ses épaules.

— Je ne vois pas comment ce que nous avons vécu par le passé pourrait m'empêcher d'aider ces enfants.

Anne-Julie est aussi tendue qu'un ressort étiré au maximum. Comment peut-elle répondre à cette remarque, sans révéler ses sentiments ? La première chose à faire est de connaître les motivations de sa venue ici. Nerveuse, elle reprend :

— Pourquoi cette décision, Vincent ? Je veux dire... pourquoi avoir quitté un poste important pour venir travailler ici, dans des conditions aussi précaires, et pour un maigre salaire de surcroît ?

Le jeune homme s'appuie contre le dossier de sa chaise et réfléchit longuement à ce qu'il va dire.

— Je pourrais te mentir en affirmant que c'est pour une noble cause, animé par le désir, par exemple, d'acquérir une expérience supplémentaire en travaillant à nouveau auprès des enfants, et tout le tralala.

Après une pause, il reprend :

— Mais bien que cela soit vrai en partie, la principale raison demeure...

Il cherche ses mots et poursuit :

— La principale raison, c'est que j'éprouvais une irrésistible envie de te revoir, confesse-t-il.

Cet aveu trouble Anne-Julie plus qu'elle ne veut le laisser paraître. Ainsi, il l'aime toujours. Un bonheur diffus la gagne, en même temps qu'une effroyable panique.

— Tu sais bien qu'il ne peut plus rien y avoir entre nous ! Et ton poste dans cette école rendra notre situation plutôt embarrassante.

Rempli de confusion, Vincent détourne les yeux :

— Ça, c'est mon affaire, Anne ! Cependant, si ça peut te rassurer, je te fais la promesse de ne jamais t'importuner.

— Nous serons mal à l'aise ensemble, reprend Anne-Julie avec l'énergie du désespoir.

— Au début, oui. Mais nous nous y ferons. Je ne serai pas une menace dans ta vie, je te le promets. Et je pense que les enfants de cette école ont besoin de moi.

La décision de Vincent a des conséquences énormes pour elle et pour Mathieu. Elle voudrait crier au secours. Si elle ne parvient pas à le faire changer d'idée, tôt ou tard, il découvrira qu'il a un fils.

« Seigneur Dieu ! Aide-moi, je T'en conjure », prie-t-elle, tout à sa détresse.

— Ne comprends-tu pas que cela sera intolérable, Vincent ? Cette situation sera très inconfortable. Nous en serons affectés tous les deux. Qu'attends-tu de moi au juste ? Espères-tu que je retombe dans tes bras ? se révolte-t-elle.

S'il pouvait la haïr, tout s'arrangerait et il sortirait à nouveau de sa vie.

— Ce que tu peux être cruelle, Anne-Julie ! Tu es remplie d'amertume. Pourquoi désires-tu me blesser à tout prix ?

Vincent considère qu'il ne mérite pas une telle hargne de la part de la seule femme qu'il ait jamais aimée. Il pousse un soupir de lassitude et se reprend :

— Ce que j'attends de toi ? C'est pourtant simple ! Je veux que tu me laisses exercer mon métier pour le bien des enfants de la région. N'oublie pas que je suis natif de ce coin de pays, moi aussi. Il est légitime que je veuille y habiter et y travailler, lui fait-il observer, avec un air de vérité qui la frappe de plein fouet.

— Certes, reconnaît Anne-Julie qui, subitement, baisse les bras. Je suppose que plus je m'interposerai, plus tu t'incrusteras ici. J'éviterai donc de venir à l'école, puisque je ne peux pas te convaincre de partir.

Elle a parlé d'une voix calme et forte, mais elle supporte mal de le voir aussi proche d'elle sans pouvoir se jeter dans ses bras.

— C'est exact ! Je peux être têtu lorsque je désire ardemment quelque chose, convient Vincent avec un pâle sourire.

Le silence envahit la pièce pendant quelques instants. Tous deux restent assis, immobiles comme des statues. Ni l'un ni l'autre n'a l'audace de poursuivre cet échange. Vincent reprend la conversation d'un ton plus doux.

— Es-tu mariée ?

Anne-Julie cligne les yeux de surprise. Il vient de franchir le passage le plus dangereux de cette conversation. L'embarras lui noue la gorge et elle cherche désespérément un mensonge à inventer. Il lui faut gagner du temps.

— Pourquoi cette question ?

— Simplement pour savoir. Moi, je suis demeuré célibataire...

Il ne manque aucune occasion pour la mettre mal à l'aise. Que cherche-t-il ? Qu'elle lui confie ses secrets les plus intimes ? « Oh ! non ! Ça jamais ! » se promet-elle.

— Moi aussi, répond-elle, en le foudroyant du regard.

Anne-Julie sent l'épuisement la gagner. Submergée par la détermination d'en finir au plus vite, elle décide :

— Bon ! Maintenant, venons-en au véritable motif de cette rencontre !

Vincent sourit et réplique :

— Comme tu voudras !

Anne-Julie précise donc à Vincent quelles seront ses tâches dans l'organisation de cette école. Il l'écoute avec une attention soutenue.

Pendant toute la durée de l'échange, il s'efforce de ne pas regarder la jeune femme trop directement. Mais, malgré toute sa volonté, son regard se porte sans cesse sur les mains douces d'Anne-Julie. Ces mains l'ont si souvent caressé et lui ont procuré tant de plaisir par le passé qu'il ne peut chasser de ses pensées les moments d'intimité qu'ils ont connus. Il lui semble que c'était hier ; il la tenait entre ses bras, consentante et ouverte au plaisir. Comment peut-elle avoir oublié tout cela ?

À plusieurs reprises, il s'oblige à inspirer à fond, espérant museler ses pensées. Lorsqu'elle a enfin terminé l'énumération de ses tâches, Anne-Julie fait une pause et demande :

— As-tu des questions ? Je crois avoir tout dit...

Vincent quitte rapidement son monde d'illusions pour répondre :

— Si j'ai bien compris, je suis responsable de l'organisation pédagogique de cette école ?

— C'est exactement cela !

— Tous les titulaires seront sous ma responsabilité. Je devrai orienter tous les programmes de cours et aider les enseignants. J'étudierai également le cas de chacun des enfants qui fréquenteront l'école pour leur offrir un enseignement personnalisé. Plusieurs d'entre eux auront des bulletins adaptés. Le temps que prendra un enfant pour faire son apprentissage importe peu : ce qui compte, c'est que les élèves s'épanouissent dans leur école et qu'ils soient motivés par l'apprentissage. Pas question de leur imposer des programmes rigides et non adaptés ! Cette école leur permettra de s'épanouir dans un cadre innovateur. Je devrai bien sûr voir à ce que les programmes d'apprentissage proposés par le Ministère soient respectés, peu importe les méthodes d'enseignement que nous privilégierons. Je devrai soumettre mes rapports au conseil d'administration, tous les mois. Voilà, je crois avoir bien résumé ce que tu me disais. C'est un vrai défi ! Mais j'accepte de le relever !

— En es-tu bien certain ? soupire Anne-Julie.

Elle avait espéré qu'en lui définissant lourdement ses fonctions, il désenchanterait. Mais bien au contraire !

Vincent perçoit une pointe de contrariété sur le visage d'Anne-Julie. Il lui adresse une petite grimace et dit :

— Douterais-tu de mes capacités ?

— Non... C'est juste que je trouve que le salaire que nous t'offrons est relativement peu élevé si l'on considère les exigences de la tâche.

— Ne te préoccupe pas de ça ! Je suis venu ici pour relever un défi et je crois à ce projet. Je suis convaincu que cela fonctionnera à merveille et que l'on tient la bonne solution aux problèmes d'apprentissage des enfants de la région. Mais, dis-moi, comment diviserons-nous les groupes ?

— Nous avons pensé former trois groupes. Un qui se composera des enfants de première et de deuxième années scolaires, un autre de troisième et de quatrième années et un dernier de cinquième et de sixième années.

— Merveilleux ! De cette façon, ce sera moins décourageant pour les enfants. Par exemple, si un enfant doit passer plus de deux ans dans le même groupe.

— C'est cela, oui, approuve Anne-Julie, conquise par l'esprit vif de Vincent.

— C'est tout à fait génial !

Malgré son inconfort, Anne-Julie sourit devant le débordement d'enthousiasme de cet homme. Elle aurait dû comprendre tout de suite que Vincent ne reculerait jamais devant un défi à relever, aussi exigeant soit-il.

— As-tu visité l'école ? s'informe-t-elle d'un air qu'elle désire détaché.

— Non.

— Alors, suis-moi. Je pense que notre organisation t'intéressera.

Anne-Julie se lève. Une fois de plus, elle devance Vincent, qui se contente de la suivre en maintenant une légère distance entre eux. Il éprouve une envie irrésistible d'admirer les courbes de son dos presque nu, de sa taille fine et de ses hanches qui ondulent. Une bouffée de désir l'enflamme. Son calvaire ne fait que commencer, il le sent bien. Dieu qu'Anne-Julie est belle ! Plus belle encore que dans ses souvenirs. La trentaine lui va à ravir, la rendant encore plus femme, plus attirante que jamais. Ce qu'il ne comprend pas, c'est pourquoi elle vit seule. Avec la carrière qu'elle mène et les nombreuses rencontres qu'elle doit faire, elle a dû connaître de nombreuses aventures amoureuses. Et quelles sont les circonstances qui ont entouré la naissance de son fils ? Leur intrigue amoureuse remonte à huit ou neuf ans. Se peut-il qu'elle ait rencontré le père de Mathieu tout de suite après leur rupture ? Cette idée lui fait horriblement mal. Anne-Julie est peut-être séparée ou divorcée depuis peu de temps ? Vincent retourne sans cesse ces questions dans son esprit en effervescence.

La visite des lieux achevée, Vincent prend la liberté de saisir le bras d'Anne-Julie afin de ralentir sa course, et l'oblige à lui faire face.

— Accepterais-tu que l'on prenne un café ensemble ? J'aurais d'autres questions à te poser.

250

La jeune femme se libère doucement et consulte sa montre avec nervosité.

— Je n'ai pas beaucoup de temps. J'ai promis à Mathieu d'aller le rejoindre au *Château des rêves*.

— Ton fils se nomme Mathieu ? observe Vincent, en la dévisageant indiscrètement.

— Oui, il se nomme Mathieu.

— C'est un très joli prénom. J'ai hâte de connaître cet enfant !

Un frisson parcourt le dos d'Anne-Julie.

— Je crois... que je devrais te laisser, réussit-elle à dire. Il m'attend et...

— Je comprends, affirme Vincent dans un sourire des plus séduisants. Il ne faut pas faire attendre les enfants. Je recueillerai les renseignements qui me manquent auprès du directeur et du conseil d'administration.

— Je crois, en effet, qu'ils sont plus expérimentés sur le sujet.

— Bon ! On se quitte ici. Je te laisse aller retrouver ton fils. J'aimerais cependant préciser que j'ai été très heureux de te revoir. Tu es toujours aussi jolie, Anne-Julie. J'ai peine à croire que nos chemins se croisent à nouveau.

Anne-Julie détourne les yeux une fois de plus. Cette situation est franchement embarrassante et dangereuse. Pourquoi le destin lui a-t-il joué un aussi mauvais tour ? Elle quitte l'école, les yeux remplis de larmes, et n'a qu'une idée : se rendre chez Manon.

24

Profitant de cet agréable après-midi de fin septembre, Anne-Julie élague quelques branches des rosiers sauvages qui ornent la façade de la maison. Elle souhaite les protéger du long hiver qui approche à grands pas. Cisailles en mains, elle taille les arbustes qui ont pris un volume considérable durant l'été.

Comme toujours, elle est vêtue de façon décontractée, d'un jean délavé ajusté, s'harmonisant parfaitement avec un chandail de couleur rose tendre démesurément grand pour elle et qui recouvre un tee-shirt. Elles est chaussée de souliers de course, car elle vient à l'instant de faire une longue randonnée.

Le vent soulève de façon agréable les boucles de ses cheveux en caressant son visage non maquillé.

Absorbée par ses activités, Anne-Julie n'entend pas les pas de Vincent qui l'interpelle doucement :

— Anne-Julie ?

Surprise, elle sursaute et se pique un doigt à l'épine d'un rosier. Elle laisse échapper un vilain juron :

— Merde !

Le jeune homme ne peut s'empêcher de sourire. Comme elle se retourne vers lui, il a tout le loisir de l'observer. Malgré la nervosité qu'il ressent à la revoir encore une fois, Vincent s'amuse à étudier Anne-Julie qu'il trouve pleine de fraîcheur et de charme. Peu de femmes possèdent une telle allure, même vêtues de façon aussi simple. Subjugué par sa beauté, mais en même temps ennuyé par la piqûre qu'elle vient de s'infliger, il s'écrie :

— Oh ! excuse-moi ! Je ne voulais pas te faire peur.

Il se rapproche et ses mains s'emparent tout naturellement de celles de la jeune femme.

— Laisse-moi voir ça.

— Ce n'est rien ! s'empresse de dire Anne-Julie en retirant sa main. Je me suis simplement piquée avec une épine.

— Du calme, Anne-Julie, je veux seulement regarder, insiste Vincent.

Anne-Julie s'impatiente :

— Je te dis que ce n'est rien ! répète-t-elle avec véhémence, en s'éloignant de lui.

Sous le choc de cette rencontre fortuite, elle ne peut s'empêcher de s'interroger. Pourquoi est-il venu jusque chez elle ?

Ce nouveau face-à-face avec Vincent éveille les mêmes troubles que lors de leur rencontre à l'école. Elle doit bien avouer qu'il ne quitte guère ses pensées depuis son arrivée dans la région. L'agitation de ces dernières semaines l'épuise, et les émotions vives qu'elle éprouve brisent l'équilibre précaire qu'elle s'efforce d'afficher avec beaucoup de courage.

— Que fais-tu ici ? Ne devrais-tu pas être à l'école en ce moment ?

Vincent sourit et répond, sur une note espiègle :

— En principe, oui. Mais j'ai pris la décision de rencontrer les parents des élèves. J'aimerais connaître leurs points de vue sur les problèmes de leurs enfants. Ensuite, ce sera plus facile pour moi d'établir un plan d'action pour chacun de ces petits. Je pense que pour bien cerner leurs problèmes, il est essentiel que je me fasse une idée de l'histoire de chacun d'eux, explique-t-il en reprenant la main de la jeune femme entre les siennes.

Se libérant à nouveau, Anne-Julie porte machinalement son doigt blessé à sa bouche pour en sucer le sang. Elle constate que la peur, telle une vieille complice, refait surface. Les yeux pleins d'animosité, elle réplique :

— Ne fais-tu pas un peu trop de zèle ?

Vincent éclate de rire.

— Je ne crois pas, non.

Puis, la mine affable, il annonce :

— Trêve de plaisanterie, j'ai rencontré ton fils à plusieurs reprises et j'apprécierais que tu me donnes quelques éclaircissements en ce qui le concerne.

Anne-Julie tente de camoufler sa panique. L'énorme risque qu'elle prend en laissant Vincent pénétrer dans l'univers de Mathieu lui fait craindre le pire.

— À mon avis, le dossier de Mathieu renferme tous les renseignements dont tu as besoin, dit-elle, sur la défensive.

— Je dois en savoir davantage, Anne-Julie. Comprends-moi... C'est pour moi la seule façon d'être véritablement efficace.

— Je ne vois pas ce que je pourrais ajouter de plus à ce que renferme déjà ce dossier, se défend Anne-Julie, apparemment désolée.

Vincent discerne pourtant chez la jeune mère un malaise profond. Pourquoi est-elle toujours aussi craintive lorsqu'il est question de son fils ? A-t-elle quelque chose à cacher ? Déçu, mais tenace, il utilise une nouvelle tactique :

— Y aurait-il quelque chose que tu ne veux pas que je sache à propos de Mathieu et toi ?

Estomaquée par cette attaque directe, Anne-Julie secoue la tête avec force.

— Non, Vincent... je n'ai rien à cacher !

— Alors, prouve-le-moi ! Offre-moi un café bien chaud et bavardons tous les deux. Je pense que ce que j'ai à te dire ne manque pas d'intérêt.

Vaincue, Anne-Julie soupire et hausse les épaules. Elle se sent prise au piège. Si elle persiste dans cette attitude, l'orthopédagogue finira par se poser de sérieuses questions à son sujet.

— Puisque je n'ai pas le choix, alors suis-moi !

Vincent affiche un sourire vainqueur. Mais il sait qu'il a réellement cette femme dans la peau et qu'il ne pourra jamais guérir de leur amour perdu.

En silence, ils pénètrent dans la cuisine. Anne-Julie l'invite à s'asseoir à table, tandis qu'elle prépare du café. Ces quelques instants de répit lui permettent de réfléchir à la situation.

— Comment désires-tu ton café ?

— Avec un sucre et beaucoup de lait, répond Vincent.

D'une main nerveuse, elle verse le café dans les tasses et en laisse échapper quelques gouttes sur le napperon.

— Oh ! excuse-moi ! Je suis terriblement maladroite aujourd'hui ! se justifie-t-elle d'un air penaud.

— Ce n'est pas grave. Laisse-moi nettoyer ça ! répond Vincent en se levant de table.

— Non ! Ne bouge pas, j'y vais, réplique Anne-Julie.

Mais comme ils se penchent ensemble devant la porte de l'armoire où doit forcément être rangé le linge qui épongera ces gouttes, leurs visages se rapprochent soudainement et leurs lèvres en frémissent d'excitation. Anne-Julie tente de se contenir pour éviter de succomber à ses désirs et se laisser aller dans les bras de Vincent. Il règne dans cette pièce une tension sensuelle facilement palpable. Vincent, le premier, se reprend :

— J'aurais très bien pu le faire...

Anne-Julie ne sait que dire. Elle regrette amèrement cette faiblesse de sa part. Vincent n'est sûrement pas dupe. Il a à coup sûr senti la volupté qui l'enveloppait tout entière lorsqu'elle se tenait près de lui. Consternée, Anne-Julie se dirige vers la table pour éponger d'une main nerveuse les quelques gouttes de café, désirant effacer du même coup le trouble qui la submerge.

— Voilà, je suis tout ouïe à présent, annonce-t-elle en s'assoyant de nouveau près de lui. De quoi voulais-tu me parler ?

Encore ébranlé par ce qui vient de se passer, Vincent amorce la discussion sans tarder. Il a bien compris qu'Anne-Julie ne désire pas que leur échange porte sur des sujets trop personnels. Cependant, l'attitude de la jeune femme prouve qu'elle n'est pas aussi insensible qu'elle veut bien le laisser croire.

— J'ai fait une analyse rapide des problèmes de ton fils. Bien entendu, il est trop tôt pour établir de façon formelle une évaluation précise de ses troubles d'apprentissage. Mais j'aimerais te faire part de mes observations.

Anne-Julie s'abstient de tout commentaire, fermement décidée à en dire le moins possible sur Mathieu. Déjà le simple fait d'entendre Vincent lui parler de Mathieu lui donne la chair de poule. S'il apprenait la vérité, ce serait la catastrophe pour elle, comme pour son fils.

— Quelles sont tes conclusions ? se contente-t-elle de demander.

— En ce qui concerne les difficultés de lecture de Mathieu, Mlle Dubois m'a précisé qu'il confond quelques lettres de l'alphabet : les *b* et les *d,* ainsi que les *p* et les *q.* Elle m'a souligné aussi qu'il ne prend pas le temps de déchiffrer les sons, mais qu'il essaie plutôt de les deviner. Mathieu ajoute des mots ou il en retranche et ne s'aperçoit pas de ses erreurs. De plus, il lit beaucoup mieux lorsqu'on place un doigt directement sous les mots qu'il observe. Elle m'a également indiqué que son débit de lecture est beaucoup trop lent et que, s'il n'augmente pas sa vitesse, il ne pourra pas passer au travers du programme de troisième année. Est-ce que ces données te semblent justes ?

— Oui. Tout cela est exact, répond la jeune femme d'un air morose.

— Bon ! J'ai pris connaissance de la lettre du spécialiste que tu as rencontré à Québec.

— Oui... et alors ? s'informe Anne-Julie, pressée de connaître les idées de Vincent à ce sujet.

— Personnellement, je suis d'accord avec son diagnostic. À mon avis, Mathieu souffre de dyslexie ; mais ce n'est pas son unique problème.

— Que veux-tu dire ?

— La dyslexie est considérée comme une tare incurable, mais c'est une grave erreur, si tu veux mon opinion. Bien traitée, et prise à temps, elle peut être vaincue. Je pense sincèrement que Mathieu a ce qu'il faut pour maîtriser cette légère anomalie. Le plus gros problème de Mathieu est, me semble-t-il, son manque de confiance en ses propres techniques de décodage. Il a peur de se tromper et il n'est pas sûr de lui ; ce qui m'amène à dire que son état affectif est davantage à considérer que sa dyslexie.

Voyant qu'il a toute l'attention de la jeune femme, Vincent poursuit :

— J'aurais quelques questions d'ordre personnel à te poser.

Anne-Julie lui lance un regard inquiet :

— Que veux-tu savoir au juste ?

— Je me sens un peu mal à l'aise de te parler de ça. Mais, vois-tu, je trouve important de te poser ces questions pour mieux comprendre Mathieu.

— Vas-y. Je verrai si je peux te répondre, murmure-t-elle en sourcillant légèrement.

— Mathieu a-t-il des contacts avec son père ?

Anne-Julie blêmit. Affolée, elle se cabre et répond:

— Je n'ai pas envie de parler de ça ! Cela me regarde personnellement.

Vincent a bien l'impression qu'Anne-Julie veut absolument lui cacher quelque chose. Il insiste :

— Il faut me répondre, Anne-Julie ! C'est une question simple qui mérite une réponse simple.

— Vincent Roy, tu sauras qu'il n'y a jamais rien eu de simple dans ma vie ! Mais je te répondrai simplement. La réponse est non. Mathieu n'a aucun contact avec son père.

— Il ne le voit donc jamais ?

— Je viens de te dire que non !

C'est au tour de Vincent de détourner les yeux. La jeune femme ne lui dit pas tout, il le sent bien. Ce sera difficile de découvrir la vérité mais il y parviendra, il s'en fait la promesse ! Il réfléchit pendant quelques secondes à ce qu'il va dire.

— Y a-t-il... quelque chose qu'il serait important que je sache et qui servirait la cause de Mathieu ?

Anne-Julie tremble de tous ses membres. L'angoisse l'étreint. Un terrible silence s'ensuit. Elle sait que Vincent a remarqué sa détresse. Mais il choisit volontairement de se taire, prolongeant ainsi le malaise avec une insoutenable cruauté.

— Non, ment-elle, en fuyant le regard du jeune homme.

Sachant que cette réponse est fausse, Vincent soupire et décide de prolonger le malaise :

— Je sais que tu mens, Anne-Julie. Comprends bien que

si je te pose toutes ces questions, c'est uniquement dans un but professionnel. Tu peux me faire confiance et tout me raconter. Cette conversation restera entre nous, je t'en donne ma parole.

— Je t'ai dit qu'il n'y a rien, s'impatiente Anne-Julie.

Vincent se cale au fond de sa chaise et décide de la déstabiliser en contemplant un point imaginaire sur un mur. Il met ses mains dans les poches de son jean pour se donner le courage de lui tenir tête. Après quelques secondes de silence, il reformule sa question d'une voix très douce :

— As-tu éprouvé de la difficulté à quitter son père ?

Anne-Julie le fusille du regard et, profondément exaspérée, elle consent à répondre en appuyant avec force ses poings contre la table de la cuisine.

— Oui ! Son père et moi ne nous entendions pas du tout et si tu veux tout savoir, il m'a battue, violée et a détruit ma vie, claironne-t-elle en étouffant des sanglots de honte. Mais, vois-tu, Mathieu, lui, croit que son père est un héros et qu'il est mort. C'est ce que j'ai trouvé de plus plausible à lui raconter.

Stupéfait, Vincent s'approche de la jeune femme et pose une main sur la sienne.

— Cela a dû être terrible à vivre pour toi...

Dans un geste de colère, elle retire sa main emprisonnée.

— Je ne souhaiterais pas cela à ma pire ennemie ! crie-t-elle.

— Je suis désolé. C'est... affreux, sympathise Vincent. Jamais je ne me serais douté que tu as vécu un tel drame.

La jeune femme fait un geste de la main, espérant mettre un terme à cette conversation très éprouvante. Des images de Stéphane et du viol la submergent. Elles lui rappellent pourquoi sa vie auprès de Vincent est devenue impossible.

— Mathieu a-t-il cherché à savoir qui est son père ?

« Assez ! Assez ! » commande sa petite voix intérieure.

Elle se sent harcelée, torturée. À bout de forces, et ne pouvant plus maîtriser la situation, elle laisse échapper quelques larmes qui roulent le long de ses joues fiévreuses.

— Oui... comme tous les enfants de son âge qui n'ont pas de père.

— Que lui as-tu raconté ?

— Peu importe. Mathieu a compris qu'il ne connaîtrait jamais son père puisqu'il est mort.

Vincent soupire. Une force incroyable le pousse à poursuivre cet échange qui le fait, lui-même, atrocement souffrir. La seule évocation d'Anne-Julie dans les bras d'un autre homme suffit à le rendre agressif. Il se calme et poursuit :

— Si je ne me trompe pas, Mathieu est né peu de temps après notre rupture. As-tu rencontré son père tout de suite après m'avoir quitté ?

Anne-Julie a la nette impression que Vincent s'amuse à la torturer. Peut-être a-t-il appris quelque chose à son sujet. La jeune femme a le cœur déchiré et l'angoisse lui noue les entrailles. Que doit-elle répondre à cela ? Il faut qu'elle invente quelque chose, et rapidement, pour effacer une fois pour toutes les doutes qui peuvent surgir dans l'esprit du jeune homme. Péniblement, elle confie :

— J'ai connu le père de Mathieu avant notre rupture.

— Quoi ?

— Je sais que c'est pénible pour toi d'apprendre cela, mais c'est la raison pour laquelle je t'ai quitté. Je n'étais plus très sûre de mon amour pour toi, alors... j'ai préféré te quitter plutôt que de jouer un double jeu.

— Ça alors ! s'écrie Vincent, furieux.

Le calme avec lequel elle vient de lui faire cet aveu le frappe de plein fouet. Son esprit s'agite, son sang bouillonne dans ses veines. La colère s'empare de lui.

— Et dire que je n'ai rien remarqué ! Même la dernière nuit que tu as passée dans mes bras a été... inoubliable.

Mon Dieu ! Elle en a assez de tous ces mensonges. Des souvenirs merveilleux en même temps que des douleurs insupportables envahissent son esprit. Des peurs inexprimables refont surface, tels de vieux fantômes. Elle se demande encore comment elle a pu passer à travers cette épreuve. Comment a-t-elle pu quitter de son plein gré l'homme qu'elle aimait et qu'elle aime toujours pour s'enfermer dans une vie de célibat ? Et voilà qu'aujourd'hui, elle se retrouve devant cet homme qui la bombarde de questions, qui veut savoir, qui veut comprendre.

Triste à l'excès, elle reprend, d'une voix très basse :

— Je sais, oui. J'étais... J'étais affolée. Je ne savais plus quoi faire.

Vincent repousse cette cruelle souffrance qui prend toute la place en lui.

— Tu m'as donc trompé ? dit-il, plus pour lui-même que pour la jeune femme.

La réaction d'Anne-Julie se fait vive :

— Non ! Pas du tout !

— Tu ne m'as pas trompé ?

— Non !

Anne-Julie ne veut pas qu'il croie qu'elle lui a été infidèle.

— Je me suis enfuie pour réfléchir à notre situation. Mais... Mais cet homme m'a suivie et ce qui devait arriver est arrivé...

Vincent cache son visage entre ses mains. Cette vérité le bouleverse au-delà du possible.

— Alors, c'est vraiment vrai, tu ne m'aimais pas ?

Jamais Anne-Julie n'aurait cru pouvoir être aussi dure envers un être qu'elle aime autant. Mais elle doit lui taire la vérité. Pour le bien de Mathieu, il faut qu'elle cèle ce secret.

Cette pensée lui glace les os. Son père n'a-t-il pas agi de la même façon ? Ne lui a-t-il pas, pendant longtemps, caché la vérité sur ses inavouables origines ? Péniblement, elle murmure :

— Je regrette de t'avoir fait souffrir, Vincent. Jamais une seule seconde, je n'ai désiré que cela se produise.

Vincent rive son regard torturé à celui de la jeune femme.

— Tu ne sauras jamais à quel point je t'ai aimée, Anne-Julie ! Je n'ai jamais pu te remplacer par une autre femme. Ma vie est un désert depuis ton départ. Je t'aimais et... je t'aime encore.

Que ce supplice prenne fin ! Le cœur d'Anne-Julie appelle Vincent de toutes ses forces, mais sa raison l'oblige à demeurer silencieuse et à lui taire son amour. Elle doit cela à Mathieu. Elle n'aurait jamais cru, un jour, devoir choisir entre l'amour de Vincent et celui de Mathieu.

— Vincent, je t'en prie...

— Tu m'as fait cruellement souffrir. Aujourd'hui encore, tu as le pouvoir de m'atteindre. Pendant des mois, je ne savais plus qui j'étais. J'étais complètement perdu sans toi. Tu m'avais tout donné et tu m'as tout repris. Souvent, la nuit, je me réveille encore avec l'impression de sentir ton parfum. Parfois même, j'étreins mon oreiller en pensant que c'est toi. Tu as laissé un affreux vide dans ma vie, Anne-Julie. Un vide que je n'ai jamais pu combler.

La jeune femme n'en peut plus. Elle a l'impression que sa tête va exploser. Ce que Vincent exprime, elle le ressent cruellement, elle aussi. Elle connaît la même peine que lui ; elle ressent le même déchirement, infiniment intense et douloureux. Mais elle ne peut rien lui dire. C'est beaucoup trop tard pour eux.

— Je t'en prie, arrête, supplie-t-elle d'une voix déchirée. Je n'en vaux pas la peine.

La mort dans l'âme, Vincent se lève.

— Tu as raison, cette conversation a assez duré. Nous ne pouvons rien faire pour remédier à la situation puisque tu ne m'aimes pas. Je ne sais pas ce qui m'a pris de vouloir vivre à nouveau près de toi. Je ne suis qu'un pauvre crétin.

Dans un geste lent et méditatif, il ramasse son chandail de laine et ajoute:

— Ne t'inquiète pas pour Mathieu. Cette conversation ne regarde que nous. Je veux aider cet enfant. Ne serait-ce que pour me rappeler les moments merveilleux que j'ai passés auprès de toi.

Quelques secondes plus tard, la porte se referme sur lui, laissant Anne-Julie complètement anéantie et, encore une fois, désespérément seule.

25

Vincent et Mathieu s'entendent à merveille ; ce qui rassure et inquiète à la fois Anne-Julie. Dès le début du mois d'octobre, le jeune orthopédagogue lui a proposé de venir aider son fils à la maison, environ deux fois par semaine : ces visites faciliteront le développement de Mathieu, tout en augmentant sa confiance en lui, a-t-il argumenté. De plus, il soutient qu'une présence masculine lui sera bénéfique.

Anne-Julie sait que Vincent a raison, mais elle trouve la situation très délicate. Elle n'en dort plus !

Sans savoir vraiment pourquoi, Vincent s'attache profondément à Mathieu. Le gamin éveille en lui un désir de protection. Il dit vouloir lui offrir le père qu'il n'a pas eu, tout en veillant à ses apprentissages. Mathieu est donc devenu extrêmement important aux yeux de Vincent, et représente un réel défi pour sa carrière.

Chaque fois que Vincent est à la maison, Anne-Julie se tient près des nouveaux complices et les observe en silence. En les voyant si bien travailler ensemble, elle sent la confusion monter en elle. Elle hésite entre la tendresse et la panique.

— À quoi penses-tu, Vincent ? s'informe Mathieu avec toute sa candeur juvénile.

— À toi, Mathieu !

— À moi ! s'écrie l'enfant, visiblement ravi par cette réponse.

— Eh oui ! Je me disais que tu faisais d'énormes progrès depuis quelque temps.

— Tu trouves ? s'excite l'enfant, les yeux agrandis d'intérêt.

Il faut dire que Vincent est devenu le héros de l'heure. C'est avec une impatience difficile à contenir que le jeune garçon attend toujours la venue de son nouvel ami.

— Si tu continues à travailler aussi fort, à la fin de cette année scolaire, tu sauras, sans aucun doute, lire aussi bien que tous les enfants de ton âge.

— Tu crois vraiment ça ? demande Mathieu, l'air incrédule.

— Certainement !

Vincent se tourne alors vers Anne-Julie et sollicite son appui. Il veut absolument convaincre son jeune élève que ce qu'il lui dit est la vérité.

— N'est-ce pas, Anne-Julie, que Mathieu fait d'énormes progrès ?

Le visage de la jeune mère s'éclaire d'un délicieux sourire. Ravie, elle s'approche d'eux pour dire :

— Je suis d'accord avec Vincent. Moi aussi, je constate les progrès remarquables que tu accomplis, Mathieu. Je suis si heureuse pour toi ! le félicite-t-elle, en lui caressant doucement une main.

Mathieu affiche un sourire de satisfaction et se tourne vers Vincent :

— Tu crois réellement que l'an prochain je saurai lire parfaitement ?

— Sans l'ombre d'un doute, Mathieu !

— Chouette ! C'est grâce à toi, Vincent ! Sans toi, je n'y serais jamais arrivé.

Le bonheur de Mathieu est si communicatif et si porteur d'espoir, que Vincent sourit à son tour et risque un œil attendri en direction d'Anne-Julie avant de déclarer :

— Je pense que c'est surtout grâce à toi, à ta volonté de réussir, Mathieu, que tu dois ton succès. Moi, je ne fais que t'apprendre quelques trucs, tandis que toi... tu travailles très fort.

L'enfant rougit de plaisir. Vif comme l'éclair, il se lève, et le plus naturellement du monde, il vient s'asseoir sur les genoux de Vincent qui referme ses bras autour du petit corps pour le serrer contre lui.

Anne-Julie assiste à cette étreinte avec un mélange de joie et de peur. Une partie d'elle-même crie au secours, tandis qu'une autre souhaite ardemment qu'existe cet échange de tendresse entre les deux êtres qu'elle aime le plus au monde. Elle ferme les yeux, presque gênée d'être témoin de l'intimité qui lie le père et le fils. Elle songe soudainement à Manon, qui lui recommande sans cesse de dire la vérité à Vincent.

« Mon Dieu, dis-moi, murmure-t-elle dans le silence de son cœur, quand cet abcès va-t-il crever ? »

Vincent, inconscient du trouble qu'éprouve la jeune femme, s'amuse avec Mathieu qui rit aux éclats.

— Allons jouer avec mes blocs Lego ! propose le gamin.

— Tout à l'heure, lui répond Vincent. Maintenant que tu as terminé cette lecture, je veux savoir ce que tu en as retenu.

— Ah non ! se rebelle Mathieu avec véhémence. Je suis fatigué et j'ai envie de m'amuser, moi !

— Je te promets de jouer avec toi, mais seulement lorsque

tu auras répondu à mes questions, maintient Vincent avec fermeté.

L'enfant soupire et s'avoue vaincu :

— D'accord.

— Allons ! ne fais pas cette tête, Mathieu. Considère cela comme un jeu. D'ailleurs, c'est amusant ! J'aimerais que tu me racontes l'histoire de la grenouille et du bœuf sans omettre le moindre détail.

Mathieu grimace et se conforme aux directives de son éducateur. Pendant les cinq minutes qui suivent, les deux complices amorcent un dialogue autour de l'histoire lue par Mathieu, dialogue qu'ils entrecoupent de fous rires, sous les yeux d'Anne-Julie, de plus en plus perplexe.

Lorsque les devoirs de Mathieu sont terminés, les deux acolytes quittent la cuisine pour s'enfermer dans la chambre du garçon, afin de parachever la construction d'un vaisseau spatial en blocs Lego, que Mathieu a reçus de sa tante Manon pour son anniversaire.

« Quelle confusion ! Je souffre et je me réjouis tout à la fois de les voir ensemble ! » se dit Anne-Julie.

Lorsque vingt heures quinze sonnent à la grande horloge de la salle à manger, Anne-Julie pénètre dans la chambre de son fils et annonce :

— C'est l'heure du bain et du dodo, Mathieu !

— Oh non ! réplique l'enfant, visiblement déçu. Nous avons presque terminé, maman ! Donne-nous encore dix minutes !

— Vous terminerez la prochaine fois, tranche Anne-Julie d'un ton sans équivoque. Il faut que tu sois en forme pour l'école demain, mon chéri.

— Je ne suis pas fatigué, rétorque l'enfant d'un air buté.

Vincent sourit et intervient à son tour :

— Mathieu, écoute ta mère. À ton âge, tu as besoin de sommeil pour bien travailler en classe.

— Mais...

— Il n'y a pas de « mais » qui tienne, insiste Vincent, d'un ton doux mais ferme. Si tu es bien sage, comme récompense, je t'amènerai au cinéma vendredi soir.

— Oh ! Youpi ! s'exclame l'enfant, réjoui par cette proposition alléchante. Est-ce que maman viendra avec nous ?

Vincent sourit et ébouriffe les cheveux du gamin :

— Si ta mère souhaite se joindre à nous, ce sera avec un réel plaisir que nous accepterons sa compagnie, bien entendu...

La jeune femme sent la colère la gagner. De quel droit Vincent fait-il de telles invitations à son fils sans d'abord en avoir discuté avec elle ? Elle lui jette un regard assassin avant de répondre :

— Nous en discuterons, Mathieu et moi. Il se peut que nous ayons autre chose au programme, vendredi soir. N'oublie pas, mon ange, que tante Manon doit venir passer la soirée de vendredi avec nous, en compagnie de Benoît et de Sébastien.

L'enfant grimace et déclare :

— Moi, j'aimerais mieux aller au cinéma avec Vincent, maman.

Il fait une pause pendant quelques secondes, puis son visage s'éclaire, et il propose :

— Nous n'avons qu'à emmener Sébastien avec nous !

Anne-Julie sent la moutarde lui monter au nez.

Conscient que la jeune mère se retient pour ne pas laisser éclater sa fureur, Vincent choisit de prendre son parti. Il ne veut, en aucun cas, menacer le fragile équilibre dans lequel ils se trouvent tous.

— C'est ta mère qui décidera, Mathieu. Si ce n'est pas possible pour nous d'aller au cinéma cette semaine, nous irons une autre fois. Je te promets de t'offrir cette sortie lorsque le moment sera propice.

Et voilà ! C'est toujours ainsi que cela se passe. Anne-Julie hésite constamment entre la colère, la peur et la tendresse lorsque Vincent est auprès d'eux. Elle souhaite sa présence et, en même temps, elle la craint. Cette situation est vraiment inconfortable.

— Parfait, se contente-t-elle de murmurer, satisfaite néanmoins de la réponse de Vincent. Maintenant, Mathieu, je veux que tu prennes ton bain et que tu en ressortes bien propre. Est-ce clair ?

L'enfant se lève d'un air penaud. Il balbutie un faible :

— D'accord, maman.

Puis il disparaît dans la salle de bains. Dès qu'il est hors de vue, Anne-Julie accroche le regard de Vincent et, fulminant de rage, elle lui déclare :

— Quant à toi, Vincent Roy, tu vas aller t'asseoir dans mon bureau pendant que je prépare du café ! Je crois qu'une petite conversation s'impose.

Vincent baisse les yeux, les relève et, d'un air piteux, se moque :

— D'accord, maman. Mais tu permets que j'attende Mathieu quelques instants dans sa chambre ? J'aimerais lui souhaiter une bonne nuit. Je pense qu'il n'est pas bon qu'il s'endorme frustré de la sorte.

Anne-Julie hausse les épaules et soupire. De fort mauvaise humeur, elle réplique :

— Évidemment, tu as réponse à tout.

Puis elle disparaît à son tour, laissant Vincent seul dans la chambre de Mathieu.

Quinze minutes plus tard, Mathieu est lavé et sent le bon savon au miel. Anne-Julie embrasse son fils et lui dit, tout en lui mordillant une oreille :

— Ce que tu sens bon ! J'aime tellement l'odeur de ta peau que je te croquerais d'une seule bouchée.

Vincent sent son cœur bondir dans sa poitrine. Cette phrase, elle la lui a dite si souvent par le passé, dans leurs moments intimes... Il ferme les yeux et tourne la tête pour dissimuler son trouble. Une tristesse infinie lui vrille le cœur. Il trouve cette situation injuste et ô combien frustrante.

— Je t'aime, tu sais, entend-il dans un murmure.

— Moi aussi, maman.

« Moi aussi », se dit Vincent.

— Bonne nuit, mon grand ! Demain sera un autre jour. N'oublie pas de dire aussi bonne nuit à grand-maman Marie-Ange, qui te regarde du haut du paradis.

— Promis, maman ! Je vais aussi prier pour aller au cinéma avec toi et Vincent vendredi, répond-il, d'un air espiègle.

Vincent ne peut s'empêcher d'éclater de rire. Cet enfant a l'esprit vif ! Il sait se gagner les cœurs. C'est une preuve irréfutable de sa grande intelligence.

Sentant que les deux hommes de sa vie se sont ligués contre elle, Anne-Julie lance un regard mauvais à Vincent et quitte la chambre de Mathieu d'un pas ferme.

Vincent s'accroupit près du lit du jeune garçon et conseille :

— Il faut que tu sois bien sage, Mathieu. Si tu désires réellement aller au cinéma avec moi un de ces jours, tu ne dois pas contrarier ta mère.

— C'est promis ! J'aimerais tellement sortir avec toi.

— Tu es un bon petit bonhomme, Mathieu ; et je t'aime très fort !

— Moi aussi, Vincent. À demain !

— À demain, fiston.

Surpris d'avoir ainsi nommé Mathieu, Vincent se fige et

s'éclaircit la voix, comme s'il voulait s'excuser. Mais le regard de Mathieu s'illumine de joie :

— Comment m'as-tu appelé, Vincent ?

— Je... je ne sais pas. Je ne m'en souviens plus. Je suis fatigué ce soir et passablement dans la lune. Excuse-moi, Mathieu.

— Moi, je crois que tu m'as appelé fiston.

Un silence s'installe entre les deux complices. Rêveur, l'enfant reprend:

— J'aimerais bien que tu sois mon papa, Vincent.

Vincent saisit le regard franc de Mathieu. Cette confession renforce dangereusement son trouble intérieur.

— Moi aussi, Mathieu. Mais c'est impossible, tu le sais bien. Je ne suis pas ton père.

— Pourquoi ? demande Mathieu.

— Eh bien, pour être ton père, il faudrait que ta mère m'aime... au moins un petit peu.

Après avoir réfléchi quelques instants, l'enfant répond :

— Moi, je crois qu'elle t'aime bien, maman. Elle te regarde tout le temps. Et toi ? Est-ce que tu l'aimes ?

Vincent tente d'ignorer les propos indiscrets de ce gamin bien plus avisé qu'il n'en a l'air. Est-il possible que Mathieu devine les sentiments qu'il éprouve pour sa mère ?

— Oui... enfin... je l'aime bien, répond-il prudemment.

Il passe une main nerveuse dans l'abondante chevelure du garçon et demande :

— Savais-tu que nous étions allés à l'université ensemble, ta mère et moi ?

— Oui, elle me l'a dit.

— Eh bien, nous étions de très bons amis à cette époque.

Mathieu, l'air songeur, poursuit :

— Et maintenant, vous n'êtes plus de bons amis ?

— Mais si ! Pourquoi dis-tu ça ?

— Parce que, des fois, j'ai l'impression que maman est furieuse contre toi. Alors qu'à d'autres moments, elle paraît bien t'aimer. Pourquoi ?

Vincent tente de conserver son calme, mais la pâleur de son teint révèle les émotions vives qui l'agitent. Il choisit de ne pas répondre.

Devant le mutisme de son nouvel allié, Mathieu reprend :

— Dis, Vincent, est-ce que tu as déjà fait de la peine à ma maman ?

Cette conversation devient de plus en plus embarrassante. Vincent réfléchit longuement à ce qu'il va répondre à ce petit futé. Il ne faut pas compromettre Anne-Julie. Si elle a volontairement choisi de ne rien dire concernant leurs relations amoureuses à Mathieu, ce n'est certes pas à lui de le faire.

— Je ne crois pas, non. J'aimais beaucoup ta mère.

— Et maintenant, l'aimes-tu encore ? demande Mathieu, le cœur plein d'espoir.

— Pour aimer, il faut être deux, Mathieu. Nous sommes de bons amis, ta mère et moi, et c'est ça qui est important. Maintenant, jeune garçon, il est temps de dormir. Nous nous verrons à l'école demain.

— À demain, Vincent !

— À demain, fist...

Mathieu se met à rire et reprend :

— Tu sais, moi, j'aimerais bien que maman t'aime. Tu pourrais l'épouser et tu deviendrais mon papa, laisse-t-il tomber en se retournant dans son lit pour cacher son visage réjoui.

Vincent se maudit en son for intérieur. Il a l'impression de se métamorphoser en grand sentimental. Plus que tout au monde, il souhaiterait avoir un fils comme Mathieu. Il se lève et quitte la chambre en refermant doucement la porte derrière lui. Décidément, depuis qu'il a fait entrer de nouveau Anne-Julie dans sa vie, il se sent triste à l'excès.

Perdu dans ses pensées, il rejoint la jeune femme, qui l'attend patiemment dans la cuisine. Déjà, elle boit son café à petites gorgées, tentant désespérément de tromper son attente.

Lorsqu'elle voit arriver Vincent, elle annonce :

— Suis-moi ! Nous serons plus à l'aise dans mon bureau pour discuter. Je ne veux pas que Mathieu entende cette conversation.

— Bien ! se contente de répondre Vincent, encore sous le choc de ce qui vient de se passer entre Mathieu et lui.

— Assieds-toi ! lui ordonne-t-elle, d'un ton de commandant d'armée, décidée à s'affirmer devant lui.

— Pourquoi es-tu toujours si agressive, Anne-Julie ?

— J'ai mes raisons ! tranche-t-elle sèchement.

Un silence accueille cette réplique.

— On dirait, Vincent Roy, que tu cherches absolument à te tailler une place entre Mathieu et moi !

Vincent dévisage Anne-Julie avec inquiétude. Où veut-elle en venir ? D'une voix qu'il désire posée, il demande :

— En quoi ma relation avec Mathieu te menace-t-elle ?

Anne-Julie se mord les lèvres. Cette question l'entraîne sur un terrain miné.

Devant son hésitation, Vincent insiste :

— De quoi as-tu peur ? Crois-tu que je vais enlever Mathieu et m'enfuir avec lui ?

— Tu agis comme si tu étais le père de Mathieu. Un jour, tu partiras et tu le laisseras désemparé pour toujours. Ne vois-tu pas qu'il s'est pris d'affection pour toi et qu'il cherche désespérément son père ?

— Je ne suis pas fou, Anne-Julie. Je sais que Mathieu m'aime bien. Mais les mauvaises intentions que tu me prêtes me font mal au cœur, et je commence à trouver ton comportement anormal.

— J'ai certaines raisons d'agir ainsi. Ma vie n'a pas été facile.

— Tu penses sans doute que je suis capable de me servir de Mathieu pour arriver à mes fins, pour me rapprocher davantage de toi. C'est ça ? N'est-ce pas ce que tu crains, Anne-Julie ?

— Non ! Si... Peut-être. Je n'en sais rien. J'ai peur, confesse-t-elle d'une voix brisée. J'ai seulement peur de perdre mon fils.

Anne-Julie lutte pour retenir ses larmes.

— Pourquoi ferais-je du mal à Mathieu, dis-moi ? Je ne suis pas le genre d'homme à faire d'ignobles chantages affectifs. Peut-être crois-tu que je nourris le désir de me venger de toi ?

Anne-Julie ne répond pas. Elle comprend qu'elle vient de mettre les pieds dans le plat. Vincent est un homme intelligent, il finira par se douter de quelque chose.

— Je te jure que mes intentions sont honnêtes et pures envers Mathieu. Si c'est là ce qui te préoccupe, tu n'as rien à craindre de moi.

Anne-Julie accepte de poser un regard sur Vincent. En apercevant l'expression de son visage, elle constate à quel point elle le fait souffrir. Elle se trouve soudain cruelle et injuste envers lui.

— Je ne sais pas pourquoi j'aime tant cet enfant, reprend Vincent, à voix plus basse. Je pense que c'est parce qu'il est ton fils et qu'il serait en âge d'être mon enfant. À vous voir vivre si heureux tous les deux, formant une famille, je ressens peut-être une certaine nostalgie. Je n'en sais trop rien.

— Cette confession me fait peur, Vincent. Je croyais que tu avais compris qu'il ne peut rien exister de sérieux entre nous.

Vincent hausse les sourcils et répond d'une voix lasse :

— Pourquoi t'acharnes-tu à m'enfoncer ce poignard dans

le cœur ? Tu ne cesses de me répéter que tu ne veux rien savoir de moi. Me prends-tu pour un idiot, Anne-Julie ? Je suis amoureux de toi, certes, mais je te respecte suffisamment pour ne pas te harceler ni t'encombrer de mon amour. Je croyais que tu l'avais compris.

Une douleur amère embrase Anne-Julie. Elle a envie de hurler : « Je t'aime, Vincent ! Je t'aime tant ! Si tu savais... » Mais elle n'en dit rien et, désemparée, elle reprend :

— Ne peux-tu pas comprendre que cette situation est extrêmement inconfortable pour moi ?

— Et toi, peux-tu t'imaginer à quel point je souffre ? Si tu n'étais pas libre, je me tairais et garderais tout cela pour moi. Mais tu vis seule avec cet enfant qui a désespérément besoin d'un père. Et moi, je suis là, tout près de vous. Je ne peux m'empêcher d'espérer Dieu sait quoi !

Anne-Julie réagit fortement :

— Tais-toi maintenant, Vincent ! Cette conversation ne rime à rien !

Puis elle baisse le ton:

— Je ne suis pas celle que tu t'imagines, Vincent. J'ai un passé très lourd derrière moi. Si tu savais toute la vérité en ce qui me concerne, tu t'enfuirais de cette maison en prenant tes jambes à ton cou. Tu quitterais cette ville pour ne jamais plus me revoir. N'attends rien de moi, parce que je ne vaux pas grand-chose et tu mérites beaucoup mieux que moi.

Vincent combat un désir obsédant de s'approcher d'Anne-Julie et de la prendre dans ses bras, comme autrefois.

— Et si tu me racontais tout ? risque-t-il, je pourrais peut-être comprendre ton comportement...

— Non ! s'objecte Anne-Julie avec violence. De toute façon, tu ne pourrais rien faire pour moi.

— C'est le père de Mathieu qui te crée des ennuis, n'est-ce pas ?

— Non !

— Qu'est-ce qui se passe alors ? s'obstine Vincent.

— Rien qui te concerne ! Et cesse de me poser toutes ces questions ! Reste en dehors de ça, veux-tu ?

Vincent soupire à son tour. Il aime cette femme et en même temps, elle l'exaspère au plus haut point. Il finit par proposer :

— Je pourrais être un ami pour toi, Anne, si seulement tu avais un peu confiance en moi.

Cette conversation est très éprouvante pour la jeune femme. Et si elle déménageait ? Fuir lui paraît être la seule solution pour éliminer les tensions qui l'assaillent depuis quelques mois. À bout de forces, elle dit:

— Je ne peux pas. Tu me haïrais, et cela, je ne le veux pas.

— Je ne comprends rien à ton discours. Si tu ne m'aimes pas, pourquoi te préoccupes-tu de ce que je pense de toi ?

— Je ne peux pas, un point c'est tout ! répond fermement Anne-Julie.

— Je comprends de moins en moins...

— Il n'y a rien à comprendre. Et cesse de te mêler de ma vie privée. J'en ai assez ! Je n'ai pas de comptes à te rendre, ni à toi ni à personne d'ailleurs. Je me suis toujours débrouillée seule, et je suis parfaitement capable de faire face à mes problèmes.

— Bon, d'accord ! s'écrie Vincent, exaspéré. Puisque c'est ainsi, je te laisse tranquille. Pourquoi est-ce que je m'acharne à vouloir t'aider après tout ? Salut ! Je reviendrai chercher Mathieu vendredi si, bien entendu, tu acceptes qu'il sorte avec moi. Je ne te demande qu'une chose : ne détruis pas l'entente qui existe entre nous. Ce serait une grave erreur de ta part. Le petit en souffrirait beaucoup. Là-dessus, tu peux me croire ; j'ai étudié dans ce domaine.

Il se relève, dépose avec brusquerie sa tasse de café sur le bureau de la jeune femme et sort de la pièce en coup de vent.

Anne-Julie se retrouve seule, une fois de plus, avec ses sombres pensées. Elle se jette sur le canapé de son bureau et laisse libre cours à ses larmes. Elle est complètement épuisée.

Elle demeure dans ce marasme pendant plus d'une heure avant de s'endormir enfin. Bientôt, de mauvais rêves viennent à nouveau troubler son sommeil. Inlassablement, elle refait le même cauchemar, celui qui la hante depuis le décès de ses parents et dont elle ne peut se débarrasser. Même dans ses rêves, elle ne parvient pas à trouver de solution à ses problèmes.

Marie-Ange et David, son défunt mari, viennent maintenant hanter ses nuits, eux aussi. Elle est heureuse et se sent en sécurité, comme toujours lorsque commence son rêve. Mais voici qu'une ombre, un spectre, apparaît et tente de s'introduire parmi les personnages. Chaque fois, Anne-Julie se sauve et refuse de rencontrer le moribond. Alors, c'est lui qui se met à la poursuivre et tente désespérément de lui parler. Elle court si vite qu'elle se sent soulevée, comme sur un nuage, et s'envole pour échapper à cette rencontre terrorisante. Derrière elle, le spectre de Bruno se désagrège et devient horrible. Un peu plus loin, un jeune enfant, qui ressemble à s'y méprendre à Mathieu est assis sur une balançoire et l'observe avec tristesse. Un nouveau spectre s'ajoute ; il s'agit de Stéphane Bourque. Il tente d'agripper Anne-Julie, mais la jeune femme réussit à se libérer. Dans un état de panique extrême, elle croise Vincent qui tente à son tour d'arrêter sa course et de la calmer. Mais, chaque fois, elle le repousse violemment et se réveille en hurlant d'effroi.

Assise sur le canapé, le corps tout en sueur, elle entend la sonnerie stridente du téléphone qui achève de l'énerver. Tremblante, elle décroche l'appareil :

— Allô !

— Anne-Julie ? C'est moi, Manon.

La jeune femme se laisse choir à nouveau sur le canapé et soulagée, elle répond :

— Dieu soit loué, Manon ! C'est bien toi ! Je viens de faire un rêve atroce.

L'interlocutrice garde le silence, le temps qu'Anne-Julie reprenne ses esprits, puis elle demande :

— Toujours le même ?

— Oui, confesse la jeune femme, en réprimant un frisson de terreur.

— Mon Dieu, Anne-Julie ! C'est une véritable obsession !

— Je n'en peux plus, Manon. Je sens que je vais devenir folle.

Un silence accueille cette déclaration qui ne surprend pas du tout Manon.

— Il faut que tu consultes quelqu'un, Anne.

— Personne ne peut m'aider. Je dois régler seule cette histoire impossible.

— Parle à Vincent ! supplie Manon, à bout d'arguments.

Les deux jeunes femmes ont si souvent eu cette conversation...

— Je ne peux pas, C'est trop risqué. Pense à Mathieu...

— Tu dramatises la situation, Anne.

— Je ne dramatise rien du tout ! Il est trop tard, ne le comprends-tu pas, Manon ? Quand cesseras-tu de me harceler avec ça ? Je n'en peux plus de toujours te répéter les mêmes arguments. Je suis si fatiguée...

— Il n'est jamais trop tard, sainte Julie ! Si tu persistes dans ce silence, tu seras bonne pour l'asile, crois-moi ! Aucun être humain n'est capable de vivre avec un secret aussi lourd. Sans parler des nombreuses tensions qui t'agitent sans relâche. Même tes rêves t'avertissent que ton équilibre est menacé.

— Tu exagères toujours tout, Manon ! s'offusque Anne-Julie.

— Je n'exagère pas, et tu le sais très bien ! Moi, je pense que c'est un signe du destin que Vincent ait resurgi dans ta vie. Et d'après ce que tu m'as dit, il t'aime toujours et il aime Mathieu aussi. Qu'attends-tu, Anne ?

La jeune femme s'impatiente et répond :

— Je ne peux pas.

— Si, tu peux ! Au point où tu en es, tu n'as rien à perdre, ne le vois-tu pas ?

— J'ai tout à perdre !

— Que pourrais-tu perdre ?

— D'abord Mathieu. Imagine que, se sentant trahi, il se tourne vers son père et qu'ils m'abandonnent tous les deux. Je ne pourrai jamais survivre à une telle catastrophe, pleure doucement Anne-Julie.

Manon garde le silence et reprend, la voix réconfortante :

— Je ne me pardonnerai jamais de t'avoir laissée commettre une pareille bêtise ! Tu ne peux pas savoir comme je m'en veux.

— Tu n'es pour rien dans toute cette histoire. Je suis la seule responsable de mes actes, affirme Anne-Julie en se mouchant bruyamment.

— Tu étais blessée et tu ne pouvais pas agir normalement à cette époque.

— Tout cela est du passé, l'interrompt Anne-Julie qui refuse la pitié de son amie. Cela ne sert à rien de se morfondre à cause d'événements qu'on ne peut pas changer.

— Que comptes-tu faire maintenant ?

— Je n'en sais rien. Je suis incapable d'être objective tellement j'ai peur. Je n'ai qu'une envie : m'enfuir loin d'ici.

— Tu n'es pas sérieuse ! s'offusque Manon.

— Si.

— Aimes-tu toujours Vincent ?

— Plus que jamais.

Manon soupire à l'autre bout du fil :

— Je persiste à dire que tu devrais lui parler. S'il t'aime autant qu'il le prétend, Vincent te pardonnera.

— C'est un homme, Manon. Il a beau posséder de belles qualités, tu sais que les hommes sont orgueilleux. J'ai agi sans le consulter ; et il ne pourra pas me pardonner cela. Et je ne vois pas comment je pourrais lui parler du viol. J'en suis franchement incapable.

— À mon avis, Anne-Julie, tu grossis démesurément le problème. Si Vincent est blessé, ce sera à lui de s'en remettre. Au moins, toi, tu auras la conscience libérée. Il me semble que Vincent mérite cette chance. Je suis certaine qu'il ne fera rien pour détruire son fils.

— Il n'est pas absolument certain que Mathieu soit le fils de Vincent, Manon. Tu sembles oublier cette éventualité.

— Tu es vraiment bornée, Anne-Julie ! Tu me désespères.

Frustrée, Anne-Julie change de sujet de conversation :

— Viens-tu toujours à la maison avec ton fils et ton mari ce vendredi ?

— Non, Benoît a un empêchement. J'ai pensé reporter notre visite à samedi. Est-ce que ça te convient ?

— Zut ! laisse échapper Anne-Julie, profondément mécontente. Ce changement de programme achève de la décourager.

Manon éclate de rire et dit :

— Tu me fais penser à une enfant ! Tes réactions sont si puériles parfois.

— C'est parce que Vincent nous a invités au cinéma, Mathieu et moi, vendredi. Je ne pourrai pas me désister sans m'attirer les foudres de Mathieu. Oh ! Et puis, tant pis ! Il faudra bien que je m'y résigne. Vincent semble déterminé à se mettre entre Mathieu et moi.

— On dirait qu'ils s'entendent vraiment bien ces deux-là, ne peut s'empêcher de remarquer Manon.

— Trop bien, en effet. Peux-tu imaginer comment je me sens dans toute cette situation ?

— Je comprends, oui. Bon, je te laisse, puisque nous nous verrons samedi. J'essaierai d'occuper Benoît avec les garçons, nous pourrons ainsi mieux bavarder toutes les deux. C'est d'accord ?

— Oui, approuve Anne-Julie. À samedi, alors !

— À samedi, sainte Anne-Julie. En attendant, prends soin de toi et essaie de ne pas trop t'en faire.

— C'est promis, j'essaierai. Je t'embrasse.

— Moi aussi.

Anne-Julie se lève lentement et se dirige tout droit dans la salle de bains et se fait couler un bain chaud pour se détendre et réfléchir.

26

L'hiver s'éternise et Anne-Julie s'enlise de plus en plus profondément dans des regrets devenus insupportables. Plus mélancolique que jamais, elle a l'impression de marcher sur des sables mouvants, risquant de s'enfoncer à tout moment. Son existence ressemble à un marécage. La tristesse d'avoir été séparée des êtres qu'elle aimait le plus au monde la submerge totalement.

Depuis des mois, elle se réjouit de constater les progrès surprenants de Mathieu à l'école ; elle lutte contre le besoin obsédant qu'elle a de Vincent et vit avec la peur insoutenable qu'il apprenne, un jour, la vérité concernant sa paternité.

Ses nuits de sommeil la transportent aux abîmes de l'enfer, d'où, chaque matin, elle émerge plus terrifiée et plus fatiguée que le jour précédent, incapable de créer et de se concentrer sur son travail.

Son éditeur commence à la presser de finir son travail, car elle n'a pas réussi à écrire quoi que ce soit de valable depuis l'été précédent. Comment aurait-il pu en être autrement ?

Le plus terrible dans tout cela, c'est que Mathieu ne parle que de Vincent alors qu'Anne-Julie voudrait l'oublier.

Elle éprouve des sentiments inconfortables, notamment la culpabilité et la jalousie. Elle se déteste, se reproche son attitude possessive. Pour rien au monde, elle ne veut priver Mathieu des liens importants qu'il a tissés avec son père.

Sa vie est devenue un combat de chaque instant, où elle réprime l'affection qu'elle souhaiterait manifester à Vincent, feignant une froideur qu'elle est loin de ressentir. Le côtoyer plusieurs fois par semaine, puisqu'il vient chez elle de plus en plus fréquemment, n'arrange en rien les choses.

Mathieu entre en coup de vent dans la maison pour lui annoncer fièrement :

— Maman, j'ai réussi mon test de lecture !

Émerveillée, Anne-Julie prend son fils dans ses bras. Elle se sent débordante de reconnaissance envers Vincent.

— C'est bien vrai ? Tu as vraiment réussi ?

— Oui ! répond l'enfant tout heureux. Vincent dit que si je continue à travailler aussi bien, personne ne pourra se rendre compte de ma dyslexie.

— C'est merveilleux, mon ange ! Je suis si fière de toi !

— Et moi donc, maman. Et... tu ne sais pas quoi ?

— Non, mais je sens que tu vas me le dire !

— Devine !

Elle se prête au jeu des devinettes pendant quelques instants, mais sans succès.

— Eh bien, figure-toi que Vincent nous invite, toi et moi, à faire du camping pendant les vacances d'été. Il dit que ce serait agréable de faire le tour de la Gaspésie ensemble.

Le regard d'Anne-Julie s'assombrit aussitôt. Une fois de plus, elle se sent menacée.

— Nous verrons... le moment venu, Mathieu.

— Oh ! dis oui, maman ! supplie l'enfant avec ardeur.

Vincent dit que ce serait une juste récompense pour les efforts que j'ai faits durant l'année.

« Vincent dit... Vincent fait... » Elle en a assez d'entendre parler de lui constamment, comme s'il s'agissait d'un dieu ! Mais de peur de décevoir son fils, elle s'efforce de contenir sa colère.

— Il reste encore beaucoup de temps avant les vacances d'été, mon ange. Nous en discuterons plus tard. En attendant, nous allons sortir pour fêter ton succès. Que dirais-tu d'aller souper demain chez McDonald's ?

— Youpi ! s'écrie Mathieu, que cette proposition enchante. Est-ce qu'on peut inviter Vincent ?

— Non ! J'aimerais être seule avec toi, pour une fois ! s'emporte Anne-Julie.

Mathieu grimace et la jeune mère regrette cette réaction intempestive. Elle peut sentir la tristesse de son fils. Comme pour confirmer une impression, Mathieu demande :

— Tu n'aimes pas Vincent, hein, maman ?

— J'aime bien Vincent, Mathieu. Mais, vois-tu, je suis un peu jalouse de lui. Il prend beaucoup de place dans ta vie en ce moment et je suis envieuse de ce que tu éprouves pour lui. Voilà ! Je te l'ai dit. Je ne suis pas très fière de moi, mais c'est ainsi.

L'enfant sourit et regarde bizarrement sa mère.

— Mais... je vous aime tous les deux, moi, balbutie-t-il.

Anne-Julie constate que son fils semble se sentir coupable de ce qu'éprouve sa mère. Elle freine ses instincts possessifs et s'excuse :

— Tu n'es pas responsable de mes émotions. Ne te sens pas coupable de cela. Tu n'y es pour rien. Va te changer maintenant. Je dois faire des emplettes pour la semaine ; nous n'avons presque plus rien à manger.

Puis elle poursuit :

— Tu sais, Vincent s'ennuierait avec nous. La plupart des hommes détestent magasiner. Après le magasinage, nous irons souper ensemble et je t'aiderai à faire tes devoirs. Qu'en dis-tu ?

— Ça me plaît bien, répond l'enfant, rassuré.

Le temps est magnifique. Malgré la mélancolie qu'elle éprouve, Anne-Julie ne peut s'empêcher de s'émerveiller devant les splendeurs des paysages qu'ils traversent.

Une fois les courses terminées, Mathieu et Anne-Julie rentrent au bercail. Dès qu'ils ont fini de ranger leurs achats, Anne-Julie sollicite le droit de faire un petit somme.

— Je suis fatiguée, Mathieu. Est-ce que ce serait beaucoup te demander de ne pas faire de bruit pendant que je vais me reposer dans mon bureau ?

— Je serai très sage, maman ! promet l'enfant en souriant. Je regarderai le film que Vincent a loué pour moi en t'attendant.

— Tu es un ange, lui déclare Anne-Julie, reconnaissante de la compréhension de son fils. Tu pourras me réveiller à sept heures.

— D'accord, maman ! fait l'enfant, déjà occupé à installer dans le magnétoscope la cassette du film qu'il désire regarder.

Anne-Julie se dirige vers son bureau et s'étend sur le canapé. Déjà, le sommeil la gagne et l'emporte vers la récupération de ses énergies.

Trente minutes plus tard, Mathieu, qui regarde son film avec beaucoup d'intérêt, entend une voiture arriver et stationner dans l'entrée de sa demeure. Vivement, il quitte la pièce pour aller voir qui est là. Un sourire illumine son visage lorsqu'il reconnaît Vincent. Débordant de joie, il enfile bottes et manteau et sort de la maison pour venir à la rencontre de son héros :

— Chut ! Ne fais pas de bruit, Vincent ; maman est fatiguée et elle dort sur le canapé du bureau.

Vincent ouvre les bras à Mathieu qui vient se blottir contre sa large poitrine. Il embrasse le jeune garçon dans le cou et promet :

— C'est d'accord ! Je vais t'aider à faire tes devoirs pendant ce temps...

— Oh non ! J'étais en train d'écouter *Retour vers le futur*... répond l'enfant désenchanté.

— Eh bien, je vais d'abord t'aider à faire tes devoirs. Ensuite, nous regarderons ce film tous les deux, propose Vincent qui comprend la déception du gamin. Il n'est que six heures un quart, explique-t-il. Si tu es vaillant, nous pourrions terminer tous tes travaux en trente minutes. Je suis sûr que ta maman nous laissera écouter le film si tes devoirs sont déjà faits.

Mathieu sourit. Il est étonné de constater que Vincent trouve toujours de bonnes solutions pour lui permettre de faire les choses dont il a envie. Il promet donc d'être vaillant, et tous deux se dirigent vers la cuisine en faisant particulièrement attention pour ne pas faire de bruit.

Vincent est incroyablement fier des progrès du jeune garçon.

— Tu vois bien, Mathieu, que tu peux apprendre tes leçons en peu de temps. Maintenant, nous pouvons nous divertir tous les deux.

— Chouette ! s'écrie l'enfant. Mais avant, je dois réveiller maman.

— Non, Mathieu ! Je suis là pour m'occuper de toi. Nous devons laisser ta maman se reposer, puisqu'elle est fatiguée.

— Moi, je pense qu'elle sera de mauvaise humeur si on ne la réveille pas, désapprouve l'enfant en se levant de sa chaise, déjà prêt à se rendre auprès de sa mère.

— Tu crois vraiment qu'elle sera fâchée ? sourcille Vincent, peu convaincu de ce qu'affirme le jeune garçon.

— J'en suis certain ! Zut ! nous avons déjà vingt minutes de retard. Je lui avais promis de la réveiller à sept heures.

— Bon ! concède Vincent, puisque tu le dis. Alors, allons-y !

Le gamin prend la main de Vincent et le conduit jusqu'au bureau de sa mère. Mathieu lâche alors la main de Vincent et va s'étendre sur le corps d'Anne-Julie en l'appelant d'une voix câline :

— Maman... maman...

Anne-Julie émet un léger grognement et, sans même ouvrir l'œil, elle caresse la chevelure abondante de son fils.

Vincent attend patiemment. Le spectacle de la femme qu'il aime, ainsi étendue sur le canapé, le rend à moitié fou de désir. Il sent grimper en lui un besoin sauvage d'aller s'étendre sur elle, comme le fait si naturellement son fils. Il prend une longue inspiration afin de maîtriser ses élans. Le spectacle qu'ils offrent tous les deux, dans cette intimité naturelle, rend Vincent presque fou de jalousie.

Après avoir fait quelques efforts pour attirer l'attention de sa mère, Mathieu finit par se nicher la tête contre la poitrine d'Anne-Julie et son nez d'enfant disparaît entre les seins de la jeune femme, ce qui contribue à accroître le désir de Vincent. Il doit bien l'admettre : il est jaloux. Cette pensée le rend très vulnérable. Visiblement, Anne-Julie ne porte pas de soutien-gorge et le regard de Vincent s'accroche avec convoitise à la pointe de ses seins qui se dressent au contact chaleureux de son fils lové contre elle.

Mathieu adresse un sourire complice à Vincent et chuchote :

— Elle ne veut pas se réveiller. Je crois qu'elle est trop fatiguée, dit-il, totalement insouciant du malaise qu'éprouve Vincent.

Sortant enfin des brumes de son sommeil, Anne-Julie s'étire et demande :

— À qui parles-tu, Mathieu ?

Le jeune garçon se met à rire et répond :

— À Vincent, maman.

En entendant ce nom, Anne-Julie se redresse rapidement.

— Vincent !

Un malaise s'installe dans la petite pièce. Vincent se sent pris en flagrant délit de voyeurisme. Anne-Julie ressent un malaise profond d'avoir ainsi été surprise en pleine intimité, et Mathieu se demande si sa mère va le gronder pour avoir entraîné Vincent dans son bureau. C'est Vincent qui brise le premier le silence :

— Excuse-nous, Anne-Julie. J'aurais souhaité te laisser dormir, mais Mathieu a prétendu que tu serais très en colère contre nous si nous te laissions dormir. Alors...

Vincent dirige son regard sur les vitrines de la bibliothèque d'Anne-Julie. Il se sent complètement idiot d'avoir été pris ainsi au piège de sa convoitise. Que va penser la jeune femme de cette intrusion ?

Mathieu vient alors au secours de Vincent.

— Mes devoirs sont faits ! annonce-t-il triomphalement, comme pour chasser la tension devenue palpable entre sa mère et Vincent.

Anne-Julie tente de reprendre ses esprits, qui sont un peu embrouillés. L'idée que Vincent l'a regardée dormir la remplit d'un délicieux trouble. Elle détourne le regard. Au bout de quelques instants, elle demande :

— Tu serais gentil de m'apporter un verre d'eau, Mathieu.

— Laisse, Mathieu ! s'interpose Vincent, j'y vais.

Une fois de plus, Anne-Julie se sent partagée entre le plaisir de savoir Vincent chez elle et la torture que lui impose sa présence. Quand cessera donc ce tourment ? La jeune femme espère de tout cœur que Mathieu pourra fréquenter une école publique l'an prochain. Ainsi, la présence de Vincent auprès d'eux ne sera plus justifiée.

Vincent revient avec le verre d'eau et s'assoit près de la jeune femme en le lui tendant. Tout en ramassant sa couverture pour lui faire une place, elle boit une gorgée d'eau sans cesser de le regarder. Brisant le silence lourd qui s'est installé entre eux, Vincent plaide leur cause :

— Puisque Mathieu a obtenu des résultats extraordinaires en lecture aujourd'hui, l'autoriserais-tu à regarder un film avec moi ce soir ?

— Euh... oui, répond Anne-Julie, un peu hésitante.

— Parfait, si tu as envie de te joindre à nous, libre à toi...

Ayant recouvré son assurance, Vincent dévore Anne-Julie des yeux. Il donnerait Dieu sait quoi pour la toucher et la serrer dans ses bras afin de sentir son odeur tellement féminine. Depuis combien de temps n'a-t-il pas connu les joies de l'amour ? Dieu ! qu'il aime cette femme ! De l'avoir vue ainsi, tellement vulnérable dans son sommeil, a réveillé en lui des souvenirs savoureux. Des souvenirs d'intimité agréables, qu'il ne pourra, même avec toute sa bonne volonté, jamais oublier.

Inconscient du charme qui s'opère entre les deux adultes, Mathieu prend la main de Vincent et tente de l'entraîner à sa suite :

— Viens, Vincent !

— Je te suis dans une minute, Mathieu. Prépare-toi un verre de jus de fruits et je te rejoins dans le salon.

— D'accord, répond l'enfant. Est-ce que je peux prendre une boisson gazeuse, maman ?

— Oui, mais du Seven-up, Mathieu. Verses-en deux verres de plus ; un pour moi et un pour Vincent.

Ravi, l'enfant quitte la pièce en sautillant.

Demeuré seul avec Anne-Julie, soudainement gêné, Vincent commence :

— Mathieu est heureux...

Puis, n'en pouvant plus d'être aussi près d'elle sans jamais pouvoir la toucher, il se tourne vers la jeune femme et, dans un geste auquel il ne prend même pas la peine de réfléchir, il avance son visage près du visage d'Anne-Julie et effleure ses lèvres avec une infinie délicatesse.

Frémissante, Anne-Julie accepte ce contact avec délices. Le frôlement à peine perceptible de la main de Vincent posée sur la sienne, pendant que ses lèvres habiles cherchent les siennes, lui procure une douce torpeur qui engourdit instantanément toutes ses réserves. Il y a si longtemps qu'elle n'a pas eu de contact physique avec un homme qu'elle en oublie les conséquences de ce geste. Sans l'avertir, une frénésie, une ardeur d'une violence extrême l'emportent, comme une haute marée. Elle se laisse guider par ses instincts, jusqu'à enlacer le cou de Vincent, allant ainsi au-devant de cette étreinte qui se voulait, de prime abord, pleine de tendresse, mais qui bascule dans une fièvre déchaînée.

Le jeune homme émet alors un son qui exprime à la fois la surprise et le plaisir qu'il ressent à ce contact intime. Ce baiser passionné l'enhardit et il resserre son étreinte, jusqu'à sentir la pointe des seins de la jeune femme qui se dressent contre sa poitrine. Leurs lèvres se dévorent, leurs souffles s'entremêlent, leurs bras se nouent dans une ivresse possessive qu'il leur faut combler dans l'immédiat.

Anne-Julie répond de tout son être à l'appel que lui lance Vincent. Elle perd toute notion du temps et de l'espace pour s'ouvrir à lui et l'accueillir dans ce baiser sublime, plein de promesses. Elle a envie de lui, le désire, le convoite, l'aspire, le souhaite, le veut. Son corps et son cœur s'arquent à sa rencontre, le réclament, comme s'il était une bouée de sauvetage.

Elle a besoin de lui, besoin qu'il prenne possession d'elle. Qu'il l'envahisse, qu'il l'étreigne, qu'il la pénètre, qu'il ne fasse plus qu'un avec elle...

— Tu es si belle ! murmure Vincent à son oreille. Mon Dieu que tu es belle ! Je t'aime. Tu me rends fou de désir !

— Moi aussi.

— Répète-le-moi, Anne-Julie.

Constatant à quel point elle vient de se compromettre, Anne-Julie se dérobe à l'étreinte de Vincent et rougit. Qu'est-elle en train de faire ?

— Ah ! mon Dieu ! s'exclame-t-elle, émergeant de l'inconscience.

De honte, elle se couvre le visage de ses mains.

— Tu viens de dire que tu m'aimes, Anne-Julie.

Sur la défensive, la jeune femme se pousse à l'autre bout du canapé, profondément désemparée par son comportement inqualifiable.

— Qu'est-ce qui te prend, Anne-Julie ? Pourquoi trembles-tu de la sorte ? s'inquiète Vincent qui veut la prendre à nouveau dans ses bras.

Mais Anne-Julie le maintient à distance :

— Nous venons de commettre une grave erreur.

Vincent tente de comprendre ce que ressent la jeune femme. D'instinct, il devine qu'elle est en état de panique.

— Il n'y a pas de mal à nous aimer, Anne. Je ne comprends pas ton attitude. Explique-toi !

Anne-Julie se met à bafouiller :

— Tu as dû mal me comprendre. Je... je ne me souviens plus de ce que j'ai dit.

C'est ce moment que choisit Mathieu pour faire irruption dans le bureau de sa mère. Il pose un regard interrogateur sur les deux adultes en les examinant avec intensité.

— Le film est prêt, Vincent, annonce-t-il en sourcillant, montrant bien qu'il s'interroge sur ce qui se passe.

— Nous arrivons, Mathieu, s'empresse de répondre Vincent pour ne pas inquiéter inutilement l'enfant. Ta mère et moi bavardions tranquillement. Nous avons quelque chose à régler ensemble. Sois gentil et attends-nous. Ce ne sera pas très long.

Comprenant qu'il est arrivé au mauvais moment, Mathieu se contente de tourner les talons sans ajouter un mot. D'une main précipitée, Vincent replace sa chevelure en disant :

— Nous reprendrons cette discussion lorsque Mathieu dormira. En attendant, empresse-toi de venir nous rejoindre pour écouter ce foutu film, sinon Mathieu pourrait s'imaginer Dieu sait quoi à notre sujet !

— Tu n'as pas d'ordre à me donner, Vincent Roy ! s'écrie Anne-Julie qui, peu à peu, revient de sa torpeur. Je suis assez grande pour savoir comment me comporter.

Sidéré par ce commentaire agressif, Vincent se lève et quitte le bureau de la jeune femme, visiblement mécontent. Pétrifiée, Anne-Julie prend quelques minutes pour se ressaisir. Puis elle se lève à son tour et va rejoindre Mathieu et Vincent devant la télévision.

Durant tout le film, Anne-Julie ne cesse de penser à Vincent. Que devrait-elle lui dire ? Cet homme est très perspicace. Il a certainement compris qu'elle le désire. Doit-elle lui donner de l'espoir ou le repousser à jamais ? Elle est complètement perdue.

Le film se termine enfin. Mathieu va se coucher sans protester. On dirait qu'il a compris que les adultes éprouvent le besoin de se parler.

C'est avec un calme froid qu'Anne-Julie dit à Vincent :

— Tu devrais partir maintenant.

— Quoi ? Tu ne manques pas de culot ! J'exige des explications sur ton comportement de tout à l'heure. Je n'ai rien fait pour justifier une pareille passion, et tu le sais très bien. J'ai juste voulu t'embrasser doucement, comme le ferait un ami, mais tu t'es jetée sur moi comme une chatte en chaleur.

Anne-Julie rougit devant l'injure.

— Tu n'exagères pas un peu, non ? dit-elle d'un ton révolté tout en sachant pertinemment que Vincent a raison. Mais, pour rien au monde, elle ne veut l'admettre.

— Je ne crois pas, non ! Et baisse le ton ! Mathieu pourrait nous entendre. Je ne pense pas qu'il aimerait savoir que nous nous disputons.

Anne-Julie freine son envie de hurler. Sans le savoir, Vincent se comporte comme le père de Mathieu.

— Tu exagères, Vincent Roy ! Je n'ai pas fait l'amour depuis des années ; c'est normal que j'en aie envie. Et puis... tu es un homme séduisant, explique-t-elle, se sentant complètement ridicule.

Vincent est stupéfié. Cette confession le consterne. Ainsi, elle est seule depuis longtemps. Il cherche à en savoir un peu plus !

— Qu'essaies-tu de me dire ? Que tu n'as eu personne dans ta vie depuis la naissance de Mathieu ?

— C'est exactement ça, oui !

— Ah bon ! Et si j'analyse bien ton comportement, je serais le candidat idéal pour rétablir les choses, madame la sélective ?

— Je ne t'ai rien demandé !

Vincent ne sait plus sur quel pied danser. Il se sent flatté en même temps qu'une subite fureur l'anime.

Anne-Julie serre les poings. Elle éprouve une honte jusqu'alors jamais ressentie. Cette conversation s'avère très humiliante pour elle.

— Pour qui me prends-tu, Vincent Roy ? Je ne suis pas le genre de femme qui s'abandonne à n'importe qui !

— Donc, tu éprouves quelque chose pour moi ?

Anne-Julie s'enferme dans le silence. Elle constate que plus elle parle, plus elle s'enlise dans la confusion.

Vincent s'assoit de nouveau sur le canapé. D'une voix radoucie, il dit :

— Je ne sais plus qui tu es, Anne-Julie. Je croyais bien te connaître, mais tu es tellement mystérieuse que je n'arrive pas à te saisir et à me faire une opinion à ton sujet. Ton comportement à mon endroit est tellement déroutant que je ne sais plus quoi penser.

La jeune femme réprime un sanglot :

— C'est si compliqué tout ça...

Las de cette guerre froide, Vincent frotte son visage de ses deux mains. Après d'interminables minutes, il déclare son amour :

— J'ai envie de toi, Anne-Julie. Je suis seul depuis si longtemps, et j'ai besoin de toi dans ma vie. Et je sais que toi aussi tu as envie de moi. Ton attitude le prouve. Tes regards aussi. Qu'est-ce qui se passe ?

Anne-Julie sait que le moment est venu de tout avouer à Vincent, mais elle ne se sent toujours pas le courage de le faire. C'est pourtant d'une voix déchirée et à peine audible qu'elle dit :

— Je vais tout te raconter, mais pas ce soir. Je ne m'en sens pas la force. Tout est embrouillé dans ma tête et nos discussions m'épuisent.

Sentant un fol espoir le gagner, Vincent se lève et vient à sa rencontre. Ce soir, ils sont allés beaucoup trop loin pour reculer. Il s'approche de la jeune femme et la berce contre lui, comme une enfant :

— Je vais attendre que tu sois prête, Anne-Julie... parce que je t'aime !

Anne-Julie se laisse aller, vaincue. Ils demeurent longuement soudés l'un à l'autre dans un silence lourd de sentiments non exprimés.

— Va-t'en maintenant, lui dit-elle.

Le jeune homme s'exécute à l'instant. Et, une fois de plus, elle se retrouve seule, complètement désemparée.

Dès son départ, Anne-Julie se dirige vers le téléphone et compose le numéro de Manon. Lorsque celle-ci décroche l'appareil, Anne-Julie se laisse aller :

— C'est moi, Manon. Je n'en peux plus...

27

La maison d'édition où Anne-Julie publie ses ouvrages depuis le début de sa carrière réclame son dernier roman jeunesse pour la fin du mois. Les lecteurs assidus de sa collection *Plein de vie* téléphonent fréquemment chez l'éditeur pour connaître la date de parution de son prochain livre.

Mais voilà, Anne-Julie est en panne sèche en ce moment, ce qui l'inquiète beaucoup. Est-ce la fin de sa carrière ? Son esprit créateur l'a-t-il abandonnée ?

Et puis, comme si elle avait besoin de cela, elle lutte contre des douleurs névralgiques importantes qu'elle ressent à la nuque. Elle passe ses journées à se masser le cou pour amoindrir ces douleurs.

Soucieuse, elle a pris un rendez-vous avec un spécialiste de Trois-Pistoles. Son rendez-vous est fixé à vendredi soir prochain. Sentant la fatigue, elle décide de profiter du congé de fin d'étape de Mathieu pour lui proposer de passer le week-end chez Manon à Cacouna. Elle pourra ainsi prendre un peu de repos et s'accorder le temps de réfléchir aux tensions inconfortables qu'elle subit ces temps-ci. Elle doit mettre de l'ordre dans sa vie, sinon elle va craquer.

Elle quitte la maison très tôt le jeudi matin et passe la journée à bavarder avec Manon pour ne revenir à la maison qu'à l'heure du souper. Seule, puisque Mathieu est demeuré chez son amie, elle se prépare un repas léger et décide de se détendre dans un bain chaud et parfumé.

Elle en ressent tant de bien-être qu'elle manque de s'y endormir. C'est au bout d'une longue demi-heure qu'elle se résout à sortir du bain. Elle savoure l'idée de n'avoir pas d'horaire à respecter. Rien ne pourra l'empêcher d'écrire tard dans la nuit. Elle se fouette l'esprit en pensant qu'il ne lui reste, en définitive, qu'à écrire le dénouement de son roman. Il ne suffit que d'un peu de bonne volonté de sa part pour achever le tout avant lundi matin. Elle expédiera alors son manuscrit par la poste prioritaire en début de semaine et elle pourra enfin s'octroyer un peu de vacances avant d'attaquer la suite de son nouveau roman pour adultes.

Vincent stationne sa voiture dans l'entrée de la cour d'Anne-Julie. En sortant du véhicule, il constate qu'il n'y a pas beaucoup de lumière à l'intérieur de la maison. Il suppose qu'Anne-Julie et Mathieu sont tous deux blottis, l'un contre l'autre, en train de regarder un succès américain, comme ils le font souvent lorsque Mathieu a congé le lendemain. Cette pensée le rassure et le fait sourire. Il pourra ainsi profiter un peu plus de leur présence, car il n'est pas question pour lui de demeurer seul avec Anne-Julie : il ne pourrait pas répondre de ses actes. Plus les jours s'écoulent, plus il éprouve de la difficulté à freiner ses pulsions amoureuses.

D'un pas tranquille, il se dirige vers la demeure de ses deux protégés en se demandant quelle sera l'humeur d'Anne-

Julie en le voyant débarquer chez elle sans s'être, au préalable, annoncé. Sans doute éprouvera-t-elle le malaise habituel.

Le doux prénom de la jeune femme suffit à lui faire battre le cœur. Depuis le jour où elle l'a électrisé d'un baiser enflammé, Vincent ne cesse de rêver à la possibilité de lui faire l'amour. Cette obsession le rend aussi chancelant qu'un adolescent. Anne-Julie se rend-elle compte qu'il fantasme à son sujet ? Sûrement, puisque tous ses gestes lui parlent d'amour.

Cette situation le rend subitement morose. Il en a assez de combattre son penchant naturel pour la femme qu'il aime. Il songe que le plus beau cadeau que la vie pourrait lui offrir serait de l'épouser et d'adopter son fils. Il n'aurait aucune difficulté à considérer Mathieu comme son propre enfant, car il s'est profondément attaché au garçon.

Perdu dans ses réflexions, Vincent frappe à la porte. Des secondes s'écoulent sans qu'on vienne lui ouvrir. Sachant que les occupants ne sont pas sortis, puisque la voiture d'Anne-Julie est stationnée devant la maison, il décide d'entrer. Sans doute, le vacarme de la télévision a-t-il couvert le bruit des coups frappés à la porte.

Il se retrouve tout naturellement dans la cuisine et appelle doucement Mathieu. Aucun son ne fait écho à sa voix, pas même la télévision. Comme la curiosité le ronge, Vincent se dirige vers la salle de télé, qu'il trouve également vide. Il entend alors le son familier de l'eau qui coule dans la salle de bains. Cela prouve bien qu'il y a quelqu'un dans la demeure. D'ailleurs, la porte d'entrée n'était même pas verrouillée. Il est absolument certain qu'Anne-Julie ne serait pas sortie de chez elle sans avoir tout fermé à clé. Il décide d'aller voir si Mathieu est déjà au lit. L'enfant est peut-être malade, qui sait ? Mais Mathieu n'est pas dans son lit, et Vincent, perplexe, revient à la cuisine.

Au moment où il pénètre dans la pièce, la porte de la salle

de bains s'ouvre et Anne-Julie apparaît. Surprise, elle pousse un hurlement d'effroi.

— Excuse-moi ! ne peut que balbutier Vincent. Je ne voulais pas te faire peur.

Vincent sent son pouls s'accélérer devant le spectacle, gratuit et indécent, qu'offre la jeune femme. Elle n'est vêtue que d'une robe de chambre mal refermée qui révèle la rondeur d'un sein et la grâce féminine d'une jambe au galbe parfait. Sidéré par cette apparition affriolante, Vincent n'a pas la force de lutter contre ce cadeau du hasard. Son regard avide entreprend une danse folle sur toute la personne d'Anne-Julie avec une audace bien masculine, qui ne laisse aucun doute sur le désir qu'il ressent pour elle.

Aucune trace de maquillage ne masque la beauté indéniable d'Anne-Julie. Sa longue chevelure est emprisonnée sous une épaisse serviette pour en essorer le surplus d'eau. Vincent sent flancher une à une toutes ses résistances, à tel point qu'il se mord les lèvres. Il désire cette femme plus que tout au monde. Son besoin d'elle a atteint des limites de non-retour. Son souffle devient court. Son pouls s'accélère. Il peut presque sentir dans ses artères le mouvement produit par les vagues successives de son sang qui se projettent dans son cœur et s'affolent dans sa poitrine.

Pendant cet examen audacieux, Anne-Julie, de son côté, fait des efforts considérables pour se ressaisir. Elle vit un de ces moments magiques de l'existence, et il lui est impossible de résister à la tentation de s'y couler. En cette minute de vérité, elle n'a d'yeux que pour cet homme qui se tient là, debout devant elle, sans bouger, probablement aussi vulnérable qu'elle. Elle sent fondre toute sa pudeur naturelle et ne désire qu'une seule chose : se donner à lui sans retenue.

Plus beau que tous les hommes qu'elle connaît, Vincent la rend à moitié folle d'impatience. Et comme pour la narguer et attiser davantage son désir, il porte un jean ajusté qui, d'une manière fortement suggestive, révèle tout de son anatomie. Il n'en faut pas plus pour éveiller son imagination fébrile d'écrivain. Sous la veste de cuir de Vincent, Anne-Julie devine qu'il porte un tee-shirt de coton d'un blanc franc : ce qui le rend encore plus sexy et désirable. Ce corps, elle a tant aimé le caresser autrefois... Il lui a révélé le bonheur d'être femme.

Elle prend une longue inspiration et, sans cesser de le regarder une seule seconde, elle demande, d'une voix sensuelle :

— Que fais-tu ici ?

Cette musique achève de séduire Vincent.

— Je suis venu voir Mathieu, répond-il, complètement sous le charme.

Son sexe dressé le trahissant honteusement, lui rappelle la trop longue abstinence qu'il s'est volontairement infligée, à cause de cette femme, justement.

— Il n'est pas ici, souligne Anne-Julie, d'une voix rauque. Mathieu est chez Manon pour le week-end. J'avais besoin de vacances, sourit-elle en frissonnant de plaisir anticipé.

Sans se départir de son calme apparent, Vincent dépose son trousseau de clés sur la table de la cuisine. Anne-Julie tente-t-elle délibérément de le séduire ? Ou est-ce son imagination débridée qui lui joue de vilains tours ?

— Tu es donc seule ? dit-il à voix basse, pour vérifier à quoi songe réellement la jeune femme.

Anne-Julie frémit. Mue par un désir insoutenable d'appartenir à Vincent, ne serait-ce qu'une seule fois encore, elle lui lance un regard invitant, audacieux, voire presque choquant. Son corps alangui, terrassé par le désir, réclame puissamment les caresses de cet homme qu'elle ne peut plus repousser. Elle comprend qu'elle doit courir vers son destin au lieu de le laisser la poursuivre sans fin. Elle appartient de cœur, d'esprit et de corps à cet homme qu'elle aime désespérément, et cette révélation subite la laisse fébrile d'excitation. Son désir de toucher Vincent devient obsédant.

— Oui, avoue-t-elle, sur le ton d'une invite.

Vincent frissonne. Il a l'impression que sa vie est suspendue à un fil.

— Tu m'attendais donc ? risque-t-il.

— De façon inconsciente, peut-être...

Vincent retire lentement sa veste de cuir et la dépose sur le dossier d'une chaise. Il passera la nuit entière auprès de cette femme qui semble s'offrir d'elle-même ou bien il n'est pas un homme. Ce soir, il jouera le tout pour le tout. Sa voix masculine, aux intonations graves et fortes, claque dans la pièce lorsqu'il confesse :

— J'ai envie de toi, Anne-Julie.

L'appel est clair, précis. Anne-Julie se sent attirée irrésistiblement vers un autre monde : celui des sens, celui de l'amour, celui des plaisirs.

D'un geste langoureux, elle retire la serviette qui enveloppe sa chevelure et secoue la tête d'un mouvement séduisant. Avec ses doigts agiles, elle lisse ses cheveux vers l'arrière. Alors, apparaît la femme dans tout ce qu'elle a de sensuel et de désirable. Avec audace, elle libère une de ses jambes de la robe de chambre et tire lentement sur le cordon qui protège encore, de façon précaire, sa féminité. Son corps, superbe, se dévoile pour mieux s'offrir à Vincent.

Un vent de folie souffle dans la cuisine. Sans prononcer un seul mot, de peur de rompre le charme, Vincent s'avance vers elle et écarte, avec une grande délicatesse, le vêtement. Il expire profondément et ses mains tremblantes se taillent une place le long des hanches de la jeune femme. Cette femme n'est que rondeurs sensuelles.

Anne-Julie renverse la tête en arrière et soupire de bonheur. Enfin, cette torture prendra fin !

— Et si on allait dans ta chambre ? lui chuchote Vincent à l'oreille.

Le jeune homme emprisonne les lèvres exigeantes d'Anne-Julie et soulève la jeune femme, telle une poupée de chiffon. La porte de la chambre est entrouverte, aussi la pousse-t-il doucement avec le pied. Il dépose Anne-Julie sur le lit et entreprend de se dévêtir avec des gestes impatients.

Les deux amants se laissent embraser par le feu d'un désir intense. Ils s'abandonnent, portés par des gestes créateurs de félicité. Leurs souffles s'entremêlent, leurs lèvres se prennent sauvagement. Les doigts agiles de Vincent se perdent dans la chevelure éparse de la jeune femme. Ils courent sur sa nuque fragile. La respiration irrégulière, il tremble d'impatience, tandis que son corps, telle une torche vive, se frotte contre celui d'Anne-Julie en l'enflammant.

Jamais la jeune femme n'a senti un désir aussi violent s'emparer d'elle. Son besoin d'être possédée par Vincent est presque animal. Elle délire, prononce des mots incompréhensibles. Leurs baisers n'en finissent plus.

— Prends-moi ! supplie-t-elle.

Enveloppé par une musique d'amour extrêmement affolante, Vincent répond à ses attentes. Les yeux rivés aux siens, il entre en elle en poussant un soupir de bien-être. Délicatement, tendrement, lentement d'abord, puis à un rythme de plus en plus rapide, il la fait sienne, l'élevant dans un univers qui n'appartient qu'à eux. Dans une explosion de cris et de halètements, Anne-Julie jouit, frémissante, dépossédée d'elle-même. C'est l'extase, l'apothéose !

Éperdu de bonheur, il la dévisage, bouleversé par tant d'audace et d'abandon, ébloui par le regard avide qu'il découvre dans ses yeux. Elle a fait preuve d'une violence sensuelle, d'un besoin incontournable, d'une soif irrépressible qu'il ne lui connaissait pas.

— Je t'aime, répète-t-il. Je veux vivre et mourir entre tes bras. Dis-moi que tu m'aimes.

— Je t'aime, confesse-t-elle enfin. Je n'ai jamais cessé de t'aimer, Vincent.

Alors, il accepte de s'abandonner. Anne-Julie l'entend geindre et comprend qu'un monde de souffrances se tient là, à leur porte. Comment va-t-elle pouvoir l'aimer et vivre cette nouvelle relation en lui cachant son horrible secret ? se demande-t-elle.

Longtemps après, ils restent étendus l'un contre l'autre, savourant ces instants d'apaisement total. Mais, curieux, Vincent ne peut s'empêcher de la questionner :

— Tout à l'heure, lorsque nous faisions l'amour, tu as dit que tu n'avais jamais cessé de m'aimer. Est-ce que c'est la vérité ?

Anne-Julie, après une brève hésitation, décide d'avouer la vérité.

— Oui.

Vincent s'appuie sur un coude pour mieux la voir et dit :

— Je ne comprends pas.

— Je n'ai jamais cessé de t'aimer, Vincent. D'ailleurs, tu es le seul homme que j'aie jamais aimé de toute ma foutue vie !

Un long silence suit cette déclaration. La stupéfaction se peint sur le visage du jeune homme. Il y a tant d'interrogations dans son regard qu'Anne-Julie se sent fondre d'appréhension.

— Alors, pourquoi toute cette comédie ? Pourquoi m'as-tu quitté et chassé de ta vie ?

— C'est... c'est une très longue histoire, parvient-elle à dire, sentant son cœur s'affoler. Je ne sais même pas si tu accepteras de l'entendre.

— Tu peux toujours essayer. Je suis disposé à tout entendre ce soir, confesse Vincent.

Il se couche sur le dos, tandis qu'Anne-Julie lutte contre les mots qui refusent de sortir de sa bouche.

— Mathieu est ton fils, Vincent.

Ce dernier bondit d'un coup sec, le visage affichant une stupeur indéfinissable.

— Quoi ? s'écrie-t-il sur un ton rude.

Anne-Julie refoule ses larmes tant bien que mal.

— Mathieu est ton fils. Le jour où je t'ai quitté... j'ai été violée... par... Stéphane Bourque. C'est la raison de ma fuite. Je ne pouvais imaginer vivre à tes côtés sachant qu'un autre a osé mettre ses sales pattes sur moi. Et... et je croyais ne plus jamais être capable de m'abandonner à toi.

Au fur et à mesure que ces mots dévastateurs s'infiltrent dans son esprit, Vincent blêmit dangereusement. Ahuri, il en bégaie presque :

— Violée... par Stéphane ? Mais... comment peux-tu être certaine que je suis le père de Mathieu ?

— Pour tout dire, j'ai vécu des années sans en être certaine. Lorsque j'ai découvert que Mathieu était dyslexique, je n'ai plus eu aucun doute sur ta paternité. Il ressemble à ton frère Paul. Comme lui, il aime dessiner. Comme lui, il éprouve des difficultés d'apprentissage. Et, de plus, ne trouves-tu pas qu'il te ressemble étrangement ? Stéphane est blond et a les yeux bleus, tandis que toi...

L'image de Stéphane, penché sur elle, l'agressant brutalement refait surface avec violence dans l'esprit d'Anne-Julie.

De son côté, Vincent tremble de tous ses membres. Cette vérité le fige de stupeur. Il ne sait comment réagir.

— Et ce n'est pas tout, hoquette Anne-Julie. Je suis née d'une relation incestueuse.

Dans un état second, Vincent refuse ce qu'elle lui révèle. Trop, c'est trop ! Il a l'impression qu'il va devenir fou de douleur.

— Woh ! Minute ! l'interrompt-il. Attends un peu. Je ne suis pas prêt à en entendre davantage, dit-il en se levant du lit et en s'habillant à la hâte.

— Que fais-tu ? crie Anne-Julie, désemparée.

— Je m'en vais d'ici ! Que croyais-tu ? Que j'allais apprendre tout cela sans broncher ? Sans réagir ?

Anne-Julie s'écroule sous le poids de la douleur.

— Lâche ! hurle-t-elle, pendant que Vincent se sauve de la maison à moitié vêtu.

Elle s'enveloppe dans le drap et court à sa suite. Mais Vincent est déjà au pied de l'escalier.

— Laisse-moi t'expliquer, Vincent ! Je t'en prie ! Écoute-moi, je t'en supplie...

Vincent consent à se retourner vers elle. D'une voix rageuse, il dit :

— Je me fous de tes origines scandaleuses... mais d'apprendre que Mathieu est mon fils, et que tu m'as privé de sa présence me met hors de moi. Tu n'as aucun scrupule. Tu savais que je m'attachais à lui. Je n'ai jamais connu un être plus monstrueux que toi, Anne-Julie Beaulieu ! Jamais je ne te pardonnerai cela !

Il monte dans sa voiture, met le moteur en marche et quitte la propriété à toute vitesse.

La jeune femme se laisse tomber sur le sol et sombre dans une crise de larmes et de colère. Elle le savait. Elle l'avait pressenti. Elle l'avait prévu. Vincent est un monstre d'égoïsme comme tous les hommes de cette planète. Elle le déteste. Elle se déteste. Elle déteste l'humanité tout entière. La rage s'empare d'elle. Elle hurle sa douleur, sa haine et son humiliation. Elle n'est qu'une pauvre victime.

28

Lorsque, comme convenu, Manon ramène Mathieu chez lui le dimanche, elle trouve Anne-Julie dans un état pitoyable. La jeune femme dort tout habillée, sa chevelure est en bataille et ses yeux cernés montrent qu'elle a abondamment pleuré.

Manon devine sans difficulté ce qui a dû se passer en l'absence de Mathieu. Aussitôt, elle communique avec Benoît, lui exprimant son intention de demeurer auprès de son amie. Devant le mutisme total d'Anne-Julie et son manque de motivation, Manon est obligée de prendre en charge les responsabilités de la maison.

Sans savoir ce qui ne va pas, Mathieu remarque bien que sa mère est en proie à un chagrin insurmontable. Il souffre en silence, espérant que sa maman retrouvera le goût de vivre au plus vite.

À plusieurs reprises, il prend des nouvelles de Vincent, s'informant des raisons de son absence prolongée. Mais Anne-Julie reste silencieuse et s'enfuit dans sa chambre chaque fois qu'il est question de son amant. C'est sa tante Manon qui lui explique que sa mère s'est querellée avec Vincent. Rien de tout cela ne rassure le jeune garçon, qui, non seulement s'inquiète de voir sa mère dans un pareil état, mais en plus, ne peut plus compter sur la présence réconfortante de Vincent. Tout cela s'avère très affligeant pour lui.

La situation dure maintenant depuis une semaine. Tout le monde dans la maison est profondément ébranlé. Personne n'ose parler, de peur de provoquer une nouvelle crise de larmes chez Anne-Julie.

À bout de patience, Manon prend la décision de communiquer avec Vincent pour lui faire part de ce qu'elle pense de son silence insupportable. Un soir, sachant Anne-Julie endormie, elle s'enferme dans le bureau et cherche le numéro de téléphone de l'orthopédagogue qu'elle compose, attendant que Vincent daigne répondre. Plusieurs coups résonnent à son oreille avant qu'elle entende la voix du jeune homme.

— Allô ! répond-il, avec impatience, montrant ainsi qu'on le dérange.

— Bonsoir, Vincent, c'est Manon...

Long silence à l'autre bout du combiné. Manon peut sentir la tension que provoque son appel.

— Que veux-tu, Manon ?

— Euh... Anne-Julie est dans un état lamentable. Je sais que ce qu'elle t'a révélé n'est guère réjouissant, Vincent, mais ne pourrais-tu pas lui pardonner ? demande Manon, consciente qu'elle se mêle de ce qui ne la regarde pas.

— Cette histoire ne concerne qu'Anne-Julie et moi. Alors, mêle-toi de ce qui te regarde, Manon !

— Tu n'es qu'un mufle ! Tu n'as pas une once de sollicitude au fond du cœur. Tu n'as pas idée de ce que cette fille a enduré durant toute sa vie.

Visiblement, Vincent s'impatiente. Depuis une semaine, il vit avec une rage permanente au cœur, une rage qui le surprend lui-même. Il n'aurait jamais cru être aussi colérique.

— Anne-Julie sait-elle que tu m'as téléphoné ?

— Non, mais...

— Alors, mêle-toi de tes affaires, Manon Gauthier ! s'offusque-t-il en raccrochant.

Manon bout de colère. L'attitude fermée de Vincent la déconcerte totalement. L'orgueil des hommes a toujours su provoquer sa fureur. C'est de façon déterminée qu'elle compose à nouveau le numéro du jeune homme. Dès qu'elle obtient la communication, elle s'empresse de dire :

— Si tu ne veux rien avoir à faire avec Anne-Julie, je peux le comprendre, Vincent ! Il est normal que tu sois blessé. Ce qu'elle a fait est assez difficile à avaler. Mais tu pourrais au moins penser un peu à ton fils. Cet enfant est complètement abattu. L'état piteux dans lequel se trouve sa mère le perturbe beaucoup et ton absence lui pèse plus que tu ne le crois.

Entendre parler de Mathieu accable Vincent. Mais il ne se sent pas capable de réagir. Il a l'impression que tout son univers bascule. Il se contente de raccrocher le récepteur, en douceur cette fois.

Manon pousse un énorme soupir. Au moins a-t-elle la satisfaction d'avoir déstabilisé Vincent. Elle est persuadée qu'elle a bien agi en lui rappelant ses responsabilités de père.

Le week-end suivant s'éternise. Anne-Julie ne semble pas vouloir émerger de son état dépressif. C'est tout juste si Manon arrive à lui faire avaler quelques bouchées de pain grillé avec un peu de café. Elle maigrit à vue d'œil. Bien qu'elle soit angoissée, Manon espère que cette situation d'apparence désespérée sera bénéfique, en fin de compte. Et elle attend. Elle attend qu'Anne-Julie et Vincent pansent leurs blessures et reprennent goût à la vie. Cette crise était à prévoir depuis longtemps. Mais il y a tout de même des limites à ce qu'un être humain peut endurer ! Un jour ou l'autre, Anne-Julie sera bien obligée de refaire surface. Et Vincent également. Manon s'en doute bien : ces deux-là sont faits pour vivre ensemble.

Cette situation de crise permet à Manon de faire le point sur leur vie. Elle songe qu'autrefois, au cécep et à l'université, c'est elle qui agissait toujours de façon impulsive et insouciante. Et c'était toujours Anne-Julie qui lui faisait remettre les deux pieds sur terre. La vie prend parfois des tournants tout à fait inattendus. Maintenant, c'est elle, Manon Gauthier, qui mène une vie sage et équilibrée. Elle est mariée à un homme exceptionnel qui lui a offert l'immense bonheur de devenir mère. Benoît et elle partagent tout : leur vie, l'éducation de Sébastien, la préparation des repas, l'entretien de la maison et la passion pour leurs carrières respectives. Leur amour s'épanouit au fil des jours. Mais ce bonheur lui paraît injuste lorsqu'elle pense à son amie. Injuste qu'une fille aussi brillante, aussi intelligente et douce, vive de telles épreuves. Elle n'a rien fait pour mériter tout cela. Elle n'est que la victime des erreurs et des choix faits sous le coup d'un traumatisme. Elle est aussi la victime de Bruno qui a violé sa mère, Caroline. Elle est la victime des mensonges et des secrets de Philippe et Corinne. Elle est la victime du viol de Stéphane et de son rejet de Vincent. Mais elle est surtout victime d'elle-même.

Après quatre jours d'absence, Mathieu décide de lui-même qu'il est temps pour lui de retourner à l'école. Il a le cœur gros, car sa mère ne daigne même pas l'accompagner jusqu'à l'arrêt de l'autobus, comme elle le fait depuis qu'il fréquente la maternelle. Mais tant pis, c'est à lui de prouver qu'il devient un homme et qu'il est capable de se débrouiller tout seul.

Des questions sans réponses ne cessent de tourmenter son jeune esprit. Que s'est-il donc passé de si terrible entre Vincent et sa mère pour qu'ils soient si fâchés l'un contre l'autre ?

Mathieu endure le martyre dans cette épreuve de silence imposé.

Son professeur de français, Liliane, a insisté pour connaître la raison de son absence de l'école. Mais Mathieu s'est contenté de répondre que sa maman est souffrante et que cela l'inquiète beaucoup. Liliane l'a alors consolé et lui a promis de bien s'occuper de lui. Mais Mathieu se fiche éperdument de l'école en ce moment. Et cette matinée est particulièrement difficile pour lui. Il constate que Vincent ne lui a même pas adressé la parole depuis la dispute qu'il a eue avec sa mère. Un sentiment de frustration et de colère s'empare du jeune garçon. Il doit parler à Vincent, ne serait-ce que pour lui dire à quel point il est déçu de son attitude.

Mathieu se sent trahi par ceux qu'il aime. Il a cru que Vincent était un ami, alors que son comportement distant lui prouve qu'il s'est trompé sur son compte. Si Vincent est fâché contre sa mère, ce n'est pas lui, Mathieu, qui doit payer pour cela.

Décidé, il demande à son enseignante l'autorisation d'aller rencontrer l'orthopédagogue à son bureau. Liliane lui accorde cette permission, en lui faisant promettre qu'il rattrapera le retard occasionné par cette nouvelle absence.

Mathieu fait toutes les promesses que l'enseignante désire. Sur un ton confiant, il demande à la secrétaire :

— Où est Vincent, Ginette ?

Ginette lui sourit :

— Je pense qu'il est à son local.

— Merci ! soupire l'enfant, soulagé.

D'un pas calme mais déterminé, Mathieu longe le long corridor pour aboutir au local de Vincent. Il ne prend même pas la peine de frapper à la porte et pénètre dans le bureau du jeune homme. Ce dernier a la tête enfouie entre ses bras et le corps penché sur son bureau, donnant l'impression de pleurer.

L'enfant toussote et interpelle celui qui était son protecteur, il y a peu de temps, et en qui il avait une confiance absolue :

— Vincent !

L'orthopédagogue sursaute en entendant son prénom. Il se redresse, s'appuie contre le dossier de la chaise et examine la mine abattue de l'enfant. Au bout d'interminables secondes, il interroge :

— Que veux-tu, Mathieu ?

— Je viens te parler d'homme à homme, annonce solennellement le gamin.

Cette réplique fait sourire Vincent.

— Vas-y, je t'écoute.

— Il s'agit de ma mère, Vincent. Ne me dis pas que tu n'es pas au courant de son chagrin. Elle ne fait que pleurer du matin jusqu'au soir et elle ne parle plus à personne. Tante Manon m'a informé que vous vous étiez disputés tous les deux. Je ne sais pas de quoi il s'agit, mais cela lui a fait beaucoup de peine.

— C'est vrai, oui, répond Vincent, qui juge inutile de cacher la vérité à Mathieu.

Puis, pris d'un élan d'émotion, il confesse :

— Moi aussi, j'ai du chagrin, Mathieu.

— Je le vois bien ! Tu as les yeux tout gonflés. Et tout comme maman, tu sembles avoir maigri.

Il fait une courte pause avant d'ajouter :

— Tu pleures toi aussi ?

Vincent trouve ce gamin très perspicace.

— Oui.

L'enfant attend patiemment quelques secondes, puis adopte une mine sévère et ordonne :

— Je souhaiterais que vous cessiez ces enfantillages et que vous vous réconciliiez tous les deux.

Vincent pose un regard attentif sur son fils. C'est comme

s'il le voyait pour la première fois. Ce jeune garçon est suffisamment averti pour s'apercevoir que cette querelle est importante et il ose s'en mêler. Décidément, Mathieu est un courageux petit bonhomme ! Vincent songe, pour la première fois depuis sa dispute avec Anne-Julie, que ce garçon qu'il aime tant est son fils et cela le trouble vivement. En se butant de la sorte, il s'éloigne volontairement de son unique enfant. Cette attitude lui procure un profond dégoût de lui-même. Il se sent égoïste et incompréhensif. S'il est déçu par la femme qu'il aime, il ne doit pas s'en prendre à son fils. Mathieu n'est pas responsable des différends qui les opposent en ce moment. D'un ton des plus doux, il explique :

— Ce ne sont pas des enfantillages, Mathieu. Tu peux me croire. Cette querelle est très sérieuse.

L'enfant secoue la tête comme pour signifier qu'il ne se laissera pas attendrir et poursuit :

— Je ne sais pas ce qui se passe au juste, Vincent, mais laisse-moi te dire que tu me déçois beaucoup. Je croyais que tu étais mon ami, et je pense que maman t'aime beaucoup elle aussi.

— Qu'est-ce qui te fait croire cela ? ne peut s'empêcher de questionner Vincent.

— C'est pourtant simple ! Si maman ne t'aimait pas, il y aurait longtemps qu'elle aurait cessé de pleurer à cause de toi. D'habitude, lorsque l'on se dispute avec quelqu'un, on est en colère pendant quelques heures et puis on se calme. Mais maman, elle, elle ne se calme pas. Même Manon, qui tente de la consoler, n'arrive à rien. C'est donc facile de voir qu'elle t'aime et que c'est à cause de toi qu'elle a autant de chagrin.

— Euh... oui. Tu as sans doute raison, ne peut que convenir Vincent, qui comprend enfin les conséquences de cette dispute pour Mathieu.

Mais le jeune enfant n'a pas terminé son discours. Il ajoute donc :

— Et je pense que toi aussi tu l'aimes, Vincent.

Vincent sourcille et réplique :

— Ce n'est pas aussi simple que ça...

— Lorsque je me dispute avec Félix-Antoine, souvent, je lui dis de gros mots, des choses que je ne pense pas vraiment. Ensuite, je le regrette et je lui demande pardon. Tu devrais faire un effort pour te réconcilier avec maman. Elle ne peut pas être aussi méchante que tu le crois. Moi, je trouve maman très bonne et très douce aussi. C'est la meilleure maman du monde ! Je suis certain qu'elle ne mérite pas que tu la boudes comme tu le fais en ce moment. Si tu la voyais, elle fait pitié, je te le jure ! Je ne sais pas ce qu'elle t'a fait, mais je suis sûr qu'elle le regrette.

Puis, d'un ton plus doux :

— Si tu te donnais la peine de venir la voir et de lui parler, tu comprendrais et tu regretterais de l'avoir fait autant souffrir, achève l'enfant qui lutte contre les larmes.

Cette remarque abat les dernières résistances de Vincent. Des émotions, orgueil et tendresse mêlés, lui serrent le cœur. Ce petit bonhomme, si sage pour son âge, est son fils, son enfant chéri. Peu lui importe après tout de savoir qu'Anne-Julie lui a caché l'existence de son fils. Ce qui compte, c'est que Mathieu soit l'enfant de l'amour. L'amour qu'Anne-Julie avait pour lui et qu'un esprit malade a détruit. Il prend conscience de son attitude égoïste. S'il se mettait à la place d'Anne-Julie... Il ne s'est pas inquiété un seul instant de ce qu'elle a dû ressentir lorsqu'elle a été violée. Mon Dieu ! C'est horrible ! Il lui en voulait de lui avoir caché la vérité, mais il peut comprendre sa réaction. Elle a été violemment agressée. Elle a choisi de l'éloigner de sa honte, pas de son fils. Il s'oblige à voir plus clair dans tout cela. Quelle est sa vraie souffrance ? La réponse devient claire, comme de l'eau de source. C'est un sentiment de frustration qui l'habite depuis quelques jours. Il est frustré, choqué, enragé de savoir qu'un autre homme que lui a osé la toucher. Même si cela s'est produit dans la violence, un autre gars a touché la femme qu'il aime. Mais... il est jaloux ! Cette constatation lui fait horreur ! Il est fou de douleur à la pensée qu'un autre homme a pris Anne-Julie. Pas un seul instant, il n'a songé à l'angoisse que cette femme a dû vivre.

Conscient de tout le drame qui se joue encore, Vincent se lève et tend les bras à son fils. L'enfant accourt et vient se nicher contre sa poitrine. Vincent le soulève dans les airs, l'esprit enfin apaisé :

— Tu as raison, Mathieu. J'aime ta maman et ta maman m'aime ! Et je t'aime aussi. Tu ne peux pas savoir combien je t'aime et combien je suis fier de toi ! Mon petit bonhomme...

Vincent serre très fort son fils contre lui, comme s'il voulait l'étouffer de son amour. L'enfant réagit en éclatant de rire.

— Je pense que tu devrais aller voir maman. Je suis certain qu'elle t'accueillera les bras grands ouverts.

— Tu crois ?

— Oh oui ! Parole d'homme ! affirme l'enfant. Fais un petit effort. Tu me manques tellement, Vincent ! poursuit-il, les yeux pleins d'eau.

— À moi aussi, Mathieu, tu me manques. Allons, sèche ces grosses larmes ! Puisque tu es certain que ta maman me pardonnera la peine que je lui ai faite, je vais lui téléphoner dès maintenant. Mais, attends que j'y pense... Que dirais-tu de rester avec tante Manon pendant les prochains jours ? J'amènerais ta maman passer deux ou trois jours avec moi. Ainsi, nous pourrions nous réconcilier. Qu'en dis-tu ?

— Je ferai tout ce que tu me demanderas, Vincent, sourit Mathieu, profondément soulagé.

Vers trois heures de l'après-midi, Vincent arrive chez Anne-Julie. Un sourire illumine le visage de Manon devant cette apparition tant souhaitée. Elle lui annonce qu'Anne-Julie est dans sa chambre. C'est d'un pas incertain que Vincent s'y rend. Il frappe quelques coups et attend qu'elle lui donne l'autorisation d'entrer.

Anne-Julie se hisse sur son lit, dévorée par la douleur.

— Je suis venu entendre ce que tu voulais tant me communiquer, annonce-t-il en s'assoyant près d'elle.

Prise d'un vertige, Anne-Julie se laisse tomber sur les oreillers. Un soulagement profond la submerge, mais c'est avec peine qu'elle répond :

— Je ne sais pas si j'en aurai la force.

— J'ai tout mon temps, lui souffle Vincent. J'ai longuement réfléchi à tout cela, et quoi que tu aies à te reprocher, j'ai décidé de te pardonner. Je t'aime. De cela, je suis certain.

Anne-Julie fond en larmes. Péniblement, elle fait signe à Vincent de se rapprocher.

— Prends-moi dans tes bras, s'il te plaît. J'en ai un tel besoin ! Si tu savais...

Vincent ne se fait pas prier pour s'exécuter. Ils s'étreignent de longues minutes. Puis Vincent se lève, va voir Manon et lui demande d'interdire à Mathieu l'accès à la chambre de sa mère. Il lui explique qu'il a eu une conversation avec l'enfant et que Mathieu comprendra leur besoin de solitude.

Lorsqu'il revient dans la chambre d'Anne-Julie, Vincent lui fait part de sa requête auprès de Manon. La jeune mère s'inquiète :

— As-tu dit à Mathieu que tu es son père ?

— Non, rassure-toi. Débarrassons-nous de ce pénible moment, veux-tu, Anne-Julie ? Plus vite tu m'auras tout raconté, plus vite tu te sentiras mieux.

Anne-Julie acquiesce et lui raconte l'histoire de ses origines scandaleuses.

— Ceux que j'ai cru être mes parents étaient en fait mes grands-parents.

Devant la stupéfaction de Vincent, elle poursuit :

— Lorsque mes grands-parents, Philippe et Corinne Beaulieu se sont mariés, Corinne était enceinte de Philippe. Cela a provoqué un gros scandale à Kamouraska et le père de Corinne, mon arrière-grand-père, Joseph Gagnon, qui était le médecin du village, a mis sa fille à la porte. Les deux amants sont venus s'installer ici, à Notre-Dame-du-Portage. Cette demeure était la maison ancestrale de mon arrière-grand-mère, Marie-Ange Gagnon-Hudon, la femme de Joseph Gagnon. De cette liaison interdite est née ma mère, Caroline Beaulieu. Mais Philippe se sentait coupable d'avoir enlevé Corinne à son milieu aisé, alors que lui n'était qu'un pauvre agriculteur. De plus, il ne s'est jamais intéressé au sort de sa fille, rejetant sur elle le poids du péché qu'il avait commis.

Un jour, le couple s'est installé à Rimouski, après avoir fait l'acquisition d'un commerce. Le plus jeune frère de Philippe, Bruno Beaulieu, s'est fait héberger chez lui pendant qu'il faisait ses études littéraires à l'université de Rimouski. Philippe était l'aîné de sa famille, et son père s'était remarié trois fois. Possédant plutôt une nature indépendante, Philippe ignorait que, dans la famille Beaulieu, l'inceste avait frappé plusieurs générations. Son frère Bruno ne l'ignorait pas, lui qui avait subi cette forme d'amour déséquilibrée depuis son tout jeune âge.

Anne-Julie s'arrête quelques instants pour essuyer à nouveau les larmes qui roulent sur sa joue.

— Bruno tomba amoureux fou de Caroline, donc de sa nièce, et il la viola. Neuf mois plus tard, je vins au monde.

Vincent plonge son regard dans celui de la jeune femme.

Cette histoire lui glace le dos. Tout doucement, il prend la main d'Anne-Julie pour lui témoigner sa présence. En cette minute, il peut comprendre les raisons pour lesquelles Anne-Julie s'est entourée d'autant de mystères.

C'est d'une voix brisée par le chagrin que la jeune femme poursuit son récit.

— Lorsque Philippe et Corinne découvrirent ce qui s'était passé, ils jetèrent Bruno à la rue et Corinne simula une grossesse. C'est ainsi qu'ils purent dissimuler la situation honteuse de leur fille Caroline. Ils l'envoyèrent accoucher à Québec. Mais la pauvre est décédée en faisant une crise d'éclampsie. C'est une maladie peu connue et qui touche les femmes enceintes. Tu as déjà compris que Caroline était ma mère, et qu'elle est décédée à ma naissance.

— Oui, note Vincent, qui n'en revient tout simplement pas.

Anne-Julie continue sur sa lancée :

— Éperdus de douleur, Corinne et Philippe m'adoptèrent en décidant d'un commun accord de cacher au monde entier les conditions de ma naissance. Je suis devenue l'enfant de mes grands-parents.

Anne-Julie se tait à nouveau, enfermée dans la souffrance. Puis elle reprend :

— J'ai grandi entourée d'amour. Mon père m'adorait ! C'était comme s'il avait voulu racheter son manque d'amour envers sa fille légitime en m'aimant, moi, sa petite-fille, d'une façon démesurée. Malheureusement... ceux que je croyais être mes parents sont morts dans un accident d'avion, à leur retour de vacances en Floride. À cette époque, je faisais mes études au cégep de Rimouski. Ils venaient de faire faillite et avaient ressenti le besoin de prendre un peu de recul pour mieux décider de leur avenir. Ce furent les seules vacances qu'ils s'accordèrent durant toute leur vie.

Anne-Julie pleure maintenant à chaudes larmes.

— Non seulement j'ai eu à surmonter le deuil de mes parents que j'adorais mais en plus, Bruno Beaulieu a choisi ce moment tragique pour me rencontrer et m'apprendre l'inavouable vérité. Il me surveillait déjà depuis un certain temps. Mais c'est au cimetière même qu'il a décidé de m'aborder et de réclamer son droit de paternité. C'est Marie-Ange, que je croyais être ma grand-mère, qui m'a tout raconté sur mes origines. Meurtrie d'avoir été trahie par ceux que j'aimais tant, je ne me suis jamais remise de la disparition de mes parents.

Anne-Julie fait une pause avant de poursuivre, comme pour se donner du courage.

— Bruno Beaulieu, c'était ce célèbre animateur d'émissions d'intérêt public. Peut-être te souviens-tu de lui ?

— Oui, je m'en souviens. C'était un homme extrêmement brillant et cultivé, si ma mémoire est bonne.

— C'est vrai. Bruno avait réussi sa vie professionnelle au-delà de ses espérances. Mais sa vie privée fut un échec lamentable. Tout comme la mienne, d'ailleurs... Il ne s'est jamais remis de la mort de Caroline, et lorsque je l'ai repoussé, il s'est suicidé.

Anne-Julie éclate en sanglots. Elle revit son histoire à mesure qu'elle en fait la narration. Tout en douceur, Vincent lui masse les épaules afin de la détendre un peu.

— C'est ainsi, poursuit-elle, que je suis devenue une source de malheur pour tous ceux que j'aime et qui m'aiment. Toi d'abord, ensuite Mathieu, ma grand-mère Marie-Ange, mes parents, ma mère qui est décédée à ma naissance, Bruno qui s'est suicidé, Manon qui a passé presque deux semaines à m'entendre pleurer et tous les autres qui se sont malencontreusement trouvés sur ma route.

— Chut ! Calme-toi. Je suis là. Tout cela n'est pas ta faute. C'est la faute de ceux qui t'ont précédée.

319

Quelques minutes s'écoulent avant qu'Anne-Julie décide de poursuivre.

— Bruno m'a laissé une fortune considérable en héritage. Je l'ai refusée. Je le haïssais tellement ! Il avait détruit tous mes rêves. Je ne trouvais plus de sens à ma vie. La honte me submergeait. Je voulais mourir.

— Je comprends.

— Marie-Ange a accepté une partie de cet héritage et a rénové cette maison. À sa mort, j'ai hérité du tout. D'une certaine façon, c'est comme si j'avais hérité de mon véritable père.

— Tu l'as méritée, cette maison, Anne-Julie. Elle représente l'héritage de la famille de ta mère, pas celle des Beaulieu.

— C'est vrai, convient Anne-Julie. Vois-tu, lorsque je t'ai rencontré à l'université, c'est comme si, pour la première fois, je pouvais envisager d'avoir enfin droit au bonheur. J'étais folle de toi ! Jusqu'au jour où Stéphane m'a sauvagement violée. Une fois encore, mon univers a basculé. J'ai pensé que je ne méritais pas ton amour. J'ai pensé que tu ne m'aimerais plus. Alors, je me suis enfuie. J'étais loin de m'imaginer que j'étais enceinte. Et lorsque je l'ai appris, il était trop tard pour revenir sur ma décision, et de renouer avec toi. D'autant plus que cet enfant pouvait être celui de Stéphane.

Anne-Julie lève un visage défait sur Vincent.

— J'étais... totalement perdue... Je n'étais pas en mesure de comprendre ce qui m'arrivait, et encore moins de penser que je pouvais tout te révéler.

— Mon pauvre amour, comme tu as dû souffrir !

Vincent permet à la jeune femme de pleurer longuement. Et comme elle se calme, il propose :

— Si nous partions quelques jours, tous les deux ? Nous pourrions faire le point sur notre vie future.

— Je ne sais pas, Vincent. Tout cela est tellement précipité !

— Pense à Mathieu, Anne-Julie. Nous devrons lui apprendre que je suis son père.

— Tu veux dire...

— Que j'ai l'intention de t'épouser et d'adopter Mathieu, mon amour. Je t'aime. Ne te l'ai-je pas assez dit ?

— Je ne te mérite pas, Vincent. J'ai déjà hypothéqué ta vie de plusieurs années. Je ne me sens pas le courage de t'en demander davantage.

— Chut ! Calme-toi.

Réconfortée, Anne-Julie love son corps frêle contre celui de son amoureux. Près de lui, elle s'apaise. Entre ses bras, elle vit.

— Je te demande pardon, mon amour, dit-elle entre deux sanglots.

— Je te pardonne, mon amour. La vie nous appartient désormais. C'est à nous de la bâtir, ensemble, comme cela était prévu depuis longtemps. Dorénavant, tout sera propre entre toi et le reste du monde. Je te le promets. Je veillerai sur toi et sur Mathieu, comme cela a toujours été mon plus grand désir.

— Oh ! Vincent !

Vincent embrasse Anne-Julie, lui faisant ainsi une promesse de bonheur éternel. Dans son for intérieur, Anne-Julie prie ses chers disparus.

« Merci, mon Dieu ! Et surtout, merci, papa ! Je le sais maintenant, tu ne m'as jamais quittée. Merci ! Merci du fond du cœur ! »

Elle prend conscience qu'il n'y a rien de plus important au monde que l'amour, la paix et la liberté intérieure. Tous les biens de la terre lui paraissent futiles en comparaison de l'harmonie que font surgir l'amour de Vincent et l'amour que lui offrent ceux qui font route avec elle. Oui, elle bénit le ciel. Elle a entrepris un long périple vers la découverte d'elle-même. Tant et aussi longtemps que l'être humain reste éveillé et lutte pour la vie, lutte pour l'amour, lutte pour vivre en harmonie, tout n'est pas perdu.

Anne-Julie et Vincent passent des jours merveilleux, unis dans une réelle complicité. Ils discutent sans arrêt, se racontant les moindres émotions qu'ils ressentent. Ils partagent tout, sans rien omettre. Ils font et refont l'amour à s'épuiser. L'avenir leur appartient et ils ont beaucoup de temps à rattraper.

La jeune femme n'a jamais connu un tel bonheur, une telle sérénité. Cela lui rappelle les moments de joie qu'elle a vécus auprès de son père, Philippe Beaulieu. Oui, elle est enfin heureuse, enfin libérée de ses lourds secrets et des tensions nerveuses qui ont empoisonné sa vie. Ces épreuves l'ont mûrie, grandie et elle se sent plus forte à présent. La promesse d'un long bonheur s'amorce, et elle pourra à nouveau créer des histoires, des personnages, des contes de fées où régnera l'amour.

Marie-Ange, cette femme sage, avait raison : c'est la somme de nos expériences vécues ici-bas qui détermine qui nous sommes réellement et qui nous deviendrons...

Lorsque les tourtereaux reviennent à la maison, Manon les attend avec impatience. C'est main dans la main qu'elle les voit pénétrer dans la demeure ancestrale de Marie-Ange Gagnon-Hudon. Mathieu se jette au cou de sa mère et pleure de joie. Il est si content de revoir enfin sereins et heureux les deux êtres qu'il aime.

Vincent attend que ces effusions de joie prennent fin. Alors, à son tour, il serre son fils contre lui.

Le couple attire l'enfant dans le bureau d'Anne-Julie et c'est Vincent qui lui adresse la parole en premier :

— Mathieu, nous avons une grande nouvelle pour toi.

— Ah oui ! s'écrie l'enfant d'un ton malicieux, je vais avoir une petite sœur ?

— Non, répond Vincent. Enfin, peut-être. Cette possibilité n'est pas à écarter. Ta mère et moi, nous allons nous marier. Tu sais, nous nous connaissons depuis très longtemps, Anne-Julie et moi. Et nous avons toujours été amoureux l'un de l'autre. Mais j'ai autre chose à t'apprendre, fiston.

Mathieu plonge son regard dans celui de Vincent. Un sourire illumine déjà son visage.

— Il est temps pour toi d'apprendre...

L'enfant hoche la tête.

— ... que tu es mon fils, Mathieu. Je suis ton vrai papa.

Mathieu reste muet de surprise. Il n'est pas certain de comprendre ce que Vincent essaie de lui apprendre.

— C'est la vérité, Mathieu, explique Anne-Julie. Tu te rappelles, lorsque tu étais petit, je t'avais dit que ton père était mort en pilotant un avion ? Tu t'en souviens, n'est-ce pas ?

— Oui. Tu avais dit qu'il ne reviendrait jamais.

Anne-Julie s'assombrit. Elle n'aurait jamais dû lui mentir ainsi. Comment va réagir Mathieu à présent ? Elle s'arme de courage et poursuit :

— J'ai menti pour nous protéger, Mathieu. Vincent ne savait pas que j'étais enceinte lorsque nous nous sommes quittés lui et moi. Et c'est par ma faute qu'il est sorti de notre vie. Tu vois, dans ma jeunesse il m'est arrivé une chose horrible, que je ne te raconterai pas aujourd'hui. Mais tout ce que je peux te dire pour l'instant, c'est que cet événement difficile a fait en sorte que Vincent et moi, nous nous sommes séparés. Vois-tu, Mathieu, j'avais peur que Vincent ne comprenne jamais ce qui est arrivé. Alors j'ai préféré le quitter, de peur qu'il ne puisse pas me pardonner. Et c'est bien plus tard que je me suis aperçue que j'avais commis une terrible erreur en quittant Vincent. J'ai sincèrement cru qu'il était trop tard pour essayer de changer les choses. Alors, je n'ai pas voulu le prévenir de ta naissance. Je croyais que je serais capable de m'occuper de toi toute seule, sans son aide.

Sentant la voix d'Anne-Julie chevroter sous l'émotion, Vincent décide d'intervenir :

— Mais plus tard, au moment où je suis réapparu dans vos vies, ta mère a compris qu'elle m'aimait toujours aussi fort qu'avant. Lorsque nous nous sommes disputés l'autre jour, elle venait de me dire que tu étais mon fils. J'étais très en colère d'apprendre qu'elle m'avait privé de ta présence pendant toutes ces années.

L'enfant écoute religieusement, le cœur débordant d'un bonheur inespéré. Les seuls mots qui retiennent vraiment son attention, c'est que Vincent est son père ! Son véritable papa. Il n'en croit pas ses oreilles. Vincent poursuit :

— Tu vois, Mathieu, je crois qu'il existe un bon Dieu pour les gens qui s'aiment réellement. Et ce bon Dieu a tout fait pour que nous soyons réunis, tous les trois, afin que nous puissions vivre ensemble une longue vie de bonheur. Tu sais, j'aimais tellement ta maman que je n'ai jamais épousé une autre femme. J'espérais que nous nous retrouverions un jour et que nous pourrions vivre ensemble.

Le regard de Mathieu brille de mille feux.

— Vous êtes mes parents ?

— Oui et tu ne peux pas savoir comme je suis heureux que tu sois mon fils !

— J'ai une maman exceptionnelle et un papa extraordinaire, chantonne le garçon en dansant.

Puis il s'arrête et se jette dans les bras de Vincent :

— Je t'aime, papa, et c'est le plus beau jour de ma vie !

Anne-Julie a le cœur gonflé d'émotion. Elle ne peut croire à un si grand bonheur. Enfin, elle pourra goûter les joies simples de la vie.

— Est-ce que tu vas venir habiter avec nous, papa ?
— Oui, mon petit homme !

Une demi-heure plus tard, le couple fait son apparition dans la cuisine. Mathieu est dans les bras de son père et Anne-Julie tient la main de Vincent. Souriante, Manon les contemple longuement. Quel beau tableau ils forment tous les trois !

« Il y a donc une justice dans ce monde ! » songe-t-elle, reconnaissante. Vincent et Anne-Julie sont enfin réunis ! Et c'est la plus agréable des pensées...

Parus dans
la même collection